PRIJSVRAAG
Kom kanon schieten op de Bataviawerf!

Doe mee aan de *Gruwelvloed*-prijsvraag en maak kans op een
dag kanon schieten op de Bataviawerf in Lelystad.
Daar dwaal je over de dekken van het VOC-schip *Batavia*, ben
je getuige van *De 7 Provinciën* in aanbouw en ervaar je hoe
het is om vampiraat te zijn!
Deze dag wordt speciaal georganiseerd voor de winnaars
van de prijsvraag.

Kijk voor de prijsvraag op
www.uitgeverijdefontein.nl en klik op 'Acties'.

Misschien ben jij straks de gelukkige winnaar en ga je met
jouw familie kanon schieten en andere vampiraten-
avonturen beleven!

Justin Somper

Gruwelvloed

De Fontein

17. 11. 2010

www.uitgeverijdefontein.nl
www.vampirates.co.uk

Oorspronkelijke titel: *Vampirates, Tide of Terror*
Voor het eerst verschenen bij Simon and Schuster in Groot-Brittannië
Copyright © 2006 Justin Somper
Omslagafbeelding © 2006 Bob Lea
Omslagontwerp en logo © 2006 Simon and Schuster
Voor deze uitgave:
©2006 De Fontein, Baarn
Vertaling: Irene van Zeyst
Omslagontwerp en zetwerk: Hans Gordijn

ISBN-10: 90 261 3206 9
ISBN-13: 978 90 261 3206 3
NUR 283, 284

Voor mijn moeder, Thelma Somper, altijd op zoek naar een goed boek. Ik hoop dat dit ermee door kan. Lieve mam, bedankt voor al je steun!

PROLOOG

Surfer in de nacht

ZONSONDERGANG. EEN EENZAME BAAI. De golven reiken hongerig naar het witte zand dat zich goud als honing kleurt en ten slotte vurig ambergeel, tot de zon het stralen moe wordt en wegzinkt in de inktzwarte wateren. Het duurt niet lang of de bal van licht wordt opgeslokt door de gulzige golven.

Op slag is de wereld veranderd in een rijk van schaduwen. Geen menselijk oog zou de scheidslijn kunnen zien tussen land en water, tussen water en hemel. Geen menselijk oog zou het onafgebroken spel van de aanstormende, over elkaar tuimelende golven kunnen onderscheiden. Want dit ontbreken van licht is niet de doffe, glansloze duisternis van de stad, van de bewoonde wereld. Dit is de échte duisternis – totaal, intens en fluweelzwart.

Waar is de maan? Het lijkt wel of ze heeft besloten zich vannacht niet te laten zien, weigerachtig om getuige te zijn van wat er staat te gebeuren. Waar zijn de sterren? Ook zij lijken zich stilletjes op de achtergrond te houden. Geen maan. Geen sterren. In een nacht als deze zou niemand het je kwalijk nemen wanneer je dacht dat het einde van de wereld nabij was. Trouwens, voor iemand – misschien wel voor jou – zou dat einde inderdaad wel eens nabij kunnen zijn.

Want de donkere golven voeren een geheim met zich mee. Een

7

man – althans, iets wat líjkt op een man – die op een surfplank over het water scheert. Het is bepaald geen gemakkelijke onderneming. De zwarte golven zijn even hoog als ze woest zijn en stellen de krachten en het uithoudingsvermogen van de surfer tot het uiterste op de proef. Maar ondanks de deining, ondanks het ontbreken van de maan en de sterren om hem bij te lichten, verliest hij geen moment zijn evenwicht. Zijn machtige, gespierde lichaam is lenig en wendbaar en vormt een volmaakte eenheid met zijn surfplank. Hij voert een strijd om respect met de golven die hem lijken te bespotten. Een strijd waarin hij zich uitstekend staande weet te houden.

Ten slotte lijken de golven hun spel moe te worden en de vastberadenheid van de surfer te belonen door hem naar de ondiepe wateren voor de kust te dragen. Hij heeft nog niets aan snelheid verloren; de surfplank scheert, scherp als een mes, over het gladde oppervlak van het opaalblauwe water.

Wanneer hij van de plank springt, landen zijn voeten op zanderige bodem. De wateren doen plagend een laatste poging om hem zijn plank te ontfutselen, maar de surfer reikt in het schuim en tilt hem uit hun klauwen. Met de plank onder zijn arm loopt hij met grote stappen over het droge zand.

Ondanks het gewicht van de plank heeft hij geen moment nodig om op adem te komen, en ook heeft hij geen last van de kille avondlucht. Er is iets merkwaardigs aan de hand, want hoewel de surfer uit de diepste wateren is gekomen, is zijn haar, zijn huid op slag droog. Hetzelfde geldt voor zijn kleren. Zodra hij voet aan wal zet, zijn ze kurkdroog. Toch draagt hij geen duikerspak, maar gewone kleren: een broek en een shirt, waarvan hij de mouwen bij de schouders heeft afgescheurd om zijn armen optimale bewegingsvrijheid te geven. Hij loopt op blote voeten.

Bij de voet van een klif gekomen, zet hij de surfplank tegen de rotswand en laat hem daar achter voordat hij aan de klim begint.

Aanvankelijk is er een pad dat hij kan volgen, maar naarmate de rots zich hoger boven het strand verheft, moet hij steeds vaker zoeken naar houvast en zich met handen en voeten omhoog werken. Terwijl hij behendig naar de top klimt, doet hij eerder denken aan een wild dier dan aan een mens. In werkelijkheid is hij een beetje van allebei. Maar hij is ook nog iets anders.

Eenmaal boven aangekomen blijft hij even staan om tevreden naar beneden te kijken, langs de bijna loodrechte rotswand die hij heeft beklommen. Dan dwaalt zijn blik over het strand naar de ruwe zee die hem hier heeft gebracht. Geen menselijk oog zou de scheidslijn tussen land en water kunnen zien. Maar zijn ogen drinken het allemaal gretig in. Want ze hebben geen moeite met de duisternis. Integendeel. In het duister voelt hij zich als een vis in het water.

Hij verspilt geen tijd meer aan zelfgenoegzaamheid, maar draait zich om en begint te lopen. Na alle obstakels die hij heeft overwonnen, is de hoge omheining geen enkel beletsel. Aan de andere kant landen zijn voeten in zacht gras. Hij richt de blik vooruit, ver vooruit, naar het huis – ondanks het late uur schijnt er licht door de ramen. Sterker nog, door de zee van licht lijkt het huis wel in brand te staan. Een felle pijnscheut doet hem vluchtig zijn ogen sluiten, maar hij laat zich niet ontmoedigen en begint weer te lopen.

Met zijn grote stappen maakt hij korte metten met de afstand tot het huis. Hij komt langs een veld met paarden, die achter elkaar aan rennen. Even blijft hij staan om naar ze te kijken. Ook al zien ze hem niet, ze zijn zich bewust van zijn aanwezigheid, en even houden ze stil, verstarren ze. De vreemdeling boezemt hun angst in, en terecht. Maar vanavond hoeven ze niet bang voor hem te zijn. Hij loopt door.

Bij het royale zwembad gekomen kan hij de verleiding niet

weerstaan om in het water te duiken en met krachtige slagen naar de overkant te crawlen. Daar hijst hij zich op de rand, en opnieuw is hij op slag droog. Er druipt zelfs geen water meer uit zijn kleren.

Achter het zwembad ligt een boomgaard, een wirwar van fruitbomen. Terwijl hij erdoorheen loopt en langs de takken strijkt, regent het rijpe vruchten. Onbekommerd vertrapt hij perziken en granaatappels.

Voorbij de boomgaard ligt weer een gazon. Het gras is hier zelfs nog zachter, malser dan op het eerste veld. Al lopend veegt hij de geplette vruchten van zijn zolen. Hij is nu bijna bij het huis. Het enige wat hem daar nog van scheidt, is een rozentuin – een weelde van zich verstrengelende ranken, scherpe doorns en dikke, fluweelachtige bloemen. In het hart van die bloemenpracht staat een vrouw. Hij had geweten dat ze hier zou zijn. Nu staat hij stil om de merkwaardige aanblik in zich op te nemen.

De vrouw is van middelbare leeftijd, haar weelderige figuur duidt op een teveel aan comfort en een tekort aan ontberingen. Ze is gekleed in een kimono van roze zijde, aan haar arm draagt ze een mand, en in haar dikke vingers houdt ze een snoeischaar geklemd. De band om haar hoofd is aan de voorkant voorzien van een kleine lamp. Ze ziet er volstrekt belachelijk uit, maar om haar mond speelt een gelukzalige glimlach terwijl ze de ene na de andere roos afplukt, eraan ruikt en de bloemen voorzichtig in haar mand legt.

Aanvankelijk is ze zich niet bewust van zijn aanwezigheid. Dan trapt hij – niet helemaal per ongeluk – op een gevallen tak, die doormidden breekt.

'Wat was dat? Wie is daar?'

Wanneer ze zich omdraait, danst de lamp op haar voorhoofd als een vuurvliegje op en neer.

Ze ziet hem nog steeds niet. Na een korte aarzeling wijdt ze zich weer aan haar aangename bezigheid. Met haar zachte geneurie klinkt ze als een gestoorde hommel. Hij besluit er een spelletje van te maken en trapt nog een tak doormidden. Het werkt. Ze maakt een sprongetje van schrik. Althans, voor zover haar welgedane gestalte haar dat mogelijk maakt.

Dan stapt hij uit de schaduwen tevoorschijn, de poel van licht binnen.

Nu ziet ze hem. Ze richt haar blik op zijn reusachtige gestalte en neemt hem taxerend op. Het pleit voor haar dat ze niet zo bang is als hij misschien wel had verwacht. In plaats daarvan is ze vooral boos en verontwaardigd.

'Wie bent u?' vraagt ze. 'Wat doet u hier?'

Hij staart haar alleen maar zwijgend aan.

'Wie bent u?' vraagt ze opnieuw.

'Wie ben ú?' vraagt hij op zijn beurt.

'Ik? Ik ben Loretta Busby. En dit is mijn rozentuin. U hebt hier niets te zoeken!'

Hij doet een stap in haar richting, reikt glimlachend in haar mand, pakt een van de rozen en houdt die onder zijn neus. De geur van de bloem maakt hem misselijk – hij ruikt overweldigend zoet. Zijn vingers sluiten zich eromheen, dan gooit hij de vermorzelde roos op de grond.

'Zeg, lomperd! Hoe durf je?' roept de vrouw. 'Weet je wel wie ik ben? Weet je wel wie mijn man is?'

'Busby,' zegt hij. Waar ziet ze hem voor aan? Denkt ze soms dat hij onnozel is? Nou, dan vergist ze zich!

'Inderdaad! Lachlan Busby, directeur van de Coöperatieve Bank van Crescent Moon Bay, voorzitter van de Noordoostelijke Handelskamer, ouderling van de progressieve kerk van Crescent Moon Bay en de machtigste man in de wijde omtrek.' Ze kijkt hem strak aan, haar ogen fonkelen, net als de lamp op haar voorhoofd, waarvan de lichtbundel recht in zijn gezicht schijnt. 'Dus niet om het een of ander, halvegare die je bent, maar je bent de verkeerde rozentuin in gelopen.'

Het zijn kwetsende woorden. Hij voelt zich beledigd, boos. Het licht van de zaklantaarn schijnt hinderlijk in zijn ogen, de geur van de rozen is dik en stroperig. Hij kijkt neer op de vrouw, die maar tegen hem blijft keffen, als een irritante jonge hond. Ten slotte wordt het hem te veel.

Hij strekt zijn gespierde armen uit en tilt haar op, zodat haar gezicht op gelijke hoogte met het zijne komt. Geschokt begint ze met haar benen te spartelen, alsof ze denkt dat ze het op een lopen kan zetten. Ze kijkt hem verontwaardigd aan, maar nu pas ziet ze zijn ogen; nu pas ziet ze voor het eerst echt zijn ogen. Of liever gezegd, de gaten waar zijn ogen zouden moeten zijn. Want wat ze ziet, zijn slechts poelen van vuur, diepe poelen van fel oplaaiende vlammen. Er wordt geen woord meer gesproken, want haar stem heeft haar in de steek gelaten. Haar benen staken hun nutteloos gespartel. Wanneer de zaklantaarn van haar voorhoofd glijdt, ziet ze zijn tanden. Het is het laatste wat ze ziet. De gruwelijke aanblik van twee identieke gouden snijtanden, scherp als dolken, en ze komen dichterbij, steeds dichterbij.

Haar bloed is goed – zij het wat al te verfijnd naar zijn smaak. Hij drinkt gretig, ongeduldig, gejaagd. Dan legt hij haar neer, midden in haar rozentuin. Een plotselinge windvlaag rukt de teerste blaadjes van de bloemen. Ze dansen als confetti door de lucht, dwarrelen naar beneden, bedekken haar dode lichaam.

Zijn werk is gedaan. Hij keert zich om en loopt terug over het keurig verzorgde gazon, langs het zwembad en het veld met de paarden, naar de rand van de donkere rots. Als om hem te begroeten duwt de maan eindelijk de donkere wolken opzij. Plotseling baadt zijn reusachtige gestalte in haar zilveren gloed. Hij glimlacht, voelt zich als herboren terwijl het verse bloed pulserend door zijn lichaam stroomt. Dan springt hij onder het slaken van een luid gebrul over de rand van het klif, om zijn as draaiend door de milde avondlucht.

De adrenaline die door zijn lichaam jaagt, dreigt hem te over- weldigen. Dus dít is vrijheid, denkt hij. Dit is wat het betekent om vrij te zijn. Het is hem een raadsel hoe hij het zo lang aan boord van dat schip heeft uitgehouden. Hoe hij de kapitein met zijn re- gels en zijn verordeningen heeft kunnen verdragen... Dat nooit meer, denkt hij, terwijl zijn voeten zwaar neerkomen op het zand. Geen regels meer voor Sidorio. Van nu af aan ga ik mijn eigen weg. Van nu af aan laat ik me geen beperkingen meer opleggen.

Hoog boven hem begint de lamp van Loretta Busby te knippe- ren, dan dooft hij. De batterij is net zo dood als de vrouw die er- onder ligt, midden in haar eigen rozentuin.

De drie boekaniers

SABEL CATE LIEP MET grote passen over het dek van de *Diablo*. Keurend liet ze haar blik over de piraten gaan die ze had besloten in te zetten bij de aanval. Over nog geen uur was het zover, en de piraten die ze had uitgekozen, namen nu al het hele dek in beslag, terwijl ze zich geestelijk en fysiek voorbereidden op de uitdaging die hun wachtte. Cate liep langzaam het dek over, keek links en rechts om zich heen naar de training van haar manschappen en maakte in gedachten notities van aanwijzingen die ze individuen en teams wilde geven. Het voelde nog altijd vreemd, maar ook opwindend, het besef dat ze was bevorderd tot onderkapitein. De afgelopen maanden was er veel veranderd aan boord van de *Diablo*. Cheng Li had het schip verlaten – om les te gaan geven, nota bene! – en daardoor was de post van onderkapitein vrijgekomen. Cate had weinig overreding nodig gehad om die te gaan bezetten. Sinds het vertrek van Cheng Li was kapitein Molucco Wrathe weer zijn oude, opgewekte zelf. Li was hem altijd een doorn in het oog geweest. Met Cate als onderbevelhebber leek hij aanzienlijk gelukkiger. Ze mochten het dan niet altijd eens zijn over de te volgen strategie, maar dat deed niets af aan hun wederzijdse respect, en wanneer het ging om het voorbereiden van een aanval, gaf hij haar doorgaans het laatste en beslissende woord. Van alle veranderingen die zich de afgelopen paar maanden hadden voorgedaan, ervoer Cate de komst van de tweeling Tempest echter als de belangrijkste.

Ze waren onder buitengewoon tragische omstandigheden aan boord gekomen, Connor als eerste, en ruim een week later Grace, zijn tweelingzus. Reeds enkele dagen na de dood van hun vader waren ze in de oude houten familieschuit hun huis – in Crescent Moon Bay – ontvlucht. Het lot had echter nog meer rampspoed voor hen in petto gehad, want ze waren met hun schip overvallen door een noodweer zonder weerga. Het had niet veel gescheeld of de tweeling was verdronken, maar gelukkig waren ze op het nippertje gered, ook al hadden ze het wel enige tijd zonder elkaar moeten stellen.

Cate wist hoe zwaar Connor door de scheiding op de proef was gesteld, maar het pleitte voor hem dat hij zich desondanks met grote toewijding en inzet op het leven aan boord van de *Diablo* had gestort. Terwijl ze daaraan dacht, ontdekte ze hem helemaal aan het eind van het dek. Hij oefende zwaardmanoeuvres, samen met zijn twee beste makkers: Bartholomeus 'Bart' Pearce en Jez Stukeley. Haastig liep ze naar hen toe. Bart en Jez maakten al jaren deel uit van de bemanning en behoorden tot de populairste piraten aan boord. Ze waren inmiddels begin twintig, maar bij hun aanmonstering waren het nog maar jochies geweest. Toch had Bart zelfs toen al gegolden als een van de grootste krachtpatsers aan boord. Onder de hoede van Cate had hij zich bovendien ontwikkeld tot een uitstekend zwaardvechter. Jez was kleiner en magerder, maar sneller en beter met het zwaard, dat viel niet te ontkennen. Gespierd als hij was, vocht Bart bij voorkeur met het slagzwaard, en hij was bij een aanval dan ook doorgaans in de voorste gelederen te vinden. Jez daarentegen was – net als Cate zelf – een precisievechter die met zijn rapier een beslissende rol speelde bij het al dan niet slagen van een onderneming.

En ten slotte Connor Tempest, amper veertien. Hij was inmiddels iets meer dan drie maanden aan boord en had daarvóór geen enkele opleiding genoten als piraat. Cate had het rapier bij hem geïntroduceerd en tot haar verrukking ontdekt dat hij niet alleen een natuurtalent was, maar bovendien alles op alles zette om steeds beter met het wapen overweg te kunnen. Terwijl ze de drie jonge piraten gadesloeg tijdens hun manoeuvres, viel het haar op hoezeer ze aan elkaar gewaagd waren. Cate was erg blij geweest toen Jez Connor onder zijn hoede bleek te hebben genomen. Ze hoopte vurig dat die zijn geniale vaardigheid met het rapier zou weten over te dragen op zijn jeugdige leerling.

'En hoe gaat het met de drie boekaniers, op deze stralende dag?' vroeg Cate glimlachend. De bijnaam was van haar afkomstig, en sindsdien werd het drietal door iedereen zo genoemd. Ze waren dan ook onafscheidelijk en stonden altijd voor elkaar klaar, zowel in het gevecht als daarbuiten.

De drie jonge piraten staakten hun oefeningen en salueerden lachend naar hun onderkapitein.

'Heel goed. Dank u, dame,' zei Bart grijnzend. Het was voor iedereen duidelijk dat Cate en hij zich tot elkaar aangetrokken voelden, en ze flirtten er dan ook lustig op los. Iets waar Cate heimelijk van genoot, maar wat ze tijdens de voorbereidingen van een aanval niet kon aanmoedigen.

'Op de plaats rust, mannen,' zei ze terwijl ze dichterbij kwam. Daarmee gaf ze hun weliswaar toestemming te ontspannen, maar het commando benadrukte tevens haar gezag.

Bart begreep de hint. 'Zeg...' begon hij. 'Vertel ons eens wat meer over het schip dat we achternazitten.'

'Het is een containerschip,' antwoordde Cate. 'We volgen het al de hele ochtend. Kapitein Wrathe is getipt, gisterochtend vroeg, door een van onze betrouwbaarste bronnen. Het schijnt tot de rand toe vol met lading te zitten, maar de verdediging zou ontoereikend zijn. En het beste nieuws is dat het in ónze zeeroute vaart.'

'Dat wordt een makkie dan,' aldus Jez Stukeley.

'Daar moet je nooit van uitgaan,' zei Cate. 'Alles wijst erop dat het een gemakkelijke overwinning kan worden, maar het zou onverstandig zijn de zaak te onderschatten.'

'Natuurlijk, baas!' viel Jez haar vurig bij.

'Bááś?' herhaalde Bart. Connor en hij keken elkaar grijnzend aan bij de verspreking van hun makker.

Jez haalde blozend zijn schouders op. 'Baas, bazin, wat maakt het uit. Ik bedoel alleen maar...'

'Ik begríjp wat je bedoelt.' Cate was duidelijk geamuseerd, ook al probeerde ze dat niet te laten merken. Ze keerde zich naar Connor. 'Mr. Tempest, hoe voelen we ons vandaag?'

Connor keek haar recht aan. 'Ik ben er helemaal klaar voor. Sterker nog, ik kan niet wáchten!'

'Heel goed!' zei Cate. 'En hoe is het met Grace?'

Connor haalde zijn schouders op. 'Ook goed, neem ik aan. Ik heb haar sinds het ontbijt niet meer gezien. Volgens mij was ze al vroeg in touw, om zwaarden te poetsen en te oliën.'

'Ze kan steeds beter met het zwaard overweg.' Terwijl Cate het zei, zag ze Connor verkrampen, zoals altijd wanneer het gesprek op Grace en zwaardvechten kwam. Hij was toch zeker niet bang dat ze hem naar de kroon zou steken? Grace mocht dan talent hebben – en ze beschikte bovendien over een natuurlijke flair als het om de aanval ging – ze was niet zo gedreven en toegewijd als Connor. Dat was jammer, dacht Cate. Waarom zou alle roem, alle glorie naar de mannen gaan? Ze moest toch nog eens met Grace praten, om haar ervan te overtuigen dat ze de dingen wat serieuzer moest nemen. Misschien was het een goed idee om haar een-op-een te laten trainen met een van de andere vrouwen onder de bemanning, Johnna bijvoorbeeld?

'Je bent toch niet van plan haar in te zetten, hè?' vroeg Connor.

'Nee.' Cate schudde haar hoofd. 'Nee, daar is ze nog niet klaar voor.' Ze zag de spanning onmiddellijk wegebben uit Connors schouders, en ineens begreep ze hem. Hij leed als broer gewoon aan een overdreven sterk ontwikkeld beschermingsinstinct en vond het idee dat Grace zich in het gevaar zou storten, bijna ondraaglijk. Maar gevaar was op een piratenschip nu eenmaal onvermijdelijk, en bovendien had Grace bewezen dat ze haar mannetje kon staan. Tenslotte was ze 'gered' door een schip met vampiers – of liever gezegd *vampiraten* – en kon ze het navertellen! Ondanks het aandringen van de bemanning had Grace echter maar heel weinig losgelaten over wat ze aan boord van het vampiratenschip had moeten doorstaan. Ze had alleen Connor in vertrouwen genomen, en hoewel hij de geheimen van zijn zus hardnekkig vóór zich hield, had hij wel laten doorschemeren dat ze met ronduit gruwelijke situaties was geconfronteerd. Dus het was begrijpelijk dat hij haar verdere trauma's wilde besparen.

'Maak je geen zorgen over je zus,' probeerde Cate hem gerust te stellen. 'Ze is net zo taai als het leer waarmee het gevest van mijn zwaard is omwikkeld.'

Connor glimlachte, maar het ging niet van harte. 'Ze is mijn zus, Cate. Sterker nog, ze is alles wat ik nog heb.'

'Hé, zeg!' Bart legde een hand op Connors schouder. 'En wij dan?'

'Ja,' viel Jez hem bij. Hij gaf Connor een por in zijn ribben. 'En de drie boekaniers dan?'

'Een voor allen, allen voor een!' voegde Bart eraan toe.

'Erg origineel,' zei Cate met een zucht.

Maar hun grappenmakerij had succes. Connor lachte weer.

'Akkoord, mannen,' zei Cate. 'Ik ga ervandoor. Er zijn nog wat laatste voorbereidingen te treffen.'

'Tot uw orders, báás!' Bart salueerde.

Cate probeerde haar wenkbrauwen te fronsen, maar het lukte niet. In plaats daarvan verscheen een brede grijns op haar gezicht.

'Zo is het wel genoeg met die brutaliteit van je, Mr. Pearce! Nog meer van die praatjes, en je doet vanavond pleecorvee, terwijl wij met z'n allen naar Ma Kettle's gaan.' Ze draaide zich om en liep haastig weg, bang dat ze opnieuw in de lach zou schieten.

'O, is ze niet verrukkelijk als ze zo streng en arrogant doet?' verzuchtte Bart tegen zijn makkers.

Connor keek Jez aan en rolde met zijn ogen.

'Kom op, Connor,' zei Jez. 'Ik denk dat we Mr. Pearce hier maar aan zijn smachtende liefdesfantasieën moeten overlaten. Dan kunnen wij ondertussen doorgaan met een paar serieuze rapiermanoeuvres.'

'Mijn idee!' viel Connor hem bij.

Nadat ze de hele ochtend zwaarden had gepoetst, kon Grace Tempest zelf ook wel een poetsbeurt gebruiken. Ze gaf haar handen en armen een grondige schrobbeurt, maar hoewel ze het meeste vuil eraf wist te krijgen, bleef de lucht van olie en metaal hardnekkig aan haar huid kleven. Nou ja, dat zou moeten slijten, besloot ze, en ze zette koers naar haar hut voor een welverdiende pauze. Terwijl ze door de gang liep, hoorde ze aan de geluiden op het bovendek dat de piraten zich gereedmaakten voor de aanval. Bij de gedachte dat Connor daar ook aan mee zou doen, brak het angstzweet haar uit. Na drie maanden was ze er nog steeds niet aan gewend dat haar tweelingbroer leerde voor piraat. Sterker nog, dat hij een natuurtalent bleek te zijn!

Soms verbaasde het haar nog altijd hoe de dingen waren gelopen. Na de dood van hun vader had niets hen meer aan Crescent Moon Bay gebonden. Er was het vooruitzicht van een saai bestaan in het plaatselijke weeshuis, of een toekomst als de geadopteerde kinderen van Lachlan Busby, de getikte bankdirecteur, en zijn al even gestoorde vrouw Loretta. Dus waren ze in hun oude boot, de *Louisiana Lady*, de zee op gegaan, in de stellige verwachting dat wáár ze ook terecht zouden komen, hun een beter lot zou wachten dan wat ze achterlieten.

In hun stoutste dromen hadden ze echter niet kunnen bedenken wat het lot voor hen in petto bleek te hebben, dacht Grace, terwijl ze de deur van haar kleine hut openduwde. Haar broer was gered door dit piratenschip. En zelf was ze door vampiraten uit zee gevist – wezens die ze op dat moment slechts kende uit het vreemde zeemanslied dat hun vader voor zijn kinderen had gezongen.

Ik zal je een verhaal over vampiraten vertellen
een verhaal zo oud als de tijd.
Ja, ik zing een lied over een oude schuit
en de gevreesde mannen die 'm bevaren.
Ja, ik zing een lied over een oude schuit
die zeilt over de blauwe baren...
Die spookt op de blauwe baren.

Hoe vaak ze het lied ook hadden gehoord, ze hadden nooit rekening gehouden met de mogelijkheid dat het schip echt bestond. Maar het bestond inderdaad! En het had Grace aan boord genomen, waar ze oog in oog was komen te staan – hoewel, dat was lastig, gezien zijn masker – met de raadselachtige kapitein.

Ze zeggen dat de kapitein een sluier draagt
zodat je hem minder beangstigend vindt.
Met zijn doodsbleke huid
zijn levenloze ogen
en zijn tanden scherp als een mes.
O, ze zeggen dat de kapitein een sluier draagt
en dat hij het duister bemint.

De kapitein droeg geen sluier, maar een masker. Dat was een van de verschillen tussen de werkelijkheid en de tekst van het zeemanslied. Het vampiratenschip was wel net zo geheimzinnig als ze het zich had voorgesteld. Toch was het beslist niet het oord van gruwelen en verschrikkingen dat je zou verwachten. Althans, niet voor haar.

'Was het er niet verschríkkelijk?' vroegen de piraten haar dagelijks. Of: 'Wat was het érgste wat je hebt moeten doorstaan?' 'Hoe waren ze, die demónen?' Ook een regelmatig terugkerende vraag.

Grace had besloten zich op de vlakte te houden. Dat leek haar de beste strategie. 'Ik hoop niet dat je het erg vindt, maar ik praat er liever niet over,' luidde steevast haar antwoord. Doorgaans namen de vragenstellers daar genoegen mee. Arme Grace, kon ze hen zien denken. Het was maar al te begrijpelijk dat ze niet aan dat gruwelijke oord herinnerd wilde worden.

Dat was een stuk gemakkelijker dan proberen anderen ervan te overtuigen dat ze oprecht goed behandeld was. De gemaskerde kapitein had zich ontpopt tot een welwillende figuur, die het beste met Grace voorhad. En hoewel de vampiraten – uiteraard – bloed dronken, deden ze dat buitengewoon gedisciplineerd en beheerst, tijdens het wekelijkse Feestmaal. Bovendien was het bloed afkomstig van donoren die goed werden behandeld in ruil voor hun diensten. Grace had Connor hierover verteld, maar zelfs hij had maar moeilijk kunnen begrijpen hoe ze dat alles zo gemakkelijk kon aanvaarden. Alleen al de gedachte aan het drinken van bloed – 'het delen' zoals de vampiraten het noemden – vervulde hem met afschuw. Grace glimlachte. Connor mocht zich dan erg stoer voordoen tegenover zijn piratenvrienden, hij hoefde maar aan bloed te dénken, of hij werd al misselijk. Het is maar goed dat ik door het vampiratenschip ben opgepikt en híj door piraten, in plaats van andersom, dacht ze onwillekeurig.

Hoe vreemd het ook klonk, Grace had op het vampiratenschip

veel vrienden gemaakt. Echte, goede vrienden. Dat bleek onder andere uit de kleren die ze aanhad. Die had ze gekregen van Darcy Flotsam: overdag het boegbeeld van het schip, en 's nachts een 'meisje van vermaak', zoals ze zichzelf noemde.

Grace ging op haar smalle kooi zitten en trok het dunne gordijn voor de patrijspoort weg. De oceaan lag er schitterend bij, oogverblindend blauw. Bij de aanblik ervan moest ze denken aan Lorcan Furey. Ze moest eigenlijk heel vaak aan hem denken. Hij was de 'jonge' vampiraat geweest die haar van de verdrinkingsdood had gered, en haar op het schip in bescherming had genomen. En toen de piraten aan boord waren gekomen om haar te halen, had hij haar voor een laatste keer verdedigd. Veel gehaaster dan ze had gewild, was ze van boord gegaan. Daardoor had ze niet eens de kans gekregen gepast afscheid van Lorcan te nemen. Nadat Connor aan boord was verschenen, was ze de jonge vampiraat uit het oog verloren. De komst van haar broer was ook zo'n verrassing geweest!

Ze begreep dat Lorcan bij het aanbreken van de dag naar binnen moest zijn gegaan. Maar toen Grace naar zijn hut ging om gedag te zeggen, was hij daar niet. Ze had Connor laten wachten terwijl ze het hele schip afzocht, maar ze had Lorcan niet kunnen vinden. Zelfs de kapitein van de vampiraten had haar niet kunnen vertellen waar hij zou kunnen zijn. Ten slotte kon ze Connor niet langer laten wachten. Dus Grace nam afscheid van de kapitein en ging nog een laatste keer naar haar hut. Gewapend met de kleine kist waarin ze haar bezittingen bewaarde – de notitieboeken die ze in haar hut had gevonden, en de afdankertjes van Darcy – had ze zich aan dek gemeld, klaar om te vertrekken.

Toen ze, eenmaal aan boord van de Diablo, haar spullen had uitgepakt, vond ze op de bodem van de kist een klein, houten kistje waarvan ze zich niet herinnerde dat ze het had ingepakt. Er zat een opgerolde lap stof in, met daarin een briefje. Op het briefje stond in maar al te vertrouwde hanenpoten, zo mogelijk nog slordiger dan ze van hem gewend was:

Lieve Grace,
Een klein aandenken, opdat je me niet vergeet.
Kom veilig terug.
Je vriend,
Lorcan Furey

Haar hart ging als een razende tekeer terwijl ze het briefje in haar hand hield. Alleen al de aanblik van Lorcans onbeholpen handtekening ontroerde haar. Wat er onder het briefje lag, was echter een nog grotere schok: Lorcans Claddagh-ring. Ze herinnerde zich nog levendig de eerste keer dat ze die ring had gezien: toen hij een natte sliert haar uit haar gezicht had gestreken, nadat hij haar uit zee had gevist.

Peinzend keek ze op de ring neer – dat vreemde symbool van twee handen die een schedel omklemden – een schedel met een klein kroontje erop. Ze nam de ring in haar hand. Het is een kostbaar cadeau, dacht ze; veel te kostbaar. De ring was bijna een deel van Lorcan. Maar misschien gaat het daar juist om, dacht ze opgewonden. Misschien wilde hij dat ze een deel van hem bij zich zou dragen. Ooit zou ze hem de ring moeten teruggeven, besloot ze. Tot het zover was, zou ze die als haar talisman beschouwen – een herinnering aan haar tijd op het vampiratenschip en een voorteken dat ze daar in de toekomst ooit naar zou terugkeren.

Ze maakte het slotje los van de ketting die ze van Connor had gekregen, en hing de ring eraan, gebroederlijk naast Connors medaillon. Haar twee kostbaarste bezittingen.

Verdiept in herinneringen legde Grace haar hand op de ring. Soms wanneer ze dat deed, sloot ze haar ogen en zag ze het vampiratenschip zo levendig voor zich dat het leek of ze het echt kon zien. Ach, was dat maar waar!

Hoe zou het met iedereen gaan, vroeg ze zich af – met de kapitein, en Darcy, en Lorcan? Waar zouden ze zijn? Voor de zoveelste keer wenste ze dat ze meer tijd had gehad om afscheid te nemen. Er viel met Connor niet te praten toen hij erop had aangedrongen dat ze met hem meeging, aan boord van de *Diablo*. Ze zou hem er nooit van hebben kunnen overtuigen dat ze op het vampiratenschip moest blijven. Dat is toch je reinste wáánzin, zou hij hebben gezegd. Vrijwillig kiezen voor een leven te midden van een bemanning die bestond uit vampiers! 'Soms schuilt er wijsheid in de grootste waanzin, Gracie.' Ze had het gevoel dat haar vader het zou hebben begrepen.

Haar hand rustte nog altijd op Lorcans ring, maar nu liet ze hem los. Als ze de keuze had gehad, zou ze op het vampiratenschip zijn gebleven. Van de hele bemanning was er maar een die haar had bedreigd. Zoals altijd liep er een rilling over haar rug bij de herinnering aan luitenant Sidorio – aan zijn ogen als vlammende vuurkuilen, aan zijn gouden snijtanden, scherp en puntig als dolken.

Sidorio, die zijn donor had gedood en Grace had gegijzeld in haar hut tot de kapitein haar had ontzet.

Sidorio, die haar had verteld dat hij was gedood door Julius Caesar.

Sidorio, die van boord was gezet en in ballingschap was gestuurd.

Hij was de enige aan boord die echt een gevaar voor me vormde, dacht Grace, terwijl ze door de patrijspoort naar het doorschijnende oceaanoppervlak staarde. Maar Sidorio was er niet meer. Dat gevaar was geweken. Dus ze was ervan overtuigd dat ze veilig kon terugkeren. Alleen, ze wist niet hoe. Kon ze maar een manier bedenken!

Een gemakkelijke overwinning

'Vuur!' riep Cate, met een blik op het kanon. De aanval was begonnen.

De *Diablo* lag langszij naast het doelwit. Het kanonschot was het startsein van de aanval, en het geluid van schurend metaal verried dat de metalen roosters – door de piraten 'de drie wensen' genoemd – werden neergelaten om een brug te vormen naar het containerschip. Connor had zijn hoogtevrees nog altijd niet weten te overwinnen, en zijn hart maakte de vertrouwde salto toen hij de roosters naar beneden hoorde komen, in afwachting van het moment waarop hij eroverheen zou moeten rennen, hoog boven het water. Gelukkig ging het allemaal erg snel, en bovendien was de oceaan vandaag betrekkelijk rustig.

'Ja, de vieren! Aanvallen!'

De wensen lagen amper horizontaal, of de teams van vier joegen er met dreunende tred overheen. De 'vieren' waren samengesteld op basis van spierkracht en bestonden voornamelijk uit de echte mannetjesputters onder de bemanning, zoals Bart. Zij openden de aanval door met hun slagzwaarden te zwaaien en angst en chaos te zaaien op het vijandige dek.

'De eerste acht! Aanvallen!'

Op het commando van Cate stormde het eerste team van acht

rapier- en degenvechters over de metalen roosters. Zij vormden de eerste flank van precisievechters. Hoewel de mannen met de slagzwaarden er angstaanjagender uitzagen, waren het de achten die een grotere bedreiging vormden. Vechten met het rapier was, zoals Cate ooit tegen Connor had gezegd, 'als vechten met een naald'. Als die naald de vijand op de juiste plek doorboorde en een vitaal orgaan raakte, leidde dat tot een langzame, pijnlijke dood. Jez was de laatste van de eerste acht, vóór Connor.

'Ik zie je aan de andere kant!' riep hij achterom terwijl hij op de wens sprong.

De 4-8-8-formatie waarin de piraten van de *Diablo* de aanval op het containerschip openden, was een van Cates favoriete en meest succesvolle manoeuvres. Het was de tactiek waaraan ze de voorkeur gaf bij de aanval op een vaartuig van gemiddelde afmetingen, zoals het huidige doelwit. Er waren zestig piraten bij betrokken, verdeeld in drie teams, die op hun beurt weer uit teams van vier en twee keer acht bestonden. Iedere piraat in het tweede team van acht was gekoppeld aan een lid van de eerste acht – de tweede achten fungeerden als ondersteuning van het meer ervaren en meer bedreven eerste team. Vandaag zou Connor optreden als ondersteuning van Jez. Ze hadden de afgelopen acht weken al bij elke aanval samengewerkt, en Connor leerde heel erg veel van zijn goede vriend en mentor.

'Tweede acht!'

Het hoofd van Connors team gaf het commando, en de tweede achten stormden naar voren om zich bij de strijd te voegen. Connor was de laatste van zijn team. Opnieuw moest hij denken aan zijn allereerste aanval, toen Cheng Li hem naar voren had geduwd. Cheng Li was er niet meer, en nu had hij alleen zijn wilskracht die hem voortdreef. Diep ademhalend sprong hij op de wens, en stormde het strijdgewoel tegemoet. Nu kwam het aan op instinct, op precisie, op het kiezen van het juiste moment. Connor

Tempest droeg inmiddels niet slechts de kleren van een piraat, hij had ook een piratenhuid, en daaronder een piratenziel. Onder het slaken van een woeste kreet trok hij zijn rapier. Het bloed pompte door zijn aderen, en hij was zich er scherp van bewust dat hij leefde, echt leefde!

Terwijl Connor zich een weg baande door het strijdgewoel op het dek van het containerschip zag hij dat Jez twee van de vijandelijke bemanningsleden in bedwang probeerde te houden. Ze waren van top tot teen in het zwart gehuld en zwaaiden met vlijmscherpe, gekromde zwaarden; sabelmessen, besefte Connor. De wapens wezen op een kostbare lading, dus de inzet van de strijd zou die dag hoog zijn.

'Welkom aan boord!' riep Jez toen hij Connor in de gaten kreeg. Hij grijnsde en leek totaal op zijn gemak. 'Mag ik je voorstellen aan mijn nieuwe vrienden?'

Toen ze Connor zagen, die met getrokken rapier kwam aanstormen, gaven de twee bemanningsleden zich prompt over. Hun sabelmessen vielen kletterend op het dek.

'Een uitstekende beslissing, vrienden,' zei Jez stralend. 'Connor, hou ze in de gaten. Ik ben zo terug.'

'Akkoord.' Connor richtte zijn blik op de twee mannen, met zijn rapier geheven, klaar om zonodig in actie te komen. De strijd was nog niet beslist. Het zou niet voor het eerst zijn dat hij alsnog werd klemgezet, en hij besefte dat één misstap tot een heel andere uitkomst van het gevecht zou kunnen leiden.

Hij veroorloofde zich echter een haastige blik over het dek. Het leek erop dat ze aan de winnende hand waren. Hoewel de bemanning van het containerschip goed bewapend was, leken de mannen over onvoldoende techniek te beschikken. De piraten van de *Diablo* hadden hen in de verdediging gedrongen. Over het hele dek werd de manoeuvre van Jez herhaald. De bemanning werd in het midden van het dek bij elkaar gedreven, waar hun sabelmessen als dennennaalden op de planken vielen. Connor bloosde van trots. Onder de bezielende leiding van Cate, de nieuwe onderkapitein, toonde de *Diablo* zich een vechtmachine zonder weerga.

Connor keek in de ogen van zijn gevangenen. 'Je moet altijd in de ogen van je tegenstander kijken,' had Bart hem ooit geleerd. 'Het zwaard kan liegen, maar ogen liegen nooit.' Bij de aanvallen waaraan hij inmiddels had deelgenomen, was hij eraan gewend geraakt angst in de ogen van zijn gevangenen te lezen. Het was dat aspect van de operatie waarmee hij de grootste moeite had. Bart en Jez hadden hem verzekerd dat dit met het verstrijken van de tijd wel zou overgaan.

'Er is niks mis mee,' had Jez gezegd. 'Het is heel goed om je ervan bewust te blijven dat je tegenstander ook een mens is – iemand zoals jij en ik – met makkers, met familie en met dromen van roem en succes. Het wordt pas een probleem wanneer je je aandacht ook maar één moment laat verslappen, zodat hij de kans krijgt terug te keren in het gevecht.' Connor had inmiddels genoeg ervaring in de piraterij om te weten dat daar in dit geval geen sprake van zou zijn.

Ervoor wakend zijn gevangenen niet uit het oog te verliezen, liet hij zijn blik gejaagd over het dek gaan. Zo te zien liep de strijd ten einde. Cate en kapitein Wrathe liepen om de kerngroep van gevangenen heen, die rond de mast bij elkaar waren gedreven. Daarachter bewaakten Bart en zijn makkers met hun slagzwaarden de buitenrand van de groep. Alles was onder controle. Er restte nog slechts één belangrijke stap: de overgave van de verslagen kapitein. Maar waar wás hij? En wíe was hij – of zij? Alle piraten waren identiek gekleed, zonder enige rangaanduiding. Dus het was zelfs denkbaar dat de kapitein een van de twee gevangenen was die door Connor in bedwang werden gehouden.

Hij keek naar hun gezichten, terwijl hij achter zich de bulderende stem van Molucco Wrathe hoorde.

'Vooruit, kapitein! Kom tevoorschijn! Je schip is geënterd, en ik, Molucco Wrathe, kapitein van de *Diablo*, eis je lading op.'

Geen reactie. De woorden van kapitein Wrathe hingen in de lucht als de kruitdampen na een kanonschot.

Jez voegde zich weer bij Connor. Die keerde zich naar hem toe, in de verwachting zijn makker te zien grijnzen. Tot zijn verrassing stond Jez' gezicht echter ernstig.

'Het bevalt me niks,' fluisterde hij. 'Het bevalt me helemáál niet. Het is allemaal veel te makkelijk gegaan.'

'Wees blij dat het eens een keer makkelijk gaat!' zei Connor.

Jez schudde zijn hoofd. 'Makkelijk is best, maar je hebt ook té makkelijk. Er klopt iets niet.'

Connor voelde een rilling over zijn rug lopen.

'Vooruit! Kom tevoorschijn!' riep kapitein Wrathe opnieuw. 'We laten jullie verder met rust als we het snel eens kunnen worden... en ons ruim met jullie schatten kunnen vullen.'

Deze keer kwam er wel een reactie, in de vorm van een bel die werd geluid. De scheepsbel. Opnieuw luidde de bel, toen drie keer... vier keer... vijf keer... Verbaasd keken de piraten van de *Diablo* elkaar aan, zich afvragend wat er aan de hand was. In de verte kon Connor met enige moeite de uitdrukking op het gezicht van Cate onderscheiden. Ze was net zo in de war als de anderen, zag hij.

Nu begon hij zich écht zorgen te maken. Hij keek achterom naar de gezichten van zijn gevangenen. Een van hen glimlachte en begon toen te lachen. Zijn makker volgde zijn voorbeeld. Connor keerde zich verward naar Jez, terwijl het gelach zich als een golf van de ene naar de andere gevangene verplaatste, steeds luider werd en uiteindelijk over het hele dek schalde.

Plotseling besefte Connor dat zijn makkers niet langer de buitenrand van het dek vormden. In plaats daarvan waren ze omringd door piraten, die net als zijn gevangenen van top tot teen in het zwart waren gehuld en zwaaiden met dezelfde dodelijke kromzwaarden. Hoe hadden ze dat voor elkaar gekregen? Het hele dek stond er vol mee! De piraten van de *Diablo* waren plotseling ver in de minderheid.

'Een list! We zijn erin gelopen,' zei Jez. 'Kijk daar eens!'

Connor volgde zijn blik en zag uit twee gaten op het dek de ene na de andere in het zwart gehulde gedaante tevoorschijn komen. Valluiken! 'En kijk eens achter je!'

Connor keek over zijn schouder. Aan stuurboord bevonden zich nog twee luiken, en ook daar kwamen mannen uit. De bemanning van het containerschip had de piraten van de *Diablo* zand in de ogen gestrooid en de illusie van een gemakkelijke overwinning gegeven door aanvankelijk slechts een minimum aan mankracht in te zetten. Het was een gedurfde zet – tenslotte hadden ze niet kunnen weten of de piraten geen meedogenloze slachting zouden aanrichten. Maar de riskante list had vruchten afgeworpen, en inmiddels was het aantal in het zwart gehulde figuren, zonder uitzondering gewapend met sabelmessen, verviervoudigd.

'Wat doen we nu?' vroeg Connor aan Jez.

Die haalde met een verslagen gezicht zijn schouders op. 'We kunnen weinig anders meer doen dan een schietgebedje.'

Connor had Jez nog nooit zo moedeloos gezien. Hij keek van het asgrauwe gezicht van zijn vriend naar de twee grijnzende gevangenen – of liever gezegd, de mannen van wie hij had gedácht dat ze zijn gevangenen waren. Plotseling voelde hij zich ziek, doodziek.

'Leg je wapens neer, schorem dat jullie zijn!' klonk eindelijk de stem van de kapitein over het dek.

Connor hield zijn geheven rapier nog altijd krampachtig omklemd. Geen piraat van de *Diablo* kon zijn of haar wapen neerleggen, tenzij op uitdrukkelijk bevel van de bevelvoerend officier.

Dat was een van de bepalingen in het contract dat Connor had getekend toen hij zich onder commando van Molucco Wrathe plaatste.

'Leg jullie wapens neer, mannen!' klonk op dat moment de stem van Cate.

Connor kon zijn oren nauwelijks geloven. In de drie maanden dat hij inmiddels op de *Diablo* voer, hadden zich al heel wat lastige situaties voorgedaan, maar deze sloeg alles. Overal om hem heen vielen wapens kletterend op het dek. Hij keek vragend naar Jez, die neerslachtig knikte. Samen legden ze hun rapieren neer. Terwijl ze dat deden, gristen de voormalige gevangenen in een duidelijk geoefende beweging hun sabelmessen weg. Van het ene op het andere moment was het de bemanning van de *Diablo* die in bedwang werd gehouden – van twee kanten. Ontsnappen was ondenkbaar. Maar wáár was de vijandelijke kapitein?

'Laat de verslagen kapitein zich kenbaar maken!' Het was dezelfde stem die hun had opgedragen de wapens neer te leggen. Een stem die sprak van geweld, niet van genade. Connor en de anderen keken om zich heen. Het was nog altijd niet duidelijk wie er had gesproken. 'Laat de verslagen kapitein zich kenbaar maken!' bulderde de stem nogmaals.

'Ik héb me al kenbaar gemaakt!' riep Molucco Wrathe met bulderende stem terug. 'En dat kan ik van u niet zeggen, kapitein!'

Connor keek naar kapitein Wrathe. Zelfs op een moment als dit, in de diepste ellende, had Molucco niets aan grootsheid ingeboet. Hij was, en bleef, een indrukwekkende persoonlijkheid.

Plotseling klonk er een geluid hoog boven hen. Connor keek op naar het kraaiennest. Daar stond een man, gekleed in hetzelfde zwarte uniform als zijn bemanning. Ook de andere piraten richtten hun blik omhoog.

Toen sprong de kapitein tot Connors stomme verbazing uit het kraaiennest. Hij dook naar beneden, recht op het dek af, schoot in razende vaart langs de zeilen en het want, met een zwart touw in zijn kielzog. Vlak voordat hij het dek zou raken en te pletter zou slaan, trok het touw strak, als bij een bungeejumper. Hij stuiterde even op en neer, toen bleef hij roerloos ondersteboven hangen, als een slapende vleermuis. Ten slotte trok de kapitein zijn kromzwaard, hij sneed het touw door en landde met een volmaakte salto op het dek, vlak voor Molucco Wrathe.

De geheimzinnige kapitein liep naar Molucco toe. In het zonlicht schitterde zijn sabelmes als een geslepen diamant, terwijl hij ermee langs de hals van kapitein Wrathe ging. Die gaf nog altijd geen krimp.

Op dat moment trok de kapitein met zijn vrije hand zijn hoofdbedekking af, die zich als een zwart lint afrolde en wapperend werd meegevoerd door de wind.

Toen pas verbleekte Molucco Wrathe, en hij leek ineens kleiner te worden, met zijn mond vol tanden te staan, te snakken naar adem. Tot hij eindelijk zijn stem terugvond.

'Jíj?!' wist hij uit te brengen. 'Maar dat kan helemaal niet! Toch?'

Connor keerde zich naar Jez, zich afvragend of die begreep wat er aan de hand was. Maar bij wijze van hoge uitzondering stond Jez Stukeley niet met een antwoord klaar.

De duivel en de albatros

DE TWEE KAPITEINS STONDEN oog in oog. Tenminste, voor zover dat mogelijk was, want de kapitein van het containerschip was ruim een kop groter dan Molucco Wrathe. Zijn gebruinde gezicht was hoekig en glad als speksteen, op een diep litteken na dat als een paarse rivier zijn wang doorkliefde.

'Narcisos Drakoulis!' riep kapitein Wrathe verbijsterd uit. 'Ik had niet gedacht dat ik jou ooit nog zou zien!'

'Dat wil ik geloven, Wrathe.' De glimlach van kapitein Drakoulis was ijzig, zonder een zweempje warmte. 'Vele winters zijn gekomen en gegaan sinds Ithaka.'

Connor keek van de ene kapitein naar de andere, zich afvragend welke duistere geschiedenis ze deelden.

'Je bemanning sloeg aan het muiten, nam het commando over en liet jou achter op een onbewoond eiland. Hoe is het je gelukt... Hoe heb je dit weten te...' De stem van kapitein Wrathe stierf weg terwijl hij zijn blik over het dek liet gaan, over de veelkoppige bemanning van Drakoulis, over de kromzwaarden die vurig schitterden in het zonlicht.

Drakoulis glimlachte opnieuw, maar ook nu weer speelde er een grimmige trek om zijn mond. 'Je moet altijd zorgen dat je een reserveplan achter de hand hebt, Wrathe. Dat is regel één van het kapiteinshandboek. Heb ik gelijk of niet?' Hij hief zijn krom-zwaard en spoorde de bemanning aan hetzelfde te doen, zodat de piraten van de *Diablo* waren omringd door een dodelijke omheining.

'Hou je wapen stil!' commandeerde Drakoulis. 'Tot ik het commando geef het te gebruiken.'

Connor huiverde. Hij was benieuwd naar de reactie van Jez, maar kon zich er niet toe brengen zijn blik van kapitein Drakoulis af te wenden. Er lag zo veel dreiging in diens koude ogen, in zijn emotieloze stem. Connor besefte dat de aanval van meet af aan tot mislukken gedoemd was geweest. Hij vervloekte zichzelf om zijn gretigheid. Misschien zag hij Grace nooit meer terug. Na alles wat hij had gedaan om haar te vinden, wachtte hem nu een roemloos einde op een vijandig dek, als slachtoffer van Drakoulis en zijn bemanning.

'Hoor eens, Drakoulis. Dit moet een misverstand zijn,' zei Molucco Wrathe. 'Je weet heel goed dat ik nooit een van mijn piratenbroeders zou aanvallen.'

Drakoulis schudde zijn hoofd. 'Daar weet ik helemaal niks van.'

Molucco hield vol en liet zich niet ontmoedigen door de ijzige toon van zijn vijand. 'We dachten dat dit een containerschip was. Dus blijkbaar zijn we onjuist geïnformeerd...'

'Inderdaad.' Drakoulis glimlachte opnieuw. 'Je bent onjuist geïnformeerd.' Hij zweeg even, alsof hij zorgvuldig zijn woorden koos. 'Het is merkwaardig hoe dit soort... misverstanden ontstaat.'

Toen Connor eindelijk naar Jez keek, zag hij dat die zijn wenkbrauwen fronste. 'We zijn erin geluisd,' zei Jez nijdig. 'Het was doorgestoken kaart.'

'Het is de hoogste tijd dat je de prijs betaalt voor je wangedrag,' vervolgde Drakoulis. 'Er bestaat een overeenkomst, gedicteerd door de Piratenfederatie, Wrathe. Maar die schijn jij voor het gemak te vergeten. Of misschien denk je dat die voor jou niet geldt; dat je daarboven staat. Je hebt te veel verbeelding, Wrathe; je denkt dat je naam heel wat voorstelt. Trouwens, dat geldt ook voor die broers van je. En dus begeef je je schaamteloos in de zeeroutes van andere kapiteins; je slaat hier een beleg, je plundert daar een rijke koopvaarder. Het is allemaal één groot spel voor jou en je... je makkers. Heb ik gelijk of niet?'

Connor had ook andere piraten tekeer horen gaan over kapitein Wrathe en de manier waarop hij de piraterij bedreef. Hij dacht terug aan zijn eerste bezoek aan Ma Kettle's Tavern, toen een stuk of tien, twaalf kapiteins hun woede jegens Molucco Wrathe hadden geuit. Dat was weliswaar angstaanjagend geweest, maar de huidige situatie was veel gevaarlijker. De andere piraten hadden spontaan hun boosheid geventileerd. Kapitein Drakoulis daarentegen had in koelen bloede een plan bedacht om kapitein Wrathe en zijn bemanning in de val te laten lopen. Connor besefte dat Drakoulis werd gedreven door oud zeer; dat hij uit was op wraak. Wat had Molucco hem misdaan? Connor keek plotseling met nieuwe ogen naar de kapitein aan wie hij trouw had gezworen.

'Wat wil je, Drakoulis?' De vraag van kapitein Wrathe haalde Connor met een ruk terug naar de huidige – hachelijke – situatie.

'Dat heb ik je al gezegd, Wrathe. Het is de hoogste tijd dat je de prijs betaalt voor je wandaden.'

'Akkoord. Laten we onderhandelen over de voorwaarden, en daarna kunnen we ieder onze eigen weg gaan.' Kapitein Wrathe klonk even zelfverzekerd als altijd.

'Er moet betaald worden voor je wangedrag,' herhaalde Drakoulis ijzig.

'Dat heb je al gezegd. Nou, kom op! Noem je prijs,' antwoordde Molucco. 'Hoe zat het ook alweer? Goud of zilver? Waar doe ik je een plezier mee?'

Drakoulis schonk Molucco een vernietigende blik en schudde langzaam zijn hoofd. Ineens viel het Connor op dat kapitein Drakoulis – in tegenstelling tot kapitein Wrathe, die zoals altijd was beladen met zilver en saffieren – geen juwelen droeg. Zijn uniform was identiek aan dat van zijn bemanning – sober, zwart, zonder enige opsmuk. Toen hij opnieuw het woord nam, droop zijn stem van minachting.

'Dat is typisch iets voor jou, om te denken dat ik uit ben op eenzelfde soort vluchtige beloning als jij, Wrathe. Nee, kapitein, je kunt niet met edelmetaal boeten voor je wandaden. De prijs zal worden betaald in de enige valuta die telt: bloed!'

Bij die woorden van de kapitein hief zijn bemanning nogmaals de kromzwaarden in één vloeiende beweging. Wat had Drakoulis zijn manschappen goed getraind! Connor durfde zich nauwelijks voor te stellen welke gruwelen er nog zouden volgen. De piraten van Drakoulis waren duidelijk op alles voorbereid, terwijl hij en zijn maten nog maar moesten zien of ze zich staande zouden weten te houden. Plotseling werd hij overspoeld door een golf van woede jegens kapitein Wrathe, omdat die hem en de anderen in deze situatie had gebracht. De woede hield echter niet lang stand. Tenslotte had Molucco Wrathe hem als een vader aan boord van zijn schip verwelkomd. Hij had Connor in het uur van zijn diepste wanhoop een thuis geboden, en hem nieuwe hoop gegeven. Molucco mocht dan een rebelse schurk zijn, hij was geen slecht mens. Dit in schrille tegenstelling – tenminste, die indruk had hij – tot kapitein Narcisos Drakoulis.

'Een duel,' kondigde Drakoulis aan. 'De zaak wordt beslist door een duel, dat pas eindigt met de dood van een van de duellisten.'

Molucco kromp ineen. Het was algemeen bekend dat zijn beste jaren als vechter ver achter hem lagen. Hij was nog altijd een machtige figuur, iemand om rekening mee te houden, maar het daadwerkelijke gevecht liet hij al sinds geruime tijd over aan de jongere leden van zijn bemanning. Connor keek van Molucco Wrathe naar Narcisos Drakoulis. In het felle zonlicht was de tegenstelling maar al te duidelijk. Kapitein Wrathe was te zwaar, echt een levensgenieter, terwijl Narcisos Drakoulis in zijn strakke, zwarte uniform een slanke, gespierde indruk maakte, klaar voor het gevecht. Het zou een buitengewoon ongelijke strijd worden. Als de uitkomst afhing van het zwaard, zouden Connor en zijn makkers zonder hun kapitein naar de *Diablo* terugkeren.

Op dat moment glimlachte Drakoulis echter opnieuw naar Molucco. 'Je snapt natuurlijk wel dat ik het dan niet heb over een gevecht tussen jou en mij. Dat zou nauwelijks de moeite waard zijn om er mijn kromzwaard voor te oliën. Nee, Wrathe, jij wijst je beste zwaardvechter aan, en ik doe hetzelfde.' De donkere ogen van Drakoulis vernauwden zich tot spleetjes. 'En ik zou je aanraden niet te lang te wachten met je beslissing.'

Molucco fronste zijn wenkbrauwen, keek zoekend om zich heen en richtte zijn blik op Cate. Connor hield zijn adem in. Was kapitein Wrathe van plan haar aan te wijzen voor het duel? Ze was zonder twijfel een van de beste vechters op het schip, in elk geval degene met de beste techniek. Maar het zou een verschrikkelijke gok zijn om het risico te nemen haar te verliezen. Als haar vriend én beschermeling voelde Connor zich verstijven van angst bij dat vooruitzicht.

'Goed,' kondigde Drakoulis aan. 'Het kost je moeite te beslissen, zie ik. Dus ik zal je alvast voorstellen aan je tegenstander. Gidaki Sarakakino, waar ben je?'

Er ging een gejuich op vanuit de gelederen van Drakoulis' bemanning terwijl een van zijn mannen langzaam naar het midden van het dek liep. Bij het horen van de dreunende voetstappen werd Connor overspoeld door een golf van angst. Toen de man in het voorbijgaan langs hem streek, voelde Connor door de druk van diens machtige spieren een brandende pijn in zijn schouder.

Hij zag dat zich al een blauwe, bijna zwarte plek begon te vormen. Toen hij weer opkeek, zag hij dat Drakoulis glimlachend zijn hand uitstak naar zijn uitverkoren zwaardvechter. Sarakakino schudde hem de hand, toen keerde hij zich naar zijn kameraden en salueerde. De moed zonk Connor in de schoenen. Maar weinigen onder de bemanning van de *Diablo* zouden zich met een tegenstander als deze kunnen meten.

Molucco was druk in gesprek met Cate.

Kapitein Drakoulis schudde zijn hoofd. 'Heb je nou nog steeds moeite zelfstandig beslissingen te nemen? Dat verbaast me eerlijk gezegd niets.'

Voor het eerst gaf Molucco lucht aan zijn woede. 'Op mijn schip gaat het democratisch toe,' grauwde hij. 'En ik stel prijs op de mening van mijn onderkapitein in deze zaak.'

Drakoulis schonk hem een verachtelijke blik, maar deed er – in ieder geval voor dat moment – het zwijgen toe.

Het was een kwelling om toe te kijken terwijl kapitein Wrathe en Cate de hachelijke situatie bespraken. Connor wist hoe afschuwelijk ze het vonden een piraat te moeten aanwijzen die het helemaal alleen zou moeten opnemen tegen een man als Sarakakino. Het leven aan boord van de *Diablo* was gebaseerd op teamwork, en er heerste oprechte kameraadschap tussen de bemanningsleden, dwars door alle rangen heen, zonder afbreuk te doen aan de hiërarchie. De heersende opvatting was dat niemand van de bemanning, geen piraat uitgezonderd, vervangbaar was.

Ten slotte keerde kapitein Wrathe zich af van Cate en richtte hij zich tot Narcisos Drakoulis.

'We hebben een besluit genomen.'

Samen met de rest van de bemanning wachtte Connor het vonnis af.

'We weigeren iemand van onze bemanning te verplichten tot een duel.'

Drakoulis bleef even stil. Toen keerde hij zich naar Sarakakino. Beide mannen begonnen te lachen. Ten slotte werd Drakoulis weer ernstig, en hij wendde zich opnieuw tot Molucco.

'Je doet alsof je de keus hebt, Molucco. Maar dit is geen spelletje. Ik heb het je gezegd: het is tijd om te boeten voor je wandaden.'

Molucco liep naar kapitein Drakoulis, plotseling vervuld van nieuwe energie. 'Je had het over regels, kapitein, en het handhaven daarvan. En toch deel je bevelen uit als een soort halfgod.'

'Hoezo halfgod?' herhaalde Drakoulis honend. 'Is niet elk schip een universum op zich, en iedere piratenkapitein een god in zijn eigen domein?'

Connor had het gevoel alsof het bloed in zijn aderen bevroor, zich bewust van de waanzin in Drakoulis. De man was krankzinnig en gewelddadig, dus het viel niet te voorspellen hoe gevaarlijk hij zou kunnen worden.

'Ik geef je aan bij de Piratenfederatie,' zei Molucco.

Drakoulis schudde zijn hoofd. 'Dat denk ik niet, Wrathe. Je bent hier op de *Albatros*, en dat is míjn schip.'

De *Albatros*, dacht Connor grimmig. Het was een merkwaardige naam voor een schip. De zeevogel met de enorme vleugels werd door zeelieden als een brenger van onheil beschouwd. En voor de bemanning van de *Diablo* was hij dat ook. Het was duidelijk dat de duivel geen partij was voor de albatros.

'Je bent hier niet in je eigen zeeroute,' verkondigde Drakoulis koel.

'Jij ook niet.'

'Dat doet er niet toe,' zei Drakoulis onverschillig. 'De Piratenfederatie trekt haar handen van je af, Wrathe. De Federatie heeft genoeg van je overtredingen. En je kunt niet zeggen dat er niet alles aan is gedaan om je in het gareel te krijgen. De Federatie heeft zelfs een spion bij je ondergebracht...'

'Een spion?'

Molucco bleef met een ruk staan, zijn gezicht drukte afschuw uit.

'Ja, een spion!' Drakoulis imiteerde Molucco's verwarring door grote ogen op te zetten. 'De dochter van Chang Ko Li. Jij dacht dat ze op stage was voor haar kapiteinsopleiding, maar in werkelijkheid bespioneerde ze je en bracht ze verslag uit aan de Federatie.'

Dit was nieuws, en niet alleen voor kapitein Wrathe. Connor zag dat de verontrustende beschuldiging ook zijn makkers hevig schokte. Net als hem. Hij had van dichtbij gezien hoezeer Cheng Li zich had gestoord aan de houding van kapitein Wrathe, maar het was geen moment bij hem opgekomen dat ze een spion was! Terwijl hij in gedachten koortsachtig hun gesprekken naging, kon hij niets vinden wat de beschuldiging ontkrachtte. Was ze maar hier, zodat ze uitleg kon geven – maar hij had haar al bijna drie maanden niet meer gezien.

Kapitein Wrathe schudde zijn hoofd. 'Dit is gewoon de zoveelste krankzinnige gedachte van je, Drakoulis,' zei hij. 'Meesteres Li was bezig met het afronden van haar opleiding aan de Academie. De Federatie wees de *Diablo* aan als stageplaats.'

'En waar is ze nu?' vroeg Drakoulis honend.

'Weer op de Academie, om les te geven.'

'Inderdaad! Ze nam ontslag bij je omdat ze een *uitzonderlijk aanbod* had gekregen van de Federatie. Of misschien omdat het haar niet was gelukt jou in het gareel te brengen?'

'Nee!' schreeuwde Molucco.

'Waarom vraag je het haar niet zelf, de volgende keer dat je haar tegenkomt bij Ma Kettle's? Dan zul je merken dat meesteres Li je heel wat boeiende verhalen kan vertellen. Tenminste, als ze nog met je wil praten.'

Molucco leek door de bliksem getroffen, en Connor voelde met hem mee, want hij was net zo verbijsterd. Hij wist niet veel van de

Piratenfederatie. Kon het waar zijn dat de Federatie Molucco Wrathe en zijn piraten had bespioneerd? Opereerde Narcisos Drakoulis onafhankelijk of was hij ingehuurd als moordenaar? Had Cheng Li inderdaad geprobeerd – overigens zonder succes – om Molucco zijn leven te laten beteren? Hoe dan ook, het leek erop dat Molucco nu de wrange vruchten van zijn gedrag zou moeten plukken.

'Genoeg gepraat,' snauwde Drakoulis. 'Hoogste tijd om de zaak te regelen. Wie van je bemanning gaat het opnemen tegen Saraka-kino?'

Terwijl Drakoulis aan het woord was, trok zijn uitverkoren krijger zijn hemd uit, zodat diens brede schouders en gespierde armen zichtbaar werden, met aderen als kabeltouwen. Toen zijn hemd op het dek viel, draaide hij zich om en spande zijn spieren. Op zijn gebruinde rug had hij een enorme tatoeage van een vogel, die zijn lange vleugels uitstrekte over Sarakakino's schouderbladen. Nog een albatros, besefte Connor. Als ooit iets onheil had voorspeld, dan gold dat voor deze tatoeage.

'Ik heb het je al gezegd,' zei Molucco. 'Ik ben niet van plan een van mijn piraten te laten duelleren.'

'En ík heb je gezegd dat je een man moet aanwijzen, anders zal je hele bemanning ervan lusten!' Drakoulis stikte bijna van woede.

Over het hele dek werden de gekromde sabelmessen opnieuw geheven.

De twee kapiteins stonden oog in oog, ze verroerden geen vin.

Toen hoorde Connor tot zijn verrassing – en afschuw – een vertrouwde stem.

'Laat mij het doen, kapitein Wrathe! Laat mij tegen hem vechten!'

Bezoek

GRACE LAG OP BED in haar hut. Boven haar, op het dek van de *Diablo*, was alles stil. Dat betekende dat ze van boord waren gegaan, alle piraten die bij de aanval waren betrokken. De achtergeblevenen hadden geen andere keus dan afwachten. Afschuwelijk vond ze dat. Het idee dat Connor zich in het strijdgewoel waagde, had ze leren accepteren. Trouwens, ze kon er weinig tegen doen. Het was echter alleen draaglijk zolang ze er niet te veel aan hoefde te denken. Dus wanneer hij weg was, zorgde ze ervoor dat ze iets te doen had en gebruikte ze die tijd om zo veel mogelijk van haar taken af te maken. Die ochtend was ze echter al vroeg ingeroosterd geweest, dus nu had ze een paar uur voor zichzelf. Ze kon natuurlijk aanbieden met de rest van het werk te helpen, maar aan boord van de *Diablo* was vrije tijd een luxe die ze eigenlijk niet mocht verspillen. Bovendien had ze die nacht slecht geslapen. Dat, in combinatie met het vroege opstaan, maakte dat ze doodmoe was.

Ze keek om zich heen in de kleine hut. Hij was onmiskenbaar spartaanser dan haar indrukwekkende onderkomen op het vampiratenschip. Daar had ze als een sprookjesprinses in een enorm bed geslapen, met een weelde aan kussens, draperieën en bedgordijnen. Hier had ze alleen een simpele, smalle kooi met een kussen dat betere tijden had gekend. Maar ze klaagde niet. Eigenlijk voelde ze zich wel prettig in haar nieuwe onderkomen. Het was comfortabel genoeg, en bovendien vond ze het heerlijk dat er daglicht naar binnen viel, ook al was de patrijspoort nogal smerig. En ze had een hut voor zichzelf alleen, terwijl Connor in een zaal sliep, waar het gesnurk en gepiep, het gehoest en gewind van de andere piraten zorgden voor een vreemde, nachtelijke symfonie.

Het schaarse meubilair in de hut bestond, behalve uit het bed, uit een kleine houten stoel, die ze voornamelijk gebruikte om er haar kleren overheen te hangen, een kleine kast en wat planken. Het was meer dan genoeg, want bezittingen had ze nauwelijks. Ze rekte zich loom uit en liet zich van het bed op de grond glijden, waar ze op haar knieën ging zitten. Toen stak ze haar hand onder de kooi en schoof een krat met touwen en dekens opzij die diende om het kistje daarachter te behoeden voor nieuwsgierige blikken.

Ze haalde het tevoorschijn en ging weer op het bed zitten. Het kistje was een cadeautje van Darcy Flotsam. 'Iedere jongedame heeft iets nodig om haar geheime spulletjes in op te bergen,' had ze gezegd. Dat was typisch Darcy: het gebaar, de redenering en het kistje zelf. Strikt genomen was het een 'beautycase', vanbuiten bekleed met dieprood leer, vanbinnen met felroze zijde, bedoeld om er kammen en borstels, poederdozen, lippenstiften en dat soort dingen in te bewaren. Die bezat Grace echter niet, en ze had er ook geen behoefte aan. Maar met zijn geheime vakjes en – dat was nog het allerfijnst – zijn kleine slotje compleet met sleutel, was het de ideale plek om haar geheime spulletjes in te bewaren.

Ze draaide het sleuteltje om, deed het deksel omhoog en liet haar blik glimlachend over de inhoud gaan: de notitieboeken en pennen die ze, op aandringen van de vampiratenkapitein, had meegenomen. Ze haalde een klein leren notitieboekje tevoorschijn waarin ze was begonnen de 'overgangsverhalen' van de vampiraten te noteren: het verhaal van hun leven als sterveling en hoe ze vervolgens van die wereld waren overgegaan naar de wereld van de vampiraten. Tot nu toe waren er nog maar weinig bladzijden beschreven. De enige verhalen die ze op schrift had gesteld, waren die van Darcy Flotsam – keurig opgeschreven in haar beste schoonschrift – en van Sidorio. Dat laatste verhaal was aanzienlijk dreigender, en ze had het haastig neergekrabbeld onder nogal moeilijke omstandigheden.

Haar blik gleed over de laatste woorden. Ze moest bekennen dat zijn verhaal niet alleen gruwelijk, maar ook buitengewoon opwindend was. Luitenant Sidorio had onthuld dat hij ooit, in een ver verleden, Julius Caesar had ontvoerd, en dat hij bij wijze van wraakactie was gedood. Ondanks de pure angst die Sidorio Grace inboezemde, was ze blij dat ze zijn verhaal kende en dat ze het in woorden had weten te vangen. Daarmee had ze een duister geheim aan de vergetelheid ontrukt; een geheim dat slechts weinigen kenden, en dat gaf Grace net zo'n gevoel van opwinding en euforie als wanneer ze een buitengewoon zeldzame orchidee tussen de bladzijden van haar notitieboek had kunnen leggen.

Bij de laatste beschreven bladzijde aangekomen slaakte ze een zucht. Ze zou het heerlijk vinden haar verslag uit te breiden. Aan boord van het vampiratenschip had ze het plan opgevat om de overgangsverhalen van alle bemanningsleden, tot de laatste man en vrouw, vast te leggen. Die gedachte bezorgde haar nog altijd een huivering van opwinding, ook al besefte ze dat er weinig hoop was dat ze die kans ooit nog zou krijgen.

Haar ogen werden net zo moe als de rest van haar lichaam, dus ze sloot het notitieboek en legde het naast zich op het bed. Toen ging ze op de dekens liggen en sloot haar ogen. Haar hand ging naar de ketting om haar hals. Terwijl haar wijsvinger onder haar kleren de schakels volgde, vond ze het hartvormige medaillon dat Connor haar had gegeven. Ze schoof het opzij, en haar vinger stuitte op de Claddagh-ring van Lorcan. Zodra ze hem aanraakte, voelde ze een elektrische schok – of verbeeldde ze het zich, dat wist ze niet – terwijl ze dacht aan Lorcans afscheidsgeschenk.

Inmiddels was het vooral de ring die haar hoop gaf. Hij herinnerde haar aan wat Lorcan had gezegd, aan zijn zachte, Ierse accent, aan de manier waarop hij haar had aangekeken alsof hij diep vanbinnen gevoelens koesterde die hij nog niet onder woorden kon brengen. De ring onder haar kleren, verborgen achter het medaillon, waar niemand hem kon zien, was het best bewaarde geheim dat Grace bezat. Soms, heel soms, wanneer hij op haar sleutelbeen rustte, was het alsof Lorcan tegen haar praatte. Alsof hij haar geruststelde dat alles goed zou komen en dat ze ooit weer samen zouden zijn. Op dit moment hoorde ze inderdaad zijn stem, die zacht tegen haar praatte en haar wegvoerde van het piratenschip, de flonkerend blauwe wateren van haar dromen tegemoet.

'Grace! Grace, word eens wakker!'

'Wat?'

Ze droomde zo heerlijk. Het was alsof ze zweefde, zo uitgerust en verrukkelijk voelde ze zich.

'Grace!' klonk de stem opnieuw, nu luider. Ze herkende hem, maar kon hem niet plaatsen. En de droom was veel te fijn om hem vaarwel te zeggen. Dus ze verzette zich tegen het ontwaken.

'Grace Tempest! Wil je alsjeblieft wakker worden!'

De woorden leken rechtstreeks haar hoofd binnen te stromen, en ten slotte sloeg Grace haar ogen op. Ze kende die stem, dat vreemde, schrille, volkse accent.

'Darcy!' Ze draaide haar hoofd om op het kussen. 'Darcy Flotsam!'

Het was inderdaad Darcy die naast het bed zat. Ze keek Grace met gefronste wenkbrauwen aan. 'Nou, ik moet zeggen, je slaapt wel erg diep voor een jongedame.' Toen maakte de frons plaats voor een glimlach.

Grace glimlachte terug, ging rechtop zitten en zwaaide haar benen over de rand van het bed. 'Darcy! Ik kan mijn ogen gewoon niet geloven! Hoe ben je hier gekomen?'

'Dat is een lang verhaal,' zei Darcy. 'Luister eens, ik weet niet zeker hoelang ik kan blijven. Maar ik moest je spreken.'

Grace straalde. Ze had zich geen mooier ontwaken kunnen wensen. Ze had gedroomd over het vampiratenschip, en plotseling was een van haar vrienden bij haar – niet alleen in haar droom, maar in het echt, in haar hut! Uitgelaten liet ze zich van het bed glijden, en ze spreidde haar armen om Darcy te omhelzen. Die stond op en kwam haar tegemoet.

Maar terwijl Grace haar armen om Darcy's middel sloeg, deed die blijkbaar plotseling een stap opzij, of het schip maakte een rare beweging, want de armen van Grace maaiden slechts door de lucht. Opnieuw opende ze haar armen en reikte ze naar Darcy. Deze keer stonden ze oog in oog. Darcy schonk haar een merkwaardige blik, terwijl Grace zag... dat haar armen dwars door Darcy heen gingen, alsof ze lucht was! Toen hief Grace haar hand naar het gezicht van haar vriendin, strekte een vinger uit naar haar wipneusje. Ze voelde alleen lucht, terwijl de vinger dwars door het neusje heen ging. Achteruitdeinzend nam ze Darcy nieuwsgierig op.

'Wat is er aan de hand?' vroeg ze.

Darcy's gezicht stond ernstig. Ze sloeg haar armen over elkaar. 'Ik ben hier wel, Grace, maar ik ben er ook níet.'

'Daar begrijp ik niets van,' zei Grace. 'Kun jíj míj zien?'

'Ja, ja, natuurlijk kan ik je zien.' Darcy deed een stap naar voren. 'En ik kan ook zien dat je de mooie bloes die ik je heb geleend, helemaal hebt bedorven.'

Grace keek naar de bloes en voelde zich acuut schuldig. Darcy had gelijk, de bloes zat onder de olievlekken van het zwaarden poetsen.

'Het spijt me,' zei Grace. 'Ik moest al heel vroeg opstaan om aan het werk te gaan. Dus ik heb zomaar wat aangetrokken, zonder nadenken.'

'Sst!' Darcy bracht een vinger naar de lippen van Grace, maar raakte ze niet aan. 'Er zijn belangrijker dingen te bespreken dan vlekken en smoezelige kleren.'

'Ja,' zei Grace. 'Ja, natuurlijk. Je hebt gelijk.' Ze begreep nog altijd niet hoe Darcy hier was gekomen, maar aan de verontruste uitdrukking op het gezicht van haar vriendin kon ze zien dat die een reden had voor haar bezoek. 'Laten we gaan zitten,' zei ze.

Grace liet zich op het bed vallen, met Darcy naast zich. Alleen zat Darcy niet echt, merkte Grace op. In plaats daarvan zweefde ze vlak boven de matras. Heel merkwaardig.

'Hoe gaat het met iedereen?' vroeg Grace. 'Hoe gaat het met de kapitein? En met Lorcan?'

Darcy liet even haar hoofd hangen. Toen ze het weer ophief, glinsterden er tranen in haar ogen. 'Dat is het nou juist,' zei ze. 'Daarom moest ik je spreken. Sinds jij weg bent, is het allemaal verschrikkelijk, echt verschrikkelijk.'

De schrik sloeg Grace om het hart. 'Wat bedoel je? Wat is er in hemelsnaam gebeurd?'

Even kon Darcy geen woord uitbrengen. Haar ogen stroomden vol, en de tranen vermengden zich met haar ogenzwart, zodat ze als donkere bloemblaadjes op haar perzikhuid rustten. 'Wacht even,' wist ze snotterend uit te brengen, met een hand in haar zak. 'Volgens mij moet ik hier ergens een zakdoek hebben.' Haar hand kwam echter leeg weer tevoorschijn.

Grace voelde in haar eigen zak en bood Darcy haar zakdoek aan.

Even keken ze elkaar aan. Toen liet Grace de zakdoek los, en ze zagen hoe het lapje stof dwars door Darcy's hand fladderde en op de vloer van de hut belandde. Op de een of andere manier moesten ze erom glimlachen. Darcy haalde haar neus op, ging met de rug van haar hand over haar betraande gezicht en veegde de hand toen aan haar jurk af. Het was een ongebruikelijk gebaar voor iemand die zo veel waarde aan haar uiterlijk hechtte. Darcy haalde haar schouders op. 'Zoals ik al zei, er zijn belangrijker dingen te bespreken dan vlekken en smoezelige kleren.'

Grace knikte en schonk haar een bemoedigende glimlach. 'Darcy, je moet me vertellen wat er aan de hand is. Misschien kan ik helpen. Jullie zijn allemaal zo goed voor me geweest – tenminste, bíjna allemaal. Ik doe alles om jullie te helpen. Je hebt geen idee hoe vaak ik al heb gedroomd dat ik terug ben op het schip. Net nog, toen je me wakker maakte...'

Er verscheen een sombere uitdrukking op Darcy's gezicht. 'Je kunt niet terug!'

Grace keek haar verward aan. 'Waarom niet?'

'Omdat het op het schip niet langer veilig is. Dus je kunt niet terug. Daar moet je niet eens meer aan denken!'

'Hoezo, niet veilig?' herhaalde Grace. 'Ik was erbij toen de kapitein Sidorio van boord stuurde. En híj was toch de enige opstandige vampiraat?'

Darcy schudde haar hoofd. 'Niet de énige,' zei ze. 'De éérste.'

'De eerste?'

Darcy knikte. 'Sidorio was inderdaad de enige rebel, maar sinds zijn verbanning – sinds jouw vertrek – zijn er ook anderen die het gezag van de kapitein tarten, elke dag, elke nacht opnieuw. Ze nemen geen genoegen met het wekelijkse Feestmaal. Ze willen meer bloed, meer Feestmalen...' Ze zweeg abrupt, opnieuw met tranen in haar ogen.

'En wat zegt de kapitein daarvan?' vroeg Grace.

'Die verbiedt het. Hij zegt dat dit de gang van zaken op zijn schip is. Dat het altijd al zo is geweest en altijd zo zal blijven gaan.'

'Nou, dan is het probleem toch van de baan?' zei Grace. 'De kapitein is de baas. Die houdt de zaak wel onder controle. Dat heeft hij altijd al gedaan.'

Darcy schudde haar hoofd. 'Nee, zoals nu is het nooit eerder geweest. Zolang ik aan boord ben, was er altijd... altijd respect voor de kapitein. Maar sinds hij Sidorio heeft weggestuurd, is er iets veranderd. Dat is nog nooit eerder gebeurd; dat iemand is verbannen.'

Grace herinnerde zich dat ze destijds had gedacht dat het wel eens gevaarlijk zou kunnen zijn om Sidorio weg te sturen. Maar de kapitein had erop gestaan. Bovendien had Grace zich meer zorgen gemaakt over het kwaad dat Sidorio in de buitenwereld zou aanrichten dan over de eventuele gevolgen van zijn vertrek aan boord van het schip.

'Ik wou dat ik je kon helpen,' zei Grace. 'Ik wou dat ik kon terugkomen en dat ik met de kapitein kon praten.'

Darcy schudde haar hoofd. 'Nee, Grace. Nee, je moet hier blijven, bij Connor. Hier ben je veilig.'

Onwillekeurig glimlachte Grace. 'Dit is een piratenschip, Darcy. Dus ik zou het hier nauwelijks veilig willen noemen. Sterker nog, op dit moment is Connor betrokken bij een aanval op een ander schip.'

'Jullie hebben er blijkbaar een talent voor om jezelf in de nesten te werken,' zei Darcy.

'Ja, van de regen in de drup,' viel Grace haar meesmuilend bij.

Ze keken elkaar glimlachend aan. Toen strekte Grace haar hand uit om die van Darcy te pakken.

'We kunnen elkaar niet aanraken,' hielp die haar herinneren.

'Dat weet ik.' Grace hield haar hand uitgestoken. 'Ik weet dat we dat niet kunnen, maar laten we gewoon doen alsof het wel kan.'

Darcy knikte en volgde haar voorbeeld, tot de illusie van haar hand bijna de hand van vlees en bloed raakte die Grace uitstrekte. Dichterbij konden ze niet komen, maar het was genoeg.

'Zo,' zei Grace, 'en vertel me nu eens hoe het met Lorcan is.'

Toen Darcy haar mond opendeed, begon ze te vervagen.

'Wacht!' riep Grace. 'Niet weggaan! Wat is er met Lorcan gebeurd?'

Darcy schudde haar hoofd, er kwamen opnieuw tranen in haar ogen. Toen ging ze op in het niets, en Grace was weer alleen.

Het duel

'Laat mij tegen hem vechten, kapitein!' riep Jez Stukeley opnieuw.

Connor draaide zich geschokt om naar zijn vriend, maar Jez baande zich al een weg door de menigte. Dus keek Connor naar Bart, die een eind verder naar voren stond en duidelijk net zo geschokt was als hijzelf. Dit kon toch niet waar zijn! Dit kon de drie boekaniers toch niet overkomen!

Sommige van Drakoulis' trawanten versperden Jez de weg, maar ze werden door Drakoulis zelf tot de orde geroepen. 'Laat hem erdoor. Geef hem de kans zich te laten zien!'

De gelederen van in het zwart geklede krijgers openden zich braaf, en Jez Stukeley liep er dapper tussendoor, tot hij bleef staan voor de twee piratenkapiteins en de reusachtige gestalte van Gidaki Sarakakino. Die laatste keek met een honende grijns op Jez neer. Je hoefde geen gedachten te kunnen lezen om te weten wat er in hem omging.

'Mr. Stukeley!' Molucco Wrathe legde zijn hand op de schouder van de jonge piraat. 'Je bent een dappere, fatsoenlijke kerel, maar ik kan niet toestaan dat je je vrijwillig in het gevaar stort.'

Jez schudde zijn hoofd. 'Het is mijn plicht, kapitein Wrathe. Toen ik aanmonsterde en het contract tekende, heb ik beloofd dat ik de *Diablo*, zijn kapitein en zijn bemanning zou verdedigen. We komen niet meer levend van dit schip af, tenzij een van ons instemt met een duel.'

'Hij heeft gelijk,' mengde Narcisos Drakoulis zich in de discussie. 'Het enige wat ik vraag, is dat een van je piraten duelleert met Sarakakino. Als je dat weigert, zie jij noch je bemanning de *Diablo* ooit terug.'

Connor beefde bij het dreigement van Drakoulis, dat werd onderstreept door de aanblik van de geheven sabelmessen. Hij dacht aan zijn vriendschap met Jez. Er moest een andere oplossing zijn. Was het niet de verantwoordelijkheid van kapitein Wrathe om gevaren af te wenden? Dat was toch niet de plicht van Jez? Dat kón gewoon niet.

Molucco schudde zijn hoofd. 'Ik heb je nooit gemogen, Drakoulis, maar vroeger had je nog principes – voor zover ze die naam verdienden. Ik weet niet in wat voor duistere oorden je je al die tijd hebt opgehouden, maar je jaren in de wildernis hebben je geen goed gedaan. Een corrupte schurk, dat ben je. Het bestaat niet dat de Federatie je steunt. Je handelt louter en alleen uit een zieke vorm van eigenbelang en uit een verwrongen behoefte aan wraak voor een onbenullig oud zeer.'

Ondanks de aanvallende woorden bleef Drakoulis geruime tijd zwijgen. Zijn gezicht was als een masker en verried geen enkele emotie. 'Als je klaar bent met je preek, Wrathe, laten we dan ter zake komen. Het duel begint op de vijfde slag van de scheepsbel.' Hij keerde zich naar zijn bemanning. 'Maak het midden van het dek vrij!'

Op zijn commando weken de piraten uiteen om in het midden van het dek ruimte vrij te maken voor het gevecht; een ruimte, ongeveer zo groot als een boksring. En net als in de aanloop naar een bokswedstrijd zonderde Drakoulis zich af in een hoek om op gedempte toon te overleggen met Gidaki Sarakakino, die donkere lappen om zijn handen begon te binden.

'Néé!' wilde Connor roepen. Dit was waanzin. Waarom had Jez zich vrijwillig aangeboden voor de slachtpartij die onvermijdelijk zou volgen? En waarom had niemand hem tegengehouden?

Jez liep naar Molucco en Cate, aan de andere kant van de vrijgemaakte ruimte. Connor profiteerde van het moment door tussen de manschappen door verder naar voren te glippen. Even later stond hij naast Bart.

'Hé, maatje.' Bart schonk Connor een vluchtige glimlach, maar slaagde er niet in zijn gespeelde luchthartigheid vol te houden. Hij wendde zich af en keek naar Jez, met een sombere, bezorgde blik in zijn ogen.

'Maakt hij een kans?' fluisterde Connor hem toe.

'Hij zal in elk geval zijn stinkende best doen,' zei Bart. 'Maar moet je die Sarakakino nou eens zien! Bij hem vergeleken ben ík zelfs een miezerig mannetje.'

Connor vroeg zich af of Bart in de verleiding kwam om Jez' plaats in te nemen. Maar hoewel Bart aanzienlijk zwaarder van bouw was, had Jez een betere techniek met het zwaard, hield hij zichzelf voor. Hij was sterk genoeg en wat hij tekort kwam aan gewicht, maakte hij goed met techniek en lenigheid. Connor dacht aan wat Molucco Wrathe altijd zei: 'Oefening en geluk, daar kun je niet genoeg van hebben.' In de komende paar minuten zou blijken in hoeverre Jez Stukeley er genoeg van had.

De bel van de *Albatros* luidde, en alle ogen keerden zich naar de twee mannen. De daaropvolgende momenten had Connor het gevoel alsof alles vertraagde, als een film in slow motion.

De bel luidde voor de tweede keer. Sarakakino stak zijn handen in een emmer met kalk, ongetwijfeld om meer greep te hebben op zijn zwaard. Terwijl hij zich vooroverboog, leken zijn machtige rug en schouders zo mogelijk nog breder, nog gespierder. De albatros van de tatoeage strekte zijn vleugels, alsof hij op het punt stond weg te vliegen.

Toen luidde de bel voor de derde keer. Een van Drakoulis' mannen hield Jez de emmer met kalk voor. Jez keerde Molucco en Cate de rug toe, deed een stap naar voren en doopte zijn handen in de kalk, waarop hij het teveel afschudde. Toen sloot zijn linkervuist zich krachtig om het gevest van zijn slanke zwaard, en hij keek op naar de hemel, misschien om een schietgebed door de roze wolkenlinten omhoog te sturen.

De bel galmde voor de vierde keer. Sarakakino stond roerloos, met zijn rug naar zijn tegenstander – misschien om tot zichzelf te komen – als in gebed verzonken. Jez wachtte af, zijn lichaam volmaakt in evenwicht, klaar om van het ene op het andere moment in actie te komen.

Ten slotte luidde de bel voor de vijfde en laatste keer.

En de hel brak los.

Sarakakino draaide zich om, keek zijn tegenstander aan en zijn kromzwaard sneed door de lucht, als om Jez te waarschuwen wat het wapen met zijn vlees zou doen. Die liet zich niet afschrikken, maar bewoog van links naar rechts, met zijn zwaard geheven. Zelfs Connor wist dat de manoeuvres van Sarakakino niets anders waren dan psychologische oorlogvoering. Cate leerde haar piraten door een dergelijke bravoure heen te kijken. Connor herinnerde zich nog maar al te goed dat zowel zij als Bart hem had verteld naar de ogen van zijn tegenstander te kijken – nog meer dan naar de punt van diens zwaard.

Plotseling hield Sarakakino op met zwaaien, zijn zwaard verstilde en de krijger keek Jez recht in de ogen. *Wil je dit echt,* leek hij te willen vragen. *Denk je echt dat je het tegen mij kunt opnemen?* Bij wijze van antwoord staarde Jez koel terug, maar tegelijkertijd deed hij een uitval met zijn slanke zwaard. Het raakte Sarakakino's gespierde onderarm en verwondde hem. Het eerste bloed kwam op naam van Stukeley en de *Diablo*. Connor zag de vuurrode druppels van Sarakakino's arm op de planken van het dek lekken.

'Sodemieters!' fluisterde Bart. 'Dát had ik niet verwacht!'

Connor grijnsde.

Ook Sarakakino was duidelijk verrast, en Jez maakte daar meteen gebruik van. Hij danste lichtvoetig om zijn veel grotere tegenstander heen, deed opnieuw een uitval. Nu was Sarakakino echter voorbereid. Hij brulde, als een monster dat uit zijn slaap was gewekt, haalde uit en zijn kromzwaard ontmoette het slanke rapier van Jez. Staal sloeg schallend tegen staal, en Connor zag dat het Jez de grootste moeite kostte om zich het wapen niet uit handen te laten slaan, toen de volle kracht van zijn tegenstander als een elektrische schok door zijn zwaard trok.

De wapens van de twee tegenstanders kleefden als magneten aan elkaar. Degene die als eerste zijn zwaard lostrok en het waagde aan te vallen, was gedurende één moment – een vluchtig, maar mogelijk beslissend moment – weerloos, zonder dekking.

Hun ogen waren net zo onlosmakelijk met elkaar verbonden als hun zwaarden. Het ging bij een gevecht niet alleen om fysieke kracht, had Connor geleerd. Wilskracht was net zo belangrijk. Jez deed het heel goed. De wond die hij Sarakakino in de arm had toegebracht, was ondiep, maar had de arrogante vechter een waarschuwing gegeven en er ongetwijfeld voor gezorgd dat hij zijn tegenstander met andere ogen zag.

En opnieuw was het Jez die de gok nam. Hij trok met een ruk zijn rapier los, waardoor Sarakakino en zijn zwaard vluchtig achteruit werden gedreven. Jez richtte zich hoog op, sprong naar voren en stortte zich op de borst van Sarakakino. Maar zijn tegenstander herstelde zich snel en wist met zijn kromzwaard de aanval te blokkeren. Geeft niet, dacht Connor. Want ook de tweede keer was de aanval van Jez uitgegaan. Voor de tweede keer was de kolos van Drakoulis in de verdediging gedrongen. Zijn vriend maakte een serieuze kans het gevecht te winnen.

Connor keek naar Narcisos Drakoulis, in de hoop een spoor

van angst in diens ogen te lezen, maar het gezicht van de kapitein stond ondoorgrondelijk. Molucco daarentegen glimlachte vluchtig, alsof hij Jez ervan wilde doordringen dat hij moest blijven aanvallen.

Cate, die naast de kapitein stond, volgde het gevecht gespannen. Connor wist dat ze met elke manoeuvre van Jez meeleefde, meedacht. Voor haar was het allemaal een kwestie van tactiek – als bij een schaakspel. Ze mocht dan aan de zijlijn staan, in gedachten was ze bij Jez en zijn kling. Hij vroeg zich af hoe zij vond dat Jez het er afbracht.

Het doordringende geluid van botsende zwaarden trok de aandacht van Connor weer naar de duellisten. Ze hielden hun zwaarden hoog geheven, waardoor Sarakakino dankzij zijn lengte in het voordeel was. De reus hield vast aan zijn positie, in het besef dat hoelanger hij dat deed, hoe meer hij daarmee het vuur uit de bewegingen van Jez haalde. Die zou een verbazingwekkende manoeuvre moeten uithalen – en daar zou hij bovendien heel snel mee moeten zijn – om het voordeel weer naar zich toe te trekken. Maar kon hij het risico nemen het contact met het zwaard van zijn tegenstander te verbreken?

Uiteindelijk was het Sarakakino die dat deed, alsof de impasse hem verveelde. Hij trok zijn zwaard terug en sprong weg, buiten het bereik van Jez. De manoeuvre bewees dat hij weliswaar zwaarder gebouwd was, maar ondanks dat ook wendbaar en lichtvoetig. De twee mannen waren bezig elkaar de maat te nemen en kwamen met elke manoeuvre meer tot de ontdekking dat ze aardig aan elkaar gewaagd waren. Door dat besef won het gevecht aan vaart en souplesse. In plaats van telkens opnieuw positie te kiezen, liet Sarakakino vooral zijn zwaard het werk doen. Jez op zijn beurt besefte dat hij er niet op mocht vertrouwen sneller en lichtvoetiger te zijn dan zijn gespierdere tegenstander.

Connor keek toe terwijl de zwaarden om elkaar heen draaiden, contact maakten, elkaar weer afstootten. Nog nooit had hij zo'n schitterende demonstratie van vechttechnieken gezien. De adrenaline joeg door zijn aderen, zijn handen jeukten om zijn zwaard te grijpen en de verbluffende manoeuvres na te bootsen. Van alle sporten die hij ooit had bedreven, stond zwaardvechten op eenzame hoogte. Trouwens, zwaardvechten was meer dan een simpele sport, hield Connor zichzelf voor.

Jez wist Sarakakino over het hele stuk dek dat voor hen was vrijgemaakt, terug te dringen. Vlak voor kapitein Drakoulis kwamen ze tot stilstand, met Jez nog altijd in het voordeel. Toen wist Sarakakino los te breken, en op zijn beurt dreef hij Jez met de ene na de andere uitval terug naar Molucco en Cate. De bemanning van beide schepen stond als aan de grond genageld en keek doodstil toe. De enige geluiden waren afkomstig van de duellisten: hun zwoegende ademhaling, het stampen van hun gelaarsde voeten, de eindeloze echo's van staal op staal.

Jez en Sarakakino vochten als wilde dieren, maar tegelijkertijd waren hun bewegingen zo beheerst, zo waardig en waren ze zo synchroon dat de vergelijking met een dans zich opdrong. Ook al stonden de twee mannen elkaar naar het leven, ze waren tevens partners in deze vreemde dans. Het was prachtig om naar te kijken, vol gratie en talent. Als gehypnotiseerd registreerde Connor elke beweging. Ooit zou hij ook op deze manier kunnen vechten.

Een nieuw geluid.

Een kreet.

Jez Stukeley bloedt – het bloed gutst uit een wond in zijn borst. Hij wankelt en valt in slow motion op het dek. De planken lijken te steigeren om zijn lichaam tegemoet te komen, dat met een dreun op het dek slaat, armen en benen gespreid. Het is zo snel gegaan, dat Connor nu pas ziet dat Sarakakino zijn kling terugtrekt, besmeurd met het bloed van Jez. De dans loopt ten einde. De ongrijpbare schoonheid is verdwenen. De dans is een dodendans gebleken. Connor en de anderen staren naar Jez Stukeley, wiens lichaam kronkelt als een vis aan een haak. Het leven stroomt uit hem als een donkere, pulserende rivier, het hele dek over.

Dood van een boekanier

CONNOR KON ZIJN OGEN niet geloven. Hoe had het gevecht zo snel kunnen veranderen? Nog maar een paar minuten eerder was hij in diepe bewondering volledig opgegaan in de bewegingen van Jez. Nu lag zijn vriend op het dek, dodelijk gewond. Connor had nog nooit zoiets gruwelijks gezien. Overweldigd door de schok en door haperende adrenaline dacht hij even dat hij moest overgeven. Hij voelde de gal omhoogkomen in zijn keel, maar op de een of andere manier slaagde hij erin die binnen te houden.

Connor keerde zich naar Bart, die op datzelfde moment naar voren stormde. Twee van Drakoulis' mannen hieven hun zwaard om hem tegen te houden, maar Drakoulis gebaarde dat ze hun wapen moesten laten zakken en hem doorlaten.

Bij hun stervende vriend aangekomen liet Bart zich op zijn knieën vallen, en hij greep de hand van Jez, omklemde die krampachtig. De handen van hun vriend waren al wit – het leven verliet hem met gruwelijke snelheid. Toen besefte Connor wat er aan de hand was: dat de handen van Jez nog onder de kalk zaten. De opluchting was echter van korte duur.

'Je hebt goed gevochten, maat,' hoorde Connor Bart zeggen, terwijl hij probeerde met zijn halsdoek het hevige bloeden te stelpen. 'Je bent een held, een echte held.'

Connor keerde zijn blik naar Gidaki Sarakakino. Hij wilde de moordenaar haten, maar merkte dat hij dat niet kon. Tenslotte had het gevecht net zo goed anders kunnen aflopen, en dan zou het Sarakakino zijn geweest die in zijn eigen bloed op het dek lag. Trouwens, uit niets bleek dat de winnaar genoot van zijn overwinning. Hij had alleen maar gedaan wat zijn kapitein hem had opgedragen, zoals dat van iedere piraat mocht worden verwacht. Kalm en onverstoorbaar wikkelde hij de lappen van zijn polsen en veegde hij zijn zwaard schoon. Het was alsof hij zich in zichzelf had teruggetrokken, misschien om op die manier een rechtvaardiging te vinden voor zijn daden en de gevolgen daarvan.

Dus het was Narcisos Drakoulis op wie Connor zijn blik richtte, overweldigd door haat. Het bloed van Jez kleefde aan zíjn handen, ook al leken ze volmaakt schoon en onbezoedeld in het bleekroze licht van de ondergaande zon.

'Je hebt je prijs betaald, Wrathe,' zei Drakoulis, zonder een zweem van emotie in zijn stem. 'Jij en je bemanning zijn vrij om te gaan.'

Molucco Wrathe ziedde van woede en was niet bang dat te laten zien. 'Die jongen heeft zijn leven voor niets gegeven, Drakoulis.'

'Geen sprake van,' beet die hem toe. 'Hij heeft zijn leven gegeven om jóú eraan te herinneren dat de piraterij geen sport is.'

'Je hoeft tegen mij niet te preken over de piraterij,' bulderde Molucco. 'Niemand hier weet beter wat het betekent om piraat te zijn dan ik.'

Drakoulis bleef kalm onder de uitbarsting van Molucco. Toen hij weer het woord nam, klonk zijn stem opnieuw emotieloos, als de stem van een robot. 'Je daden, je overtredingen blijven niet zonder gevolgen, Wrathe. Laat dit een tijdige herinnering voor je zijn. Hou je aan je eigen zeeroutes. Respecteer het domein van andere kapiteins. Respecteer de regels van de Federatie. De volgende keer zou het weleens jóúw smerige bloed kunnen zijn dat een dek rood kleurt. Verzamel nu je bemanning en verlaat de *Albatros*.'

'Kapitein!' hoorde Connor Bart roepen.

Molucco en Drakoulis draaiden zich tegelijk om.

'Kapitein Wráthe,' verduidelijkte Bart. 'Jez is nog niet dood. Zijn pols is heel zwak, maar ik denk dat hij nog een kans heeft als we hem terug kunnen krijgen op de *Diablo* en zijn verwonding op de juiste manier weten te behandelen.'

Er verscheen een glimlach op Molucco's gezicht, maar Drakoulis ging voor hem staan, waarbij zijn lichaam de ondergaande zon verduisterde zodat zijn donkere gedaante werd omringd door een krans van licht.

'Ik zei dat je kon vertrekken! Nu! Zonder de verliezer.'

Molucco keek hem ongelovig aan. 'Je hebt me vandaag een fraaie les geleerd, Drakoulis. En je beul heeft deze jongen afgeslacht, een ander woord kan ik er niet voor bedenken. Ben je werkelijk zo gestoord dat je hem liever op je dek ziet sterven dan hem door ons te laten meenemen naar zijn eigen schip, waar hij misschien nog een kans heeft om te overleven?'

'Hij heeft geduelleerd en verloren. Dus hij zou dankbaar moeten zijn dat de dood de smet van zijn nederlaag uitwist.'

Even was Molucco sprakeloos, en ook Connor was met stomheid geslagen. Net wanneer je dacht dat je tot in de diepste, duisterste krochten van Drakoulis' geest was afgedaald, bleek dat je daarin nog dieper, veel dieper, kon afdalen.

Bart wierp zich op als pleitbezorger voor zijn vriend. 'Alstublieft, kapitein Drakoulis. Uw boodschap is glashelder. Trouwens, ik denk niet dat hij nog lang te leven heeft. Geef ons tenminste de kans hem mee te nemen en gepast... afscheid van hem te nemen.'

Drakoulis gaf geen krimp. Hij keurde Bart geen blik waardig, maar richtte zich weer tot Molucco. 'Wil je je ondergeschikten erop wijzen dat ik er geen prijs op stel rechtstreeks te worden aangesproken.' De twee kapiteins keken elkaar woedend aan. 'Goed,

Wrathe. Neem die mislukkeling mee als jullie dat zo graag willen,' zei Drakoulis honend. 'Maar verdwijn van de *Albatros*. Ik heb meer dan genoeg van jou en je waardeloze bemanning.' Hij draaide zich om en liep weg, commando's blaffend naar zijn manschappen. De in het zwart gehulde bemanning begon de piraten van de *Diablo* bijeen te drijven, zodat ze in geordende rijen van boord gingen.

Connor kwam naar voren om zich bij Bart en kapitein Wrathe te voegen, die nog altijd naast Jez stonden. Molucco legde een hand op Barts schouders en bukte zich om op Jez neer te kijken. Hij had zijn hoed afgezet en Scherpent – ook wel Scrimshaw genaamd, de slang die Wrathe als huisdier hield en die in zijn haar woonde – stak nieuwsgierig zijn kop tevoorschijn. De slang kronkelde naar voren tot hij boven Jez hing. Stukeleys gezicht was net zo bleek als zijn in kalk gedoopte handen en ondanks de inspanningen van Bart verloor hij zo veel bloed dat zijn lijdensweg niet veel langer kon duren.

'Je hebt je geweldig geweerd, Mr. Stukeley,' zei Molucco. 'Echt geweldig! Ter ere van jou zullen we het kanon afvuren. En je maten zullen allemaal een kop rum op je drinken bij Ma Kettle's. Net als vroeger, weet je nog?' Er stonden tranen in de ogen van kapitein Wrathe, en het kostte hem de grootste moeite zijn stem in bedwang te houden. 'En telkens wanneer we de kans hebben, zullen we herinneringen ophalen aan Jez Stukeley, aan wie iedere piraat een voorbeeld kan nemen. Hoor je me, Jez? Hoor je wat ik zeg?'

'Ja, kapitein,' wist Jez raspend uit te brengen. Toen gleed zijn blik naar Bart en Connor; om zijn blauwpaarse lippen speelde een vluchtige glimlach.

'Het is tijd voor deze boekanier om afscheid te nemen.'

Hij sloot zijn ogen. Zijn hoofd zakte langzaam opzij.

Scherpent deinsde verschrikt achteruit en trok zich terug in de veiligheid van zijn meesters rastavlechten.

'Hij is weg,' zei Molucco zacht, terwijl hij een hand op Barts schouder legde.

Connor wendde zich ongelovig af. Zijn maten waren al bezig het dek te verlaten en over de drie wensen terug te stromen naar de *Diablo*. Van Drakoulis was geen spoor meer te bekennen, maar Gidaki Sarakakino kwam naar hen toe. Zijn laarzen dreunden op het dek.

'Hij heeft goed gevochten.' Zijn stem had een verrassend zachte klank. 'Dus hij hoeft zich niet te schamen.'

Het kon niet gemakkelijk zijn geweest om dat te zeggen, dacht Connor. Sterker nog, misschien zou zijn korte toespraak wel als een gebrek aan respect tegenover zijn kapitein kunnen worden uitgelegd. Met een kort knikje trok hij zich terug.

'Kom, dan help ik je om hem te dragen,' zei Connor tegen Bart.

'Bedankt, maat.' Bart moest vechten tegen zijn tranen. 'Kom op, Stukeley, in de benen. Hoogste tijd om je naar huis te brengen.'

Grace hoorde de geluiden aan dek. De piraten waren terug. Ze kon niet wachten om Connor te zien, ongeduldig als ze was om hem alles te vertellen over het bezoek van Darcy's geest aan haar hut. Ze gooide de deur open en rende de gang door, de trap op naar het bovendek.

Zodra ze aan dek kwam, voelde ze dat er iets niet in de haak was. Op het dek was het een drukte van belang, zowel van terug-kerende piraten als van de achterblijvers die hen verwelkomden. Desondanks was het zo drukkend stil, dat Grace onmiddellijk be-greep dat de aanval geen succes was geweest. De moed zonk haar in de schoenen, als een anker dat naar de oceaanbodem viel. Waar was Connor? Ze móést Connor zien te vinden.

Dus ze baande zich een weg door de menigte piraten, vechtend tegen haar paniek. Waar was hij? Ten slotte kreeg ze een paar van de piraten in de gaten die de aanval hadden geleid. Zo te zien was

alles goed met ze. Sommigen hadden wat blauwe plekken en op-
pervlakkige snijwonden, maar daar was ze inmiddels aan gewend
geraakt. Dat soort verwondingen hoorde nu eenmaal bij het pira-
tenvak.

'Waar is Connor?' vroeg ze.

De piraten maakten een verdwaasde indruk.

'Waar is Connor?' herhaalde ze. 'Is alles goed met hem?'

Een van de piraten deed een stap opzij, zodat ze Connor in de
gaten kreeg, die achter hem stond.

'Connor!'

Zijn shirt zat onder het bloed, maar er was niemand die voor
hem zorgde. Met zulke verwondingen had hij toch verzorging nodig...

'Grace!'

Hij glimlachte vermoeid en spreidde zijn armen. Ze rende naar
hem toe, viel hem om de hals, zonder zich er ook maar iets van
aan te trekken dat haar kleren nu misschien ook onder het bloed
kwamen. Ze omhelsden elkaar, en terwijl hij haar dicht tegen zich
aan trok, voelde ze hoe sterk zijn armen waren, hoe krachtig zijn
hart sloeg, en instinctief wist ze dat alles goed met hem was.

'Met mij is alles goed,' fluisterde hij in haar oor. 'Echt waar, met
mij is alles goed!'

Ten slotte liet hij zijn omhelzing iets verslappen, en ze keek neer
op zijn bebloede shirt. 'Ik dacht dat je...' Ze kon zich er niet toe
brengen het hardop te zeggen. Alleen al bij de gedachte dreigde ze
te worden overweldigd door wanhoop. Ze had zo haar best gedaan om zich niet druk te maken wanneer hij meedeed met een
aanval. Maar ze maakte zich wel degelijk druk! Sterker nog, ze wilde dat hij ermee ophield; dat hij nooit meer wegging om andere
schepen aan te vallen.

'Met mij is alles goed, Grace,' zei Connor. 'Maar we hebben vandaag een man verloren.'

Grace knikte. Het was in elk geval niet Connor, en voor haar was dat het enige wat ertoe deed.

Toen Connor een stap naar achteren deed, ontdekte ze Bart; hij lag geknield op het dek en zat net als Connor onder het bloed. Onmiddellijk had ze spijt van haar eerdere gedachte. Maar Bart keek slechts heel even verdrietig naar haar op, voordat hij zijn hoofd weer liet hangen. Toen pas zag ze het roerloze, bebloede lichaam van Jez Stukeley, en bij het zien van zijn gezicht, van zijn gesloten ogen, begreep ze wat er moest zijn gebeurd.

Ze kwam dichterbij. 'O, Jez,' was alles wat ze wist uit te brengen. Haar blik ging van Connor naar Bart, en toen weer naar hun gesneuvelde kameraad. Ze wist hoeveel de drie vrienden voor elkaar betekenden. 'O, nee! Wat erg! Wat verschrikkelijk!'

Bart knikte opnieuw verdrietig. Hij hield nog altijd de hand van Jez in de zijne. Weer nam Connor haar in zijn armen.

'Je mag nooit bij me weggaan,' zei hij. 'Dat doe je toch niet, hè? Ik wil niet dat je ooit bij me weggaat.'

'Nee,' zei ze. 'Dat doe ik niet.' Maar terwijl ze het zei, flitsten beelden van Darcy door haar hoofd, en van Lorcan, en van het vampiratenschip.

Connor trok haar dichter tegen zich aan. Ze voelde dat hij beefde.

'Nee!' Grace verdrong de beelden uit alle macht. 'Nee, Connor. Ik beloof je dat ik nooit bij je wegga. Maar jij moet mij ook iets beloven.'

Hij knikte.

'Ik wil niet dat je ooit nog meedoet met een aanval. Er wordt niet meer gevochten, nooit meer.'

Hij zei niets, maar trok haar nog dichter tegen zich aan en kuste zacht de bovenkant van haar hoofd.

Die nacht – de nacht die volgde op de dood van Jez Stukeley, de nacht voor zijn begrafenis – bleef Connor bij Grace in haar hut. Na alles wat er was gebeurd, moesten ze bij elkaar zijn.

Ze pasten amper samen in de smalle kooi, maar dat deed er niet toe. Het was alsof ze weer kinderen waren. Wanneer een van hen vroeger akelig had gedroomd, kropen ze in de vuurtoren ook bij elkaar in bed. Hun vader was boven aan het werk in het lichthuis, dus ze hadden geleerd elkaar te troosten.

Terwijl de kaars naast het bed steeds lager brandde, deed Connor het hele verhaal van de aanval en hoe de piraten van de *Diablo* het slachtoffer waren geworden van verraad door de gemene Narcisos Drakoulis. Grace luisterde met groeiende afschuw. Hoe was het mogelijk dat kapitein Wrathe en zijn onderkapitein Cate zich zo gemakkelijk om de tuin hadden laten leiden? Waren er nog meer schepen waarvan de kapiteins soortgelijke aanvalsplannen hadden? Hoe zou dit eindigen? Grace kon er niets aan doen dat ze het gevoel kreeg dat Molucco zelf ook deels verantwoordelijk was voor de dood van Jez – hij was tenslotte meer dan eens gewaarschuwd dat hij zich niet in de routes van andere kapiteins moest wagen. Die gedachte sprak ze echter niet hardop uit. Het moment om haar bezorgdheid te delen kwam nog wel. Vanavond had Connor behoefte aan troost, niet aan confrontatie.

'Hij was zo dapper,' zei Connor.

'Jez?'

'Ja.'

'Connor!' Ze strekte haar hand uit en draaide zijn gezicht naar zich toe. 'Als zoiets óóit weer gebeurt, probeer dan alsjeblieft níet om dapper te zijn.'

De Claddagh-ring

VEEL TE SNEL WERD het weer ochtend. Grace sloeg haar ogen op na een onrustige nacht, waarin ze was bestookt met allerlei gedachten en gevoelens. Connor was al opgestaan en stond met een slaperig gezicht over haar heen gebogen.

'Ik moet ervandoor,' zei hij. 'Want ik wil zeker weten dat alles in orde is voor de begrafenis.'

Grace knikte. 'Dan zie ik je daar. Ik kom er ook zo aan.' Ze liet zich uit de kooi glijden en kon het niet laten hem even te knuffelen.

Toen de deur achter hem dichtviel, ging ze weer zitten, met haar hoofd tegen de wand boven haar kooi geleund. Ze voelde zich beroerd door het gebrek aan slaap en door haar onrustige en verontruste gedachten.

Ten slotte vermande ze zich en keek door de patrijspoort naar buiten. Er was weinig te zien, behalve het deinende water en daarboven de hemel, net zo grijs als de zee, zodat ze nauwelijks van elkaar te onderscheiden waren. Gepast, grimmig weer voor de begrafenis van Jez.

Plotseling voelde Grace een brandende pijn in haar ogen. De pijn was zo hevig, dat ze zich afkeerde van de patrijspoort en zich weer op het bed liet vallen. Daar lag ze, snakkend naar adem, terwijl ze instinctief haar handen voor haar ogen sloeg. Wat was er aan de hand? Ze deed haar ogen weer open, maar voelde opnieuw een steek van pijn. Dus ze deed ze weer dicht, uit alle macht proberend niet in paniek te raken. Ze begreep niet wat er aan de hand kon zijn.

Als vanzelf gleed haar hand naar Lorcans Claddagh-ring. Terwijl haar duim en wijsvinger zich eromheen sloten, voelde ze dat ze onmiddellijk rustiger werd. Was het verbeelding, of voelde de ring warmer aan dan anders? Ze nam hem in haar hand, en terwijl ze dat deed, begon het metaal te gloeien.

Ondertussen hoorde ze geluiden in haar hoofd: voetstappen, verre stemmen. Op de een of andere manier wist ze, zonder haar ogen open te doen, dat de geluiden niet afkomstig waren van de *Diablo*. Ze had een 'visioen' – als je het zo kon noemen, want tenslotte zag ze niets, behalve een soort doffe, wazige duisternis.

De ring werd nog steeds warmer, en ze had het gevoel dat ze bewoog. Haar voetstappen klonken veel luider dan ze in haar herinnering ooit hadden geklonken. Het was alsof ze zware laarzen droeg, waarmee ze enigszins aarzelend over de planken van een dek liep. Ze voelde dat ze haar handen uitstrekte en ergens tegenaan duwde. Een deur. Haar hand schoot door. Blijkbaar zwaaide de deur open. Ze hoorde het knarsen van een oud scharnier. En toen een stem.

'Lorcan.'

De stem bezorgde haar een schok.

Ze luisterde aandachtig, in de hoop de stem te herkennen.

'Lorcan,' klonk het opnieuw. Een meisjesstem, maar ze kon hem niet plaatsen. 'Wat doe jij hier? Het is ochtend. Dus je hoort in bed te liggen.' Er klonk een zeker wantrouwen in de stem, misschien zelfs angst.

De ring was inmiddels zo heet dat ze hem bijna niet meer kon vasthouden, maar ze wilde hem voor geen prijs loslaten, in de stellige overtuiging dat ze het visioen dan ook kwijt zou zijn.

'Het spijt me.' Ze herkende Lorcans zachte, Ierse accent. Het was heerlijk het weer te horen, hoe vreemd de omstandigheden ook waren.

'Ben je verdwaald?' klonk de stem van het meisje weer. Haar angst had plaatsgemaakt voor medelijden. Grace kon het duidelijk horen. Haar stem klonk anders. *Verdwaald?* Wat bedoelde ze?

Ach, kon ik het schip maar zien, dacht Grace, en niet alleen horen! Haar vingers sloten zich nog strakker om de ring, die brandde tegen haar huid. Nog altijd kon ze behalve een soort mist niets onderscheiden, maar terwijl het metaal haar huid schroeide, hoorde ze de geluiden op het vampiratenschip zelfs nog duidelijker.

'Het spijt me.' Dat was de stem van Lorcan weer.

'Het geeft niet,' zei het meisje. 'Kom, geef me je hand. Dan breng ik je terug naar je hut.'

'Ik kan het zelf wel vinden.' Lorcans toon was trots, boos. Zo ken ik hem niet, dacht Grace.

'Wacht nou even!'

Maar de stem van het meisje klonk al zwakker. Opnieuw had Grace een sensatie van beweging. Onregelmatige beweging. Handen die werden uitgestrekt. En toen een tuimeling. Het afschuwelijke gevoel alsof ze viel. De ring was te heet om hem nog langer vast te houden. Hijgend liet ze hem los en ze sperde haar ogen open.

Ze lag in haar kooi, in de kleine hut op het piratenschip. Haar ademhaling ging zwaar, haar hand deed zeer, de huid voelde rauw aan waar hij was geschroeid door de Claddagh-ring. Maar toen ze de hand inspecteerde, was er geen brandplek te zien. Helemaal niets. Ze begreep er niets van.

Ze wist dat ze naar het vampiratenschip was gereisd, op een andere manier dan Darcy naar de *Diablo*. Dit was meer een visioen, zoals die eerste keer dat Grace de vampiratenkapitein had gesproken en haar hoofd plotseling gevuld was geweest met het beeld van scheurend vlees en karmozijnrood bloed op een donkere huid. Dit nieuwe visioen was echter duurzamer geweest, meer een opeenvolging van handelingen; alsof ze in Lorcans hoofd had gezeten. Ze had het gesprek kunnen volgen dat hij had gevoerd; ze had de bewegingen van zijn armen en zijn benen gevoeld. Het had iets te maken met zijn ogen. Alsof hij... Nee, dat mocht niet waar zijn... Alsof hij niet goed kon zien.

IJzige paniek nam bezit van haar hele lichaam, terwijl de herinneringen als het aanrollende tij weer naar boven kwamen. Op de ochtend dat Connor aan boord van het piratenschip was gekomen, was Lorcan aan dek gebleven, om haar te beschermen. Hij was zelfs nog gebleven nádat Darcy de Ochtendbel had geluid – de bel waarmee alle vampiraten naar binnen werden geroepen, weg uit het licht. Want licht was gevaarlijk voor hen, extreem gevaarlijk. Alleen de kapitein van de vampiraten kon zich bij daglicht buiten wagen. Toch was Lorcan gebleven, vanwege háár, besefte Grace. Had hij daarmee zijn ogen beschadigd? Was hij daardoor zelfs blind geworden?

Wat had er in Lorcans briefje gestaan. 'Een klein aandenken, opdat je me niet vergeet. Kom veilig terug.' Kom veilig terug! Kon het zijn dat Lorcan haar met de ring een boodschap had gestuurd? Ze móést zien dat ze terugkwam op het vampiratenschip. Maar hoe?

Op dat moment klonk het gebulder van het kanon. Het kanonschot was het teken naar het hoofddek te komen. De begrafenis van Jez stond op het punt te beginnen. Als ze niet oppaste, kwam ze te laat!

Begrafenis op zee

HET EERSTE WAT GRACE opviel toen ze aan dek verscheen, was hoe stil het er was. Dit was des te ongebruikelijker gezien het feit dat de voltallige bemanning van de *Diablo* was aangetreden. Ze deed de deur zorgvuldig achter zich dicht en voegde zich bij de bemanning. De piraten weken voor haar uiteen. Dankbaar liep ze naar voren, tot ze een goed zicht had op wat er gebeurde.

Kapitein Wrathe en Cate stonden op de achtersteven van het schip, rechts naast de kist van Jez, waarover de vlag met het doodshoofd en de gekruiste knekels was gedrapeerd. Links van de kist stonden de baardragers, onder wie Bart en Connor. Grace keek naar hen en vroeg zich af hoe Connor zich voelde en of hij zich staande zou weten te houden. De laatste begrafenis die ze hadden bijgewoond, was die van hun vader geweest. Toen hadden ze naast elkaar gestaan, helemaal vooraan, steun zoekend bij elkaar. Ze liet haar blik over zijn gezicht gaan, maar hij keek alsof hij heel ver weg was met zijn gedachten. Het verdriet om het verlies van Jez tekende zijn gelaat.

Opnieuw klonk het kanon, en kapitein Wrathe, voor de gelegenheid gekleed in zwart fluweel, afgebiesd met zilver, keerde zich naar zijn bemanning en nam het woord.

'Piraten van de *Diablo*, dit is voorwaar een duistere ochtend.

Maar de duisternis van de hemel boven ons en van het water beneden ons, is slechts een spiegel van de duisternis in ons hart. Want vandaag nemen we afscheid van Jez Stukeley, een van onze beste mannen.

Jez kwam als jonge knaap aan boord – nu acht jaar geleden – en hij heeft ons van meet af aan geamuseerd met zijn scherpe verstand, zijn gevoel voor humor en zijn liefde voor een goed verhaal.' Molucco glimlachte. In de piratengelederen werd instemmend geknikt, en er klonk gedempt gegrinnik.

'Jez was een echte kameraad, een man met een hart van goud,' vervolgde Molucco. 'Hij had altijd tijd om zijn makkers te helpen, zowel bij het werk aan boord als op het slagveld...'

Grace kromp ineen bij dat woord. Slagveld. Zoals Wrathe het zei, klonk het zo nobel en verheven. Maar dat was het niet.

'En het was ook daar dat Jez Stukeley zich telkens opnieuw onderscheidde als een van onze capabelste, moedigste mannen, die altijd weer een beslissende rol speelde in het gevecht.' Molucco keek naar Cate, die ernstig knikte. 'Ik ben bang dat mijn daden ons gisteren in dodelijk gevaar hebben gebracht; ons allemaal...'

Grace spitste haar oren. Zoveel openhartigheid had ze van de kapitein niet verwacht, maar misschien had ze hem onderschat.

'Dat betreur ik ten diepste. En ik kan jullie verzekeren dat ik bij mezelf te rade ben gegaan en dat zal blijven doen wanneer deze dag eenmaal achter ons ligt. Maar ongeacht de omstandigheden kwam de dappere Mr. Stukeley ons te hulp, als de man van eer die hij was. Hij offerde zich op, zodat wij zouden worden gered. Hij vocht een schitterende strijd, was een toonbeeld van moed en vastberadenheid. De afloop had ook anders kunnen zijn. Hij had kunnen triomferen.' Opnieuw zag Grace dat Cate instemmend knikte. 'Maar het lot heeft ons Mr. Stukeley ontnomen...'

Die laatste woorden verbaasden Grace. Waar trok je de scheidslijn tussen het lot en de gevolgen van je eigen daden? Was het Jez'

lot geweest om op dat andere dek te sterven, of waren het de daden van Molucco die hem daarheen hadden geleid?

'We zien ons geconfronteerd met een gruwelijk verlies, in het
besef dat we niet langer zullen kunnen genieten van zijn kwink-
slagen, en dat we nooit meer zullen kunnen rekenen op een van
onze grootste piraten.' Molucco haalde een enorme zakdoek tevoorschijn en droogde zijn tranen. 'Mijn dappere, dierbare kameraden, ik weet dat jullie allemaal je eigen herinneringen bewaren
aan Mr. Stukeley. Dus ik zou willen voorstellen dat ieder van ons
hem in stilte gedenkt, ieder op zijn of haar eigen manier.'

Het werd stil op het dek. De enige geluiden waren afkomstig
van het kolkende water en van de zeilen die klapperden in de
wind. Grace keek omhoog naar het kraaiennest, terugdenkend
aan haar allereerste ontmoeting met Jez.

Het was de dag nadat ze aan boord was gekomen. Hoe gelukkig
en opgewonden ze ook was geweest dankzij de hereniging met
Connor, ze had zich ook gedesoriënteerd gevoeld door haar over-
haaste vertrek van het vampiratenschip en door het afscheid van
al haar vrienden daar. Dus ze was naar het dek van de *Diablo* gegaan, net zoals ze dat op het vampiratenschip soms had gedaan.
Daar had ze alleen aan de reling gestaan, tot Jez zich bij haar had
gevoegd, met twee mokken hete thee. Ze waren gaan zitten en
hadden wat gepraat – of liever gezegd, hij was voornamelijk aan
het woord geweest, als een ware spraakwaterval. Ze kon zich niet
precies meer herinneren wat hij allemaal had gezegd, maar hij was
heel aardig geweest, heel hartelijk, heel grappig. Later zou ze tot
de ontdekking komen dat hij altijd zo was. Ze herinnerde zich hoe
ze op dat moment voor het eerst het gevoel had gekregen dat ze
zich op de *Diablo* thuis zou kunnen gaan voelen.

De herinnering bracht tranen in haar ogen. Ze stak haar hand
in haar zak en haalde een kanten zakdoekje tevoorschijn. Terwijl
ze haar ogen bette, keek ze naar Connor. Hij schonk haar een

vluchtige glimlach. Ze wist dat hij probeerde sterk te zijn, maar ze zag in zijn ogen ook tranen glinsteren. Omdat hij, zoals gebruikelijk, geen zakdoek bij zich had, streek hij eenvoudig met de rug van zijn hand over zijn ogen.

'Daarmee...' begon Molucco zacht, om de stilte te doorbreken, 'komen we bij het volgende onderdeel van deze plechtigheid. Bartholomeus Pearce, die jarenlang met Jez heeft samengewerkt en een van zijn allerbeste vrienden was, zal voor ons het Piratengebed opzeggen. Bartholomeus...'

Molucco draaide zich om. Bart kwam langzaam naar voren, met een stuk papier in de hand geklemd. Hij hief zijn blik op naar de bij elkaar gekomen piraten en stak van wal.

'Vader Hemel, Moeder Zee
Ontferm u, is wat wij u vragen
Aan het einde van zijn dagen –
Bevrijd zijn geest en voer hem mee.

Broeder Zon en Zuster Maan
Wilt u in uw milde gloed hem baden
Moedig waren steeds zijn daden
Veel te jong is hij gegaan.

Bliksem, donder, wind en regen
Maak bot en roestig zijn rapier
Terwijl hij rust op het zachte wier –
De aardse pijn ontstegen.

Springtij, doodtij, ochtend, nacht,
Al wat kadert onze dagen
Laat de eeuw'ge rust hem schragen –
Waar geen leed en zorg hem wacht.

Golf en klip, en kreek en haven
Al het water van de zee
Schenk hem nog slechts pais en vree –
En troost ook ons, die hem begraven.'

Bart had geen moment op zijn papier gekeken. Grace vermoedde dat het een oud gedicht was, maar door de manier waarop Bart het had voorgedragen, klonk elk woord fris en krachtig. De wind was zelfs even gaan liggen, alsof ook de elementen luisterden naar het pleidooi van de piraat voor zijn gevallen vriend.

Op dat moment draaide Bart zich om, en hij wenkte Connor en de vier piraten die naast hem stonden. De zes mannen, die allemaal een zwarte band om hun arm droegen, stelden zich op rond de kist. Op een zacht commando tilden ze die als één man van het dek, en ze liepen er langzaam en ernstig mee naar de boeg van het schip. De vlag met het doodshoofd en de gekruiste knekels klapperde in de bries.

Bij de voorsteven aangekomen hieven ze de kist boven hun hoofd, toen lieten ze hem in het diepe water vallen. De kist raakte het oppervlak met een gruwelijke klap. Grace dacht dat haar hart stilstond. Het geluid werd echter al spoedig overstemd door kanonschoten, tijdens welke Bart, Connor en hun makkers terugliepen naar hun plaats.

Toen het kanon ten slotte zweeg, richtte Molucco Wrathe opnieuw het woord tot zijn bemanning.

'Dit is een verdrietige dag, mijn vrienden, maar rouw kent twee kanten – het verdriet, maar ook het vieren van een kostbaar leven. Vanavond gaan we naar Ma Kettle's Tavern om het glas te heffen op Mr. Stukeley.'

Over het hele dek klonken instemmende geluiden, en hoewel ze gedempter klonken dan gebruikelijk, waren ze duidelijk een teken dat het leven aan boord van de *Diablo* spoedig weer zijn gewone loop zou nemen. In Grace' ogen was het afschuwelijk abrupt, maar misschien moest het zo zijn aan boord van een piratenschip.

'Zo, en dan nu weer aan het werk,' zei de kapitein. 'Niemand zal ooit kunnen zeggen dat de *Diablo* niet het schitterendste piratenschip is van de zeven zeeën.'

Connor stond tussen Bart en Grace in. Op een moment als dit had hij hen nodig, meer dan ooit. Hij had altijd geweten dat het leven van een piraat kort kon zijn. Op zijn eerste avond aan boord van het schip had Bart hem dat al verteld. *'Ik mag me gelukkig prijzen als ik de dertig haal.'* Connor had de woorden geregistreerd, maar het drong nu pas tot hem door hoe waar die uitspraak was. De drie boekaniers werden geacht onoverwinnelijk te zijn. Jez was pas drieëntwintig geweest, veel te jong om te sterven. Maar wanneer je aanmonstert als piraat, dacht Connor, accepteer je dat je nooit te jong bent om te sterven. Hij was pas veertien, maar het was niet ondenkbaar dat hij bij de volgende aanval zijn leven zou verliezen. Dat mocht niet gebeuren. Hij mocht niet het risico lopen dat Grace helemaal alleen kwam te staan. Hij zou nog beter moeten opletten en moeten ophouden met dagdromen. Bovendien zou hij kapitein Wrathe zorgvuldiger in de gaten moeten houden, want ondanks diens prachtige grafrede kon hij het gevoel niet van zich afzetten dat Jez Stukeley niet had hoeven sterven.

Het geschenk

ZONSONDERGANG. NA EEN DAG met ruw, stormachtig weer is de branding vanavond volmaakt. De eenzame surfer heeft het water weer opgezocht, werpt zich tegen de hoog oprijzende golven. Elke nacht wordt hij sterker – elke nacht bedrevener. En elke nacht wordt hij eenzamer. Want hij is niet geschapen om alleen te zijn. Dat kan hij eindelijk tegenover zichzelf toegeven. Het is het leven dat hem eenzaam heeft gemaakt, het leven dat heeft samengespannen met de dood. Maar hij is er de man niet naar om zich zijn lot te laten dicteren. Op dit moment is hij misschien nog afhankelijk van de getijden, van eb en vloed, maar het zal niet lang meer duren of hij bepaalt de loop der gebeurtenissen. Dan is deze tijd van afwachten eindelijk voorbij.

De maan komt op, stuurt gouden pijlen over het water. Zorgvuldig ontwijkt hij het licht, manoeuvreert hij de plank naar de donkere plekken. Nu is het niet meer alleen het trekken van het tij waartegen hij vecht, hij levert ook strijd tegen de vlammende pijlen van de maan, maar gespierd als hij is weet hij tegen die beide stand te houden. Onwankelbaar stuurt hij de plank van links naar rechts, zich bewust van de energie van de golven onder hem die hem meevoeren naar de zoveelste lege kreek.

Scherend over het ondiepe water ontwijkt hij behendig de rotsblokken die uit het oppervlak omhoogsteken. Dan springt hij van de plank, het water reikt amper tot zijn enkels. Hij neemt de plank onder zijn arm, voordat die op de wachtende rotsen te pletter kan slaan, en waadt de laatste meters naar de kust. Zoals altijd is er op zijn huid en zijn kleren geen druppel water meer te bekennen zodra hij aan wal stapt – ze zijn op slag kurkdroog.

De kreek is boven water net zo rotsachtig als daaronder. Hij zet de surfplank losjes tegen een grillig gevormd rotsblok en klimt naar een richel boven het strand. Vandaar kan hij, veilig gehuld in duisternis, zijn omgeving verkennen.

In de verte wordt een schip zichtbaar. De aanblik stemt hem weemoedig en doet hem denken aan de schepen die hij ooit heeft bevaren en verlaten. Maar de toekomst zal nieuwe schepen brengen. En dan zal híj kapitein zijn. Niet langer zal hij de commando's van anderen hoeven op te volgen. Dat is zijn bestemming, hij weet het zeker.

Het schip zeilt door zijn gezichtsveld, aan boord branden laaiende fakkels. Ze doen de vlag met het doodshoofd en de gekruiste knekels oplichten. Een piratenschip, niet ongebruikelijk in deze wateren. Maar dit schip heeft iets vertrouwds. Hij doet zijn ogen dicht, sluit het licht buiten om helderheid te scheppen in zijn geheugen. In de duisternis ziet hij het meisje. Het vreemde meisje dat aan hem heeft weten te ontsnappen. Grace. Zo heette ze. Waarom ziet hij uitgerekend haar voor zich, een onbeduidend meisje aan wie hij ooit zijn verhaal heeft verteld? Hij vermorzelt het beeld in zijn gedachten – zoals hij dat met een insect zou doen dat de moed had op zijn hand te landen – en doet zijn ogen weer open.

Het schip is voorbij gevaren, maar nu is er iets anders wat zijn aandacht trekt – dichterbij. Iets wat op de rotsen in het ondiepe water beneden hem slaat. Iets wat door de witte schuimkoppen als wilde paarden wordt gebeukt, deinend in de golven, afwisselend in duisternis gehuld en beschenen door scherven bleek maanlicht. Hij buigt zich naar voren. Zijn scherpe blik doorboort het donker, en wanneer hij de houten kist ziet die het tij hem heeft gebracht, besluit hij dit geschenk van de oceaan van nabij te gaan bekijken.

Zonder aarzelen springt hij van de richel, en hij waadt met grote stappen het water weer in, behendig de gekartelde rotsen daaronder ontwijkend. Al snel is de kist binnen zijn bereik, heen en weer geslingerd tussen twee rotsblokken, als een voetbal die van de ene speler naar de andere wordt geschopt. Zijn grote handen grijpen de rand. De kist is groter dan hij vanboven had geleken, en zo lang als een man. Voor anderen zou hij onhanteerbaar zijn, maar hij heeft er geen moeite mee. Hij bevrijdt hem van de duellerende rotsblokken en tilt de doodskist – want dat is het – uit het water, waarna hij hem moeiteloos in veiligheid brengt op het kleine strand.

Daar legt hij hem op het zand. Niet goed wetend wat hij ermee zal doen, kijkt hij om zich heen, op zoek naar iets om op te gaan zitten zodat hij kan nadenken. Dan beseft hij dat de kist zelf een perfecte zitplaats is, dus hij laat zich erop zakken en kijkt opnieuw uit over zee. Onder zijn gewicht begint het zachte hout te kraken en te versplinteren. Hij vliegt overeind, inspecteert de aangerichte schade.

De kist verkeert in slechte staat. Waar hij ook vandaan is gekomen, zijn reis heeft duidelijk sporen achtergelaten. Te oordelen naar de deuken en krassen heeft hij talloze rotsen geraakt. In een van de hoeken zit een gat, en hij drukt zijn oog ertegen aan, tuurt in de duisternis daarbinnen.

Het valt niet mee iets te onderscheiden. Er is wat zeewater in de kist gelopen, nog niet zoveel dat hij door het gewicht naar de zeebodem is getrokken, maar wel genoeg om zijn blik te vertroebelen. Hij richt zich weer op, overweegt het gat groter te maken. Met een droog, knappend geluid breekt het hout als een reep chocolade onder zijn vingers. Nu kan hij het inwendige van de kist goed zien. Hij onderscheidt een laars. Een zeemanslaars, de veters zijn nog aangesnoerd. Na vijf minuten staren niet de meest boeiende aanblik.

Had het gat maar aan de andere kant van de kist gezeten, denkt hij, en hij kijkt op. Maar daar is het hout nog intact. Nog iets langer in het water, en de kist zou bijna zeker ook daar beschadigd zijn. Want je hoefde er maar even met je vinger op te drukken om een stuk hout af te breken. Daar hoefde je niet eens echt kracht voor te zetten en...

Weer klinkt dat droge, knappende geluid, het zachte hout is bezweken onder zijn sterke handen, een spijker trekt krom. Hij buigt zich over het aldus ontstane gat. Nu kijkt hij recht in een gezicht, tenminste, een deel daarvan; een gesloten oog met lange, natte wimpers die rusten op een wang als een kussen van wit linnen.

Het spreekt vanzelf dat hij meer wil zien, en omdat het hout kapot is, kan het geen kwaad het verder los te wrikken, zodat het hele gezicht zichtbaar wordt. Het is het gezicht van een jongeman, ziet hij. De gelaatstrekken zijn vredig, de lippen bevroren in een vluchtige glimlach, alsof hij droomt. Waar zou hij van dromen? Als hij weer kon praten, zou je het hem kunnen vragen. En niet alleen dat. Dan zou je hem nog meer vragen kunnen stellen.

Hij wordt bestormd door gedachten, razend, koortsachtig als het tij. Zijn handen reiken naar de kist en hij maakt korte metten met de rest van het deksel. Even later ligt het zand bezaaid met houtspaanders, als weggegooide sinaasappelschillen. De kist is open, blootgesteld aan de elementen. En daar ligt de jonge zeeman, de koele nachtlucht strijkt langs zijn gezicht, net als toen hij nog leefde.

Dit is niet slechts een geschenk, het is een teken. Een teken dat het tij bezig is in zijn voordeel te keren – dat zijn plan goed is, dat hij juist heeft gehandeld. Hij glimlacht, waarbij zijn gouden tanden zichtbaar worden.

Er zijn dingen die de surfer weet – dat wil zeggen, dingen die hem zijn verteld en die hij uit zijn herinnering naar boven moet zien te halen. Dingen waarvan hij nu wenst dat hij er meer aandacht aan had besteed. Gebaren en bezweringen die misschien een wonder kunnen verrichten – op voorwaarde dat hij ze aan zijn eigen vergetelheid kan ontrukken. Hij kijkt neer op de man die voor hem ligt. Alleen al zijn kleding verraadt dat hij piraat was, ook zonder de dolk die hij in zijn handen houdt en de vlag met het doodshoofd en de gekruiste knekels die om zijn pols is gebonden.

Kon ik me maar herinneren wat ik moet doen, denkt hij, zijn geschoren hoofd krabbend. Hij móét proberen het zich te herinneren. Dat is hij aan deze piraat verplicht. Nu hij zijn rust heeft verstoord, is het zijn plicht het te proberen. Hij doet zijn ogen dicht, sluit elke afleiding buiten en verkent de duistere krochten van zijn geheugen, op zoek naar de juiste woorden.

In zijn herinnering wordt hij meegevoerd naar een rokerige werkkamer, gevuld met schaduwen, waar de geur van wierook ooit zijn zintuigen beroerde. Nu is hij terug in die donkere kamer. En opnieuw ervaart hij de kalmerende invloed van ceder en sandelhout. In de duisternis ziet hij weer dat andere gezicht, het gezicht van degene die hem onderwijst in het ritueel. Geleidelijk aan komen de woorden naar boven. Hij spreekt ze niet uit, maar hoort ze aan, laat de ander hem zeggen wat hij moet doen, net zoals die ander dat eerder heeft gedaan.

Hij voelt een groeiende druk op zijn hand. Het ritueel is nog niet voltooid, dus hij houdt zijn ogen gesloten. Maar het vlees van zijn hand wordt van alle kanten samengedrukt. Alsof... Nee... Alsof... *Ja*... Alsof een andere hand zich vastklampt aan de zijne.

Ten slotte doet hij zijn ogen open. En inderdaad, zijn hand reikt in de doodskist en vanuit de duisternis daarbinnen sluiten magere vingers zich om de zijne, die veel dikker, veel vleziger zijn. Hij is zich bewust van een pulserend ritme, alsof hij zijn hartslag deelt met de eigenaar van die vingers.

Gespannen kijkt hij neer op de gedaante in de doodkist, zoekend naar andere tekenen van leven. Hij meent beweging te zien onder het masker van het slapende gezicht, maar weet niet zeker of het niet gewoon verbeelding is. Hij denkt dat hij leven voelt – of hoe je dít ook moet noemen; iets wat bezit begint te nemen van de spieren in de ledematen van de dode piraat. Hij stelt zich voor dat het leven – of het alternatief daarvan – de slapende organen, gevangen in de stille borst, binnenstroomt. Nog altijd ruikt hij de geur van ceder en sandelhout, en hij voelt dat het ritueel nog niet voltooid is.

Dan hoort hij een zucht – eerst heel zacht, als de golven die in de verte de rotsen omspoelen. Dan klinkt het geluid opnieuw, nu luider. Nieuwsgierig en met open mond kijkt hij in de kist, terwijl de natte oogleden beginnen te trillen en vervolgens opengaan. Witte oogballen verschijnen als glinsterende parels uit een donkere oester.

En dan openen ook de bleek paarsblauwe lippen zich. Ze sputteren vluchtig, en er sijpelt wat zeewater naar buiten. Ten slotte klinkt er een stem, verrassend helder, verrassend krachtig.

'Is het al tijd om op te staan? Ik droomde net zo lekker!'

Luitenant Stukeley

'ALLES GOED MET JE, maat? Je kijkt alsof je spoken ziet!'

Sidorio kijkt neer op de piraat in de kist; even tevoren was hij nog dood, maar nu beweegt hij zijn ledematen, hij rekt zich uit en kijkt Sidorio stralend aan alsof hij een lang verloren gewaande vriend heeft teruggevonden.

'Ik ben helemaal nat,' zegt hij. Er staat een dunne laag water in de kist, dus zijn kleren zijn doorweekt. Alles ruikt naar de zee.

'Hier.' Sidorio strekt opnieuw zijn hand uit. De piraat pakt hem en Sidorio trekt hem overeind.

Even staat de piraat rechtop, dan beginnen zijn benen te trillen en hij wankelt. Sidorio schiet haastig toe om te voorkomen dat hij terugvalt en zich bezeert aan de scherpe randen van de kapotte kist.

'Bedankt, maat.' De piraat houdt nog altijd zijn hand vast. 'Ik voel me een beetje raar. Alsof ik te diep in het glaasje heb gekeken!'

Sidorio ondersteunt hem tot hij zich weer staande lijkt te kunnen houden.

'O, dat is al een stuk beter. Ja hoor. Het gaat weer!'

Maar wanneer Sidorio zijn hand wegneemt, slaan de benen van de zeeman opnieuw dubbel, en hij zakt op het zand in elkaar.

'Misschien moet ik geduld hebben en gewoon even blijven zitten.'

'Dat lijkt me heel verstandig.'

Sidorio doet een stap naar achteren en kijkt op de piraat neer. Hij is nog altijd verbijsterd door wat hij heeft bereikt. Door het feit dat hij de piraat heeft teruggehaald van nog veel duisterder kusten. Hij, Sidorio, heeft het ritueel uitgevoerd. Daaruit blijkt dat zijn macht groeiende is; dat het tij begint te keren.

'Je bent bepaald geen kleintje, hè?' zegt de piraat, naar hem opkijkend.

Sidorio haalt zijn schouders op.

'Hoe heet je?'

'Sidorio, maar ik wil dat je me kapitein noemt.'

'Gelijk heb je, kapitein. Ik ben Stukeley. Jez Stukeley. Zeg maar gewoon Jez.'

'Van nu af aan word je aangesproken met Stukeley,' zegt Sidorio. 'Ik ben je kapitein, en ik benoem jou tot mijn luitenant.'

'Luitenant? Dat is een mooie promotie!' De piraat kijkt aangenaam verrast.

Sidorio aarzelt. De piraat lijkt niet in het minst uit het veld geslagen door wat er met hem is gebeurd. Sidorio is er dan wel in geslaagd zich het ritueel te herinneren, maar hij weet niet meer wat er daarna gebeurt. Wat word je geacht te zeggen tegen iemand die is teruggekeerd? Hoe broos is zo iemand? Nu Stukeley eraan gewend begint te raken dat hij weer moet ademen, maakt hij niet bepaald een broze indruk. Hij gaat wat meer rechtop zitten, zijn natte kleren zijn gedroogd, en hij begint zijn hemd los te knopen.

'Ik moet het zien,' zegt hij. 'Daar heb ik nooit de kans toe gekregen.'

Waar heeft hij het over? Sidorio kijkt toe terwijl Stukeley de eerste paar knopen van het overhemd losmaakt, tot zijn blote borst zichtbaar wordt, bleek als marmer, op een diepe, indigoblauwe zwaardhouw na.

'Dus dat is het.' Stukeley knikt. 'Dat is de fatale wond. Nogal teleurstellend, moet ik bekennen. Ik had iets dramatischers verwacht.'

Sidorio gaat op zijn hurken zitten om de piraat recht in de ogen te kunnen kijken.

'Dus je weet... je weet dat je gedood bent?'

Stukeley kijkt hem aan, zijn ogen twinkelen in het maanlicht. 'Ik... gedood? Nee, ik... Waar héb je het over, maat?'

Sidorio is ten prooi aan verwarring, tot Stukeley begint te lachen.

'Natuurlijk weet ik dat ik gedood ben. Of dacht je dat ik voor mijn lol in een doodkist lag? Ik ben geen vampier!'

'Nou...' begint Sidorio.

'Nee! Het is niet waar! Je houdt me voor de gek! Ik... een vampier? Dat kan niet! Meen je dat serieus? Heb ik dan ook van die vampiertanden en zo?'

'Nog niet, maar die krijg je wel. Als alles gaat zoals het moet gaan.'

'Zoooo hé! Je hebt zeker geen spiegel?'

'Als je dat wilt, kun je het water als spiegel gebruiken.'

Stukeley aarzelt even, dan werkt hij zich overeind en loopt wankelend naar de waterkant. Sidorio slaat hem gade terwijl hij zich vooroverbuigt, in een poging een helder beeld te krijgen in het onrustige water. Dan draait de piraat zich om, zijn gezicht staat hevig geschokt.

'Ik zie helemaal niks!'

Sidorio knikt glimlachend. 'Dat klopt. Je bent veranderd. Dat zei ik toch?'

'Ja, kapitein.' Zijn stem klinkt ineens anders: vervuld van ontzag en respect.

Sidorio verbaast zich over wat hij heeft bereikt. Het gaat allemaal zo snel. Nauwelijks een uur eerder zat hij nog te piekeren hoe zijn leven misschien zou veranderen en dat hij hoopte niet te lang meer alleen te blijven. Nu heeft hij een luitenant. Maar alle opwinding over zijn macht wordt verdrongen door een drukkend verantwoordelijkheidsgevoel dat de kop opsteekt. Stukeley keert het water de rug toe en komt lachend naar hem toe rennen.

'Het is niet te geloven! Ik ben er weer! Bedankt.' Hij kijkt Sidorio breed grijnzend aan. 'Bedankt dat je me terug hebt gehaald.'

'Hoe was het daar?'

'Je bent er zelf toch ook geweest? Dus dat moet je weten.'

'Het is voor iedereen anders.'

Stukeley haalt zijn schouders op. 'Eerlijk gezegd kan ik me er niet veel van herinneren. Alleen dat ik het duel verloor – wat heel oneerlijk was, als je het mij vraagt – en dat ik op het dek lag, met het gevoel alsof ik werd weggetrokken van mijn maten, terwijl hun stemmen steeds zachter werden. Maar daarna weet ik niets meer. Het is één groot zwart gat.' Hij draait zich om en kijkt naar de overblijfselen van de kist. Dan glimlacht hij weer. 'Blijkbaar hebben ze me een officiële begrafenis op zee gegeven. Die eer valt niet iedereen te beurt, maat. Wat vind ik dát geweldig! O, en ik weet nog dat de kapitein zei dat ze mijn leven zouden gaan vieren bij Ma Kettle's...'

'Welke kapitein?' vraagt Sidorio. 'Van welk schip?'

'Het schip van kapitein Wrathe,' antwoordt Stukeley. 'De *Diablo*.'

'De *Diablo*? De Duivel.' Sidorio glimlacht opnieuw. 'Wat je noemt míjn soort schip.'

Er glijdt een nieuwsgierige blik over Stukeleys gezicht. 'Hoe lang ben ik weggeweest?'

Sidorio schudt zijn hoofd. 'Dat weet ik niet. Maar ik denk niet dat die kist van je het veel langer had uitgehouden.'

'Welke dag is het vandaag?'

'Het verstrijken van de dagen kan me niet boeien.'

'Je hebt rare praatjes, maat. Ik probeer er alleen maar achter te komen hoe lang ik weg ben geweest.'

'Ik zou denken... niet zo lang,' zegt Sidorio. 'Maar wat doet het ertoe?'

'Ken je een tent die Ma Kettle's Tavern heet?'

Sidorio denkt even na. 'Ja, daar ben ik wel eens geweest.'

'Nou, volgens mij zou het best eens kunnen zijn dat mijn wake daar vanavond wordt gehouden.'

Sidorio glimlacht. 'Wil je erheen?'

Stukeley kijkt hem stralend aan. 'Ach, het lijkt me haast onbeleefd om zoiets te missen, denk je ook niet?'

Sidorio aarzelt even. 'Als we erheen gaan, wil ik niet dat ook maar iemand je ziet. Niets mag mijn plannen in gevaar brengen. Ónze plannen.'

'Wat zíjn onze plannen precies?'

'Alles op zijn tijd, luitenant. Alles op zijn tijd.'

'Jij bent de baas, maat. Al was het maar omdat je een kop groter bent dan ik.'

'Jij bent de baas, kapitéín.'

Stukeley knikt. 'Jij bent de baas, kapitein.'

'Dit is het begin,' zegt Sidorio. 'Het keren van het tij. Ik heb er lang op moeten wachten. Nog vóórdat mijn werk is gedaan, zal de oceaan zich rood kleuren van het bloed. Het tij der gruwelen is in aantocht!'

De wake bij Ma Kettle's

GRACE STOND NAAST CONNOR terwijl de *Diablo* op een rotsachtige kaap af koerste.

'Daar is het!' zei Connor.

In de verte werden neonletters zichtbaar, ze verdwenen in de duisternis en werden weer zichtbaar.

'Ma Kettle's Tavern,' las Grace.

'Ik hoop dat je er klaar voor bent, Grace,' zei Cate, die aan de andere kant naast haar stond.

'Is iemand óóit echt klaar voor Ma Kettle's?' vroeg Bart met een glimlach.

Na de treurige ochtend en de begrafenis leek het moreel van de piraten alweer aardig opgevijzeld. Grace vond het nog altijd moeilijk om haar verdriet opzij te zetten, maar misschien had kapitein Wrathe gelijk met zijn opmerking dat rouw twee kanten heeft: de pijn van het afscheid nemen en de viering van het leven dat was geëindigd. Het was alleen ondraaglijk verdrietig dat het kaarsje van dit leven zo jong was gedoofd.

Terwijl het schip aanmeerde, dromde de bemanning opgewonden samen op de punt om van boord te gaan, en Grace had al haar aandacht nodig om bij Connor en de anderen te blijven. Aanvankelijk liep ze met haar hoofd gebogen, zich een weg banend door het gedrang zonder dat er iemand op haar tenen trapte. Connor stak zijn hand uit en trok haar tussen de bemanning door met zich mee, zodat ze vooraan kwamen te lopen. Toen ze eindelijk opkeek, stonden ze vlak voor Ma Kettle's Tavern — het reusachtige waterrad werd beschenen door de maan. Erboven wapperde halfstok een vlag met een doodshoofd en gekruiste knekelbotten.

'Uit respect voor Jez,' zei Bart trots. Grace knikte en gaf een troostend kneepje in zijn arm.

Ze beklommen de trap naar het eerste houten platform. 'Kijk uit waar je loopt, Grace,' zei Connor.

Toen ze naar beneden keek, zag ze dat er verraderlijke kieren in de houten vloer zaten, waardoor de oceaan zichtbaar was. Het donkere oppervlak was rustig en ze kon haar eigen gezicht erin weerspiegeld zien, alsof er een tweede Grace onder water gevangen was, wachtend om te worden gered. De luchtspiegeling was zo levendig dat ze bijna haar hand in het water had gestoken om te zien óf het wel verbeelding was, maar de anderen liepen door en ze wilde niet alleen achterblijven.

De bemanning begaf zich steeds dieper de taveerne in, naar een gedeelte dat met touwen was afgezet en waar tafels voor hen waren gereserveerd. 'Kijk!' Connor wees naar het houten bordje met de naam van de *Diablo* erop, om duidelijk te maken dat hier niemand anders mocht gaan zitten. 'Dat doen ze alleen voor de echt belangrijke kapiteins.' Hij keek Grace stralend aan.

Ze glimlachte zwakjes terug. Deze nieuwe wereld leek voor hem zo vanzelfsprekend. Hij wekte de indruk de heersende regels moeiteloos te accepteren.

De piraten gingen om de tafels zitten en hun stemmen werden steeds luider terwijl ze onder elkaar en met de andere bemanning aan naburige tafels grappen begonnen te maken.

Een voornaam ogende heer, met een verzorgde witte baard en

snor, verscheen aan de tafel van kapitein Wrathe. 'Het spijt me te horen wat er is gebeurd, Molucco.'

'Dank je, Gresham.'

'Die Drakoulis is een ellendig stuk vreten. Ik dacht eigenlijk dat we hem nooit meer terug zouden zien.'

'Dat dacht ik ook.' Molucco knikte instemmend. 'Dat dacht ik ook.'

'Laat me je bemanning op een rondje trakteren. Rum voor iedereen!' Kapitein Gresham draaide zich om. 'Kan ik iets bestellen hier? Ik zei, kan ik iets...'

'Wat moet al deze herrie voorstellen?'

Er verscheen een vrouw tussen de twee kapiteins. Ze was gekleed in een enorm, donker gewaad, bedrukt met witte doodshoofden en gekruiste knekelbotten. Connor gaf Grace een por. 'Dat is...' Maar Grace hoefde niet te worden voorgesteld. Ze begreep meteen dat dit Ma Kettle moest zijn. Blijkbaar ter ere van Jez droeg ze een sluier van zwart kant, die ze nu optilde, om kapitein Wrathe eerst haar ene en toen de andere wang toe te keren.

'Ik vind het zo erg, Lucky,' zei ze. 'Het zijn sombere tijden waarin we leven.'

'Wat je zegt, Kitty.' Molucco nam Ma Kettle stevig in zijn armen.

Die keerde zich vervolgens naar de rest van de bemanning. 'Jongens, meiden, vanavond is de drank van het huis. Als blijk van mijn liefde en respect voor Jez, en voor jullie allemaal.' Er barstte een daverend applaus los, en Ma Kettle blies een kus naar de uitgelaten menigte. Ze was nog niet uitgesproken, of haar serveersters hadden op elke tafel al een rij glaasjes gezet, gevuld met rum. Grace keek in het glas dat voor haar stond. Ze had nog nooit rum gedronken. Maar al snel hief ze haar hoofd weer op. Ma Kettle was een intrigerende figuur. Grace wilde niets missen van wat er gebeurde.

'Bartholomeus!' Ma Kettle drukte Bart tegen haar weelderige boezem. 'Dit moet voor jou helemaal een zware slag zijn. Tenslotte waren jullie bijna broers van elkaar.'

Bart knikte. 'Het is een klap voor ons allemaal, Ma. Maar vooral voor Connor en mij.'

Ma Kettle knikte verdrietig, toen keerde ze zich naar Connor. 'Mr. Tempest! Hallo! Leuk dat ik je weer eens zie. Wat een paar maanden aan verschil kunnen maken! Nee maar! En ik hoor de wildste verhalen over je. Het schijnt dat je een soort superster in wording bent!'

Connor werd zo rood als een overrijpe tomaat. Grace vroeg zich af of Ma Kettle hem ook aan haar boezem zou trekken – wetend dat Connor in dat geval zou sterven van gêne – maar in plaats daarvan legde ze slechts een hand op Connors schouder.

'Ik twijfel er niet aan of je weet je geen raad met alle emoties,' zei ze. 'Het is verschrikkelijk om een goede kameraad, een vriend, te verliezen. Dat is erg, vervloekt erg.'

Connor knikte. Maar Ma Kettle was nog niet met hem klaar.

'Nu zal Ma je wat gratis advies geven. Je moet zelf weten wat je ermee doet, schat. Om te beginnen, de dood. Makkelijker wordt het nooit. Of je nou veertien bent zoals jij of... Nou ja, zo oud als de koraalriffen zoals ik... Iemand verliezen die je dierbaar is, blijft het ergste wat je kan overkomen. Ten tweede... krop je emoties niet op. Je moet ze ruim baan geven. Dat is een van de redenen dat we een feestje bouwen.' Ze maakte een weids gebaar met haar hand om de hele taveerne in te sluiten. 'Wanneer een goede piraat zoals Jez het leven laat, moeten we dat leven vieren. We moeten drinken en vrolijk zijn en verhalen vertellen over alles wat we samen hebben meegemaakt. Sommige mensen vinden dat *smakeloos*. Die zouden liever zien dat we zwijgend en onaangedaan rondliepen, van top tot teen en dag en nacht in het zwart gehuld. Maar we moeten het leven vieren, begrijp je wel? Het leven! Dat is

92

het mooiste wat er is, kindje. En Jez Stukeley mag er dan misschien niet langer dan drieëntwintig jaar van hebben genoten, maar hij heeft nadrukkelijk zijn stempel gezet. Hij laat mensen na die van hem houden; mensen die zich hem zullen blijven herinneren. Uiteindelijk is dat toch het mooiste waarop we mogen hopen. Waar of niet, Lucky?'

Molucco ging achter haar staan, pakte haar hand en drukte er teder een kus op. 'Je bent altijd al buitengewoon welsprekend geweest, Kitty. Ik had het niet beter kunnen zeggen.'

Ma Kettle keek Connor glimlachend aan. 'Ik wens je een lang leven, Connor Tempest,' zei ze. 'Maar, en dat is nog veel belangrijker, ik wens je een leven vol liefde en vreugde, vol vriendschap en avontuur, zonder ook maar één minuut van verveling.' Ze drukte een kus op haar hand en streek daarmee over zijn wang. 'Een oude piratentraditie,' zei ze met een glimlach.

Toen keerde ze zich naar Grace. 'En wie is deze jonge schoonheid?' Nu was het Grace' beurt om te blozen.

'Dit is de tweelingzus van Mr. Tempest,' zei Molucco.

'Ja, ik zie de gelijkenis.' Ma Kettle deed een stap haar voren. 'Wat ben jij een knappe jongedame.' Ze strekte haar hand uit en ging met een vinger langs Grace' jukbeen. 'Je hebt een prachtige huid! Zo glad als zijde. En dan te bedenken dat ik ook ooit zo'n huid heb gehad. Moet je nu eens zien, ik zie eruit als een oud, verschrompeld zeemonster!'

Onmiddellijk ging alle aandacht weer naar Ma Kettle, terwijl Molucco, Bart en de anderen haar overlaadden met complimenten. Grace keek toe, gefascineerd door deze uitzonderlijke vrouw.

'Ja, ja, jongens, het is al goed! Hou op met die drukte om een oud scheepswrak zoals ik. Genoeg geleuterd. Ga er maar eens lekker voor zitten. De meisjes en ik hebben gezorgd voor wat vermaak, om jullie op te vrolijken in jullie verdriet.' Daarop draaide ze zich om en riep – of liever gezegd: gilde – over haar schouder: 'Sugar Pie, zijn jullie er klaar voor?'

'Ja, Ma!' antwoordde een beduidend zoetere stem.

'Kom op dan. Iedereen gaan zitten. Heel goed. Lucky, jij zit naast mij.' Ma Kettle schikte haar enorme rokken over een stoel, terwijl de lichten van de taveerne plotseling werden gedoofd, zodat de gasten in duisternis waren gedompeld.

Toen klonk het geluid van een accordeon, en op het toneel verscheen in een lichtbundel de boeg van een schip, uitgerust met een schitterend boegbeeld, in de gedaante van Sugar Pie. Ze droeg de hoed van een piratenkapitein en keek door een verrekijker naar het publiek. Grace dacht onwillekeurig aan Darcy Flotsam, vooral toen het boegbeeld de verrekijker wegstopte en naar het publiek knipoogde.

Aan weerskanten van Sugar Pie verschenen nog twee lichtbundels, elk met zijn eigen boegbeeld. Allebei wierpen ze een kus naar het publiek, wat hun een goedkeurend gejuich opleverde. Andere instrumenten voegden zich bij de accordeon, terwijl de drie boegbeelden zich losmaakten van hun schip en zich langs blauwe en witte linten naar de houten planken van het toneel lieten zakken. Tussen die planken waren reeksen houten golven gezet. Alles bij elkaar was het een buitengewoon bewerkelijk en uitgebreid decor. We hadden in een echt theater kunnen zitten, in plaats van in een eenvoudige, bijna primitieve taveerne, dacht Grace.

De menigte barstte los in een daverend applaus.

Het middelste boegbeeld, nog altijd met de kapiteinshoed op haar hoofd, legde een vinger op de lippen. Op slag werd het doodstil.

'Dat is Sugar Pie,' fluisterde Connor tegen Grace, met een dromerige blik op zijn gezicht.

'O?' Grace schonk haar broer een glimlach. 'En wie mag dat dan wel zijn?'

'Gewoon...' begon Connor, maar hij wist niet wat hij moest zeggen.

'Een oude vriendin,' zei Bart.

Grace glimlachte, knikte en genoot naar hartenlust van het verlegen gezicht van haar broer.

Toen zette Sugar Pie haar handen op haar heupen en begon te zingen.

'Al wat ik zie, is het zilte nat
en ach, hoe saai is mijn bestaan.
Een rijke buit was me beloofd,
maar er is me een kool gestoofd.
De zee heeft voor mij afgedaan.
Even leven rijk aan avontuur...'

Bij die woorden knipoogde ze.

'... stond me aan boord te wachten.
Maar de kapitein uit al mijn dromen
heb ik nog niet langs zien komen.
Alleen golven, jaren, dagen, nachten.

Ik voerde trouw bevelen uit,
hield scherp mijn kortelas
voor elke strijd gereed.
Maar ach, het wachten was te wreed
dus vaar ik nu op mijn kompas.'

Het publiek juichte.

'Ooit was 't mijn droom een kapitein te kapen
om samen nieuwe verten te ontdekken

de zeven zeeën te bevaren
om goud en rijkdom te vergaren
en onze beurs te spekken!

Ik droomde van mijn kapitein
van alles delen met mijn lief.
Samen aan 't roer van ons galjoen
met een bemanning trouw en koen
en ik was ieders hartendief.'

'Zo mag ik het horen, meid!' riep Ma Kettle.

'Maar dromen, ach ze zijn bedrog.
Mijn grote liefde vond ik nooit.
Piratenkapiteins, ze geven niet om vrouwen.
Ze zoeken niet naar iemand om van te houen.
Dus heb ik het bijltje erbij neergegooid.

Ooit was mijn droom de oceaan
Maar niets is wat het lijkt.
Voor mij is nu de grens bereikt
en heeft het varen afgedaan!'

Hierop nam Sugar Pie de kapiteinshoed van haar hoofd, ze schudde haar lange blonde haar los en keerde zich stralend naar het publiek.

Grace glimlachte ondanks zichzelf. Sugar Pie en ik hebben iets gemeen, dacht ze wrang. Ach, was het maar zo gemakkelijk om de piraterij eraan te geven!

Aan een steiger een klein eindje verderop meert een kleine boot af.

Er zitten drie mensen in: de veerman en twee passagiers.

'Hier is het,' verklaart de veerman.

'Mooi,' zegt de potigste van de twee passagiers. 'Stukeley, stap jij maar vast aan wal. Dan regel ik de betaling.'

Dat laat Stukeley zich geen twee keer zeggen. 'Ma Kettle's Tavern!' Hij kijkt verwonderd om zich heen terwijl hij op de steiger klautert. 'Ik had niet gedacht dat ik je ooit nog zou zien!'

'Ga niet te ver vooruit!' roept de andere passagier hem na. 'We moeten voorzichtig zijn.'

'Nee, kapitein. Ik wacht hier op je.'

'Heel goed, luitenant.' Daarop keert de ander zich weer naar de veerman. 'Met dit goud koop ik je stilzwijgen,' zegt hij. 'Maar kan ik je wel vertrouwen?'

De veerman knikt gretig, strekt zijn hand al uit om de betaling in ontvangst te nemen. Plotseling sluit de vuist van de ander zich echter om het goud. 'Ik ben nu eenmaal slecht van vertrouwen, en ik ben bang dat me dat nu weer parten speelt,' zegt hij met een zucht.

De veerman kijkt hem verrast aan. Hij voelt dat er iets helemaal niet goed zit. De verrassing slaat al snel om in verontwaardiging, en ten slotte in pure doodsangst.

Stukeley is verzonken in gedachten terwijl hij naar het schitterende, draaiende waterwiel in de verte staart en naar het vertrouwde klotsen van het water luistert. Plotseling klinkt er luid gespetter dichtbij. Hij draait zich om en ziet kapitein Sidorio op zich af komen.

'Wat was dat geluid?' vraagt Stukeley.

Sidorio haalt zijn schouders op. 'Welk geluid?'

'Dat is toch de boot waarmee we zijn gekomen? Waar is de veerman?'

Sidorio draait zich om. 'O, hm. Ik zie hem ook niet meer. Vreemd.' Hij veegt met de rug van zijn hand over zijn mond en peutert iets tussen zijn tanden vandaan. Dan keert hij zich weer naar Stukeley en legt een hand op diens schouder. 'Kom mee, luitenant. We moeten niet langer treuzelen, anders missen we je feestje.'

Stukeley heeft een ongemakkelijk gevoel, maar hij weet dat Sidorio een hekel heeft aan vragen. Bovendien, het is Sidorio die hem heeft teruggehaald. Sidorio is zijn kapitein. En het is niet meer dan gepast dat hij doet wat de kapitein hem opdraagt – wat dat ook is. Hij heeft een tweede kans gekregen. En Stukeley is vast van plan het toonbeeld van een goede, betrouwbare luitenant te worden.

De piraten gaven luidkeels uiting aan hun waardering voor Sugar Pie, maar ze stak een hand op om hun het zwijgen op te leggen. Toen hief ze haar hoed, klaar om hem in het publiek te gooien.

'Wie hem vangt, wint een kus van Sugar Pie!'

Ze gooide de hoed in een hoge boog door de lucht, over de hoofden van de juichende piraten heen. Hun handen en armen zwaaiden als rietstengels in een poging hem te vangen. De meesten grepen mis, en de hoed zeilde naar de hoek waar de piraten van de *Diablo* zaten. Alle ogen keerden zich daarheen toen de hoed ten slotte naar beneden zeilde. Hij dook op Connor en Bart af die er allebei naar grepen. Grace leunde naar achteren om hun de ruimte te geven. Bart was in het voordeel door zijn lengte, dus hij had de hoed te pakken voordat Connor hem kon grijpen.

'Volgende keer beter, maatje,' zei Bart grinnikend. Hij zette de kapiteinshoed op zijn hoofd en duwde Connor speels opzij terwijl hij opstond om zijn prijs in ontvangst te nemen.

'Zo dichtbij en toch zo ver weg.' Grace gaf Connor plagend een por in zijn ribben. Ze genoot nu ook en bloosde van schuldgevoel bij de gedachte aan Jez.

Toen dacht ze weer aan wat Ma Kettle had gezegd. Ze waren

hier vanavond om het leven van Jez te vieren, en ze twijfelde er niet aan of dit was wat Jez zou hebben gewild. Als hij erbij was geweest, zou hij met Bart en Connor hebben gevochten om de aandacht van Sugar Pie!

De voorstelling was afgelopen, de lichten gingen aan en Grace zag dat er weer een rij volle glazen op tafel stond. Eén slokje rum was meer dan genoeg voor haar geweest, maar de piraten hieven opgewekt het glas en goten het vurige brouwsel door hun keel.

'Ik ga even naar buiten om een frisse neus te halen,' zei ze tegen Connor.

'Oké.' Hij drukte haar hand. 'Als je me nodig hebt, dan roep je maar.'

Ze knikte en liep weg. Toen ze achteromkeek, zag ze dat een van de danseressen die Sugar Pie hadden begeleid, bij de tafel was komen staan. Connor zat – net als de anderen – als aan zijn stoel genageld. Geamuseerd haar hoofd schuddend vervolgde Grace haar weg.

Ze liep naar de deur van de taveerne, zorgvuldig de kloven tussen de planken mijdend. Opnieuw keek ze naar beneden. Daar was ze weer, terugstarend naar zichzelf. Alsof ze opnieuw bezig was te verdrinken. Net als voordat Lorcan haar had gered.

Lorcan. Instinctief ging haar hand naar de ketting om haar hals. Haar vingers sloten zich om de Claddagh-ring. Het metaal voelde koel aan. Maar toen ze haar duim en wijsvinger eromheen geklemd hield, begon het warmer te worden. Stond ze op het punt weer een visioen te krijgen? Ze voelde kriebels in haar buik van opwinding, maar ook van angst. Meer dan wat ook wilde ze weten hoe het met hem ging en wat er met hem was gebeurd. Toch was ze bang voor wat ze zou kunnen ontdekken.

Terwijl de ring nog altijd warmer werd, ging ze op de planken zitten, en ze sloot haar ogen, in afwachting van de golf van misselijkheid die ze de vorige keer had ervaren. Maar hoewel de ring steeds warmer werd, bleven de schroeiende pijn en de misselijkheid uit. Bovendien hoorde ze niets en rees er geen doffe mist op in haar hoofd. Wat voor soort visioen wás dit? Deed ze iets verkeerd? Verward sloeg ze haar ogen weer op.

Terwijl ze dat deed, hield ze geschokt haar adem in. Want daar, in het water onder de planken, zag ze Lorcan. Hij strompelde door de gang van het vampiratenschip, met zijn armen gespreid om zijn evenwicht te bewaren. Grace hijgde. Het was alsof ze hetzelfde ervoer als die eerste keer, maar nu als externe waarnemer. Ze vond het een kwelling hem zo te zien worstelen. Het liefst zou ze haar hand uitsteken om hem te helpen. Instinctief reikte ze naar het water onder haar, terwijl ze met haar andere hand nog altijd de ring vasthield, die steeds vuriger begon te gloeien. Het was een ongemakkelijke manoeuvre, om het voorzichtig uit te drukken, maar ze voelde een overweldigende drang om haar hand in het water te steken.

Zodra haar vingers het donkere oppervlak raakten, verdween het visioen echter. Het water werd opnieuw glad als een spiegel en weerkaatste haar eigen verontruste gezicht, met daarachter de lichten van de taveerne. Ze fronste haar wenkbrauwen.

Toen werd het water weer donker. Ze boog zich er dichter overheen, in de hoop dat het visioen van Lorcan zou terugkeren. Maar in plaats daarvan zag ze een ander gezicht. Ze huiverde. Het was Sidorio. Hij keek haar recht aan, net zoals hij dat op het vampiratenschip had gedaan, in die verschrikkelijke nacht. En ook nu weer werden zijn ogen plotseling leeg en veranderden ze in poelen van vuur. Hij opende zijn mond in een gruwelijke grijnslach, de snijtanden, scherp als dolken, leken uit het water op te rijzen.

'Nee!' riep Grace.

De Claddagh-ring schroeide haar vingers. Ze wilde loslaten, maar ze kon het niet. Plotseling schoot haar hand naar voren. De ring was losgeraakt van de ketting. Ze hield hem nog altijd tussen duim en wijsvinger, maar wist niet hoe lang ze dat nog zou volhouden. Elk moment kon de hitte haar dwingen hem los te laten, en dan zou hij in het water vallen. *Nee!* Hoe erg de pijn ook was, ze mocht hem niet verliezen. De ring was haar laatste schakel met het vampiratenschip, met Lorcan. Als ze losliet, zou ze misschien nooit meer terug kunnen, was haar laatste kans verkeken om haar vriend te helpen. Het was die gedachte die haar, ondanks de pijn, in staat stelde de ring te blijven vasthouden, zelfs toen de kwellende hitte dwars door haar zenuwen leek te branden.

Vanuit het water onder haar keek Sidorio haar nog altijd aan. Hij grijnsde. Wat had dat te betekenen? Was ook dit een visioen? Was hij dichtbij? Was hij haar op het spoor?

Plotseling voelde ze een hand om haar nek. Een hand die haar met een ruk naar achteren trok. Op hetzelfde moment voelde ze dat de ring eindelijk minder heet werd. Ze liet zich terugzakken op de planken, hijgend van opluchting en zwakte – en van pure angst.

In de biechtstoel

'KIJK EENS AAN. WIE hebben we daar?'

Toen Grace haar ogen opendeed, keek ze in een vertrouwd gezicht.

'Cheng Li!'

'Hallo, Grace.' Cheng Li knikte en liet zich naast haar op haar hurken zakken. 'Wat leuk om jou hier tegen te komen, ook al zijn de omstandigheden wat merkwaardig. Als je van plan bent acrobatische toeren uit te halen, kan ik wel betere plekken bedenken.'

Grace keek naar haar op. Cheng Li leek zachtaardiger dan ze zich haar herinnerde. Maar ze hadden elkaar op de *Diablo* slechts vluchtig ontmoet, en haar herinnering was misschien gekleurd door de harde woorden van Molucco Wrathe over zijn voormalige onderkapitein.

'Ik haalde geen acrobatische toeren uit,' zei Grace.

'Die indruk had ik ook niet echt. Maar wat je ook deed, je ziet een beetje bleek. Dus misschien moeten we even iets gaan drinken.'

'Serveren ze hier ook drankjes zonder alcohol?' vroeg Grace. 'Ik heb één slok rum op, en daar ben ik nog misselijk van.'

'Hm, dat krijg je ervan als je boven stilstaand water gaat hangen. Wat dééd je daar eigenlijk?'

Grace glimlachte. 'Dat is een lang verhaal.'

'Ik ben dol op lange verhalen.' Cheng Li strekte glimlachend een gespierde, maar sierlijke arm naar Grace uit. 'Kom, kindje. Dan nemen we samen een pot zeeleliethee. Dat zou weer wat kleur op je wangen moeten brengen, zoals ze dat zo mooi zeggen.'

Cheng Li loodste Grace weer naar binnen. Helemaal voorin, op de mooiste plaatsen waar de piraten van de *Diablo* zaten, ging het steeds luidruchtiger toe. Grace ontdekte Connor tussen de manschappen, maar hij had het veel te druk om haar op te merken. Cheng Li pakte Grace bij de hand en trok haar mee naar een donkere trap aan de zijkant van de taveerne. De smalle trap kwam uit op een galerij, met daarlangs nissen met tafeltjes. De nissen waren door houten schotten van elkaar gescheiden; de schotten versierd met afbeeldingen van schepen en golven.

De nis waar ze gingen zitten, deed Grace denken aan een biechtstoel in een kerk. Vandaaruit keek je neer op de gelagkamer beneden, maar er was een rood fluwelen gordijn dat je kon dichttrekken om nieuwsgierige ogen en het kabaal van beneden buiten te sluiten. Met een scherpe ruk trok Cheng Li het gordijn dicht. 'Zo,' zei ze. 'Nu zijn we onder ons.'

Het was donker in de nis, het gezicht van Cheng Li werd slechts verlicht door een enkele, flakkerende kaars in een glazen lantaarn die midden op de tafel stond. Het schaarse licht verzachtte Cheng Li's gelaatstrekken en herinnerde Grace eraan dat ze – ondanks haar krachtige uitstraling en ondanks haar rang als onderkapitein – pas begin twintig was.

Cheng Li was heel anders dan Grace zich haar herinnerde. Haar glanzende zwarte haar was gegroeid sinds ze elkaar voor het laatst hadden gezien, en ze droeg het minder streng naar achteren gekamd. Ineens viel het Grace op dat ze de twee identieke katana's op haar rug niet meer droeg. Had ze haar wapens afgezworen nu ze als leraar was verbonden aan de Piratenacademie?

'Eens even zien of we wat kunnen bestellen.' Cheng Li stak haar hand door het gordijn en knipte met haar vingers. Toen pas zag Grace dat de katana's op de bank naast haar lagen. Dus ze had ze niet afgezworen, alleen even weggelegd.

Iemand van het bedienend personeel kwam aanlopen. Het was een jongen, zag Grace tot haar verrassing. Hij maakte een diepe buiging toen hij bij de nis bleef staan. 'Wat kan ik voor u doen?'

'We willen een pot zeeleliethee,' bestelde Cheng Li.

'Komt eraan, meesteres Li!' Hij haastte zich weg.

Cheng Li schonk Grace een warme glimlach. 'Het is echt een leuke verrassing om jou hier tegen te komen,' zei ze. 'Ik heb veel aan je gedacht.'

Grace bloosde. 'Ik vind het ook leuk om jou weer te zien,' zei ze, een beetje in verlegenheid gebracht.

De ober was al snel terug. Op het blad dat hij bij zich had, stonden mokken, glazen en kistjes in verschillende formaten. Was dit allemaal alleen voor hen tweeën, vroeg Grace zich af. Het drinken van zeeleliethee was blijkbaar een heel ritueel.

Grace voelde de ogen van Cheng Li op zich gericht terwijl ze de ober gadesloeg. Hij zette twee fraai beschilderde theeglazen op de tafel, gevolgd door een hoge, glazen theepot. De theepot was leeg, zag Grace. Toen bukte de jongen zich en hij maakte een klein kistje van onyx open. Het was gevuld met bloemknoppen. Met een zilveren tang liet hij zorgvuldig twee van de knoppen in de glazen theepot vallen. Hij deed het kistje weer dicht, pakte een elegante zilveren pot en goot heet water in een grote boog over de knoppen, tot de glazen pot bijna vol was.

'Zo, en nu even geduld hebben!' Glimlachend haalde hij het kistje en het blad weg. 'O, dat vergat ik bijna. De honing.' Hij zette een zwart potje op tafel. Uit het deksel stak een lepeltje.

Cheng Li legde een geldstuk op het blad. 'Wil je het gordijn achter je dichtdoen?'

Hij glimlachte, boog nogmaals en verdween, waarbij hij zorgvuldig het gordijn rond de nis dichttrok. De twee jonge vrouwen zaten opnieuw volledig in een eigen wereldje.

'Kijk!' Cheng Li wees naar de glazen theepot.

Grace volgde haar blik. Het water had zich inmiddels bleekroze gekleurd en een dieper roze sliert kronkelde in een spiraal door de heldere vloeistof omhoog, alsof er een gebruikte verfkwast in was gedoopt. De twee bloemknoppen op de bodem draaiden in het rond, als miniatuur zeeschepselen. Toen gingen ze heel langzaam open. Bloemblaadjes begonnen uit te waaieren, als sierlijke armen die werden gestrekt na een nacht slapen. Toen de bloemblaadjes zich steeds verder ontvouwden, raakten de twee bloemen elkaar. Ondertussen werd het water steeds dieper roze – als de hemel bij zonsondergang.

Inmiddels waren de knoppen volledig open, en ze begonnen naar de bovenkant van de pot te stijgen – tot de bloemen op het oppervlak van een diamantroze oceaan dreven.

'Oooo,' verzuchtte Grace, geïntrigeerd door dit kleine stukje theater.

'Nu is de thee klaar om te drinken.' Cheng Li reikte naar de pot en schonk de hete vloeistof in de glazen. Stoom kringelde omhoog en drong in haar neusgaten. De thee had een buitengewoon ongebruikelijk, bijna bedwelmend aroma, registreerde Grace.

'Sommige mensen vinden het lekker om er een lepel honing bij te doen.' Cheng Li gebaarde met haar hoofd naar het zwarte potje op tafel. 'Maar ik drink het liever puur.'

Grace besloot het voorbeeld van Cheng Li te volgen en bracht het glas naar haar mond.

'Wacht even,' zei Cheng Li. Grace vroeg zich af wat het ritueel nog meer inhield.

'Laten we een toast uitbrengen.' Cheng Li hief haar glas naar dat van Grace. 'Op onze vriendschap!'

'Op onze vriendschap!' herhaalde Grace.

Voorzichtig tikten ze de tere, dunne glazen tegen elkaar. Toen nam Grace haar eerste slokje.

'En?' Cheng Li's rookgrijze ogen keken haar onderzoekend aan. 'Wat vind je?'

'Ik heb nog nooit zoiets lekkers gedronken,' antwoordde Grace.

Cheng Li knikte lachend. 'Ik dacht wel dat je het lekker zou vinden. Zeelelies zijn een zeldzame delicatesse, en bovendien heel gezond. Er is moeilijk aan te komen, maar Matilda Kettle heeft connecties.'

'Matilda?' herhaalde Grace verrast. 'Ik dacht dat ze "Ma" heette, in de betekenis van "Moeder".'

Cheng Li schudde haar hoofd. 'Nee, kindje, ze heet Matilda.'

'Maar Molucco noemde haar Kitty?'

'Ach, ze heeft een heleboel namen, maar Matilda is de enige echte.'

Grace besefte dat Cheng Li talloze geheimen kende. Ze nam nog een slok thee en voelde hoe de zoete warmte zich door haar lichaam verspreidde. Het was alsof alle spanning van de laatste tijd wegebde. Hoe was het mogelijk dat een paar slokjes van de heerlijk geparfumeerde thee zo'n krachtig effect hadden? En bovendien zo onmiddellijk?

'Zo,' zei Cheng Li. 'En nu wil ik dat je me alles vertelt.'

Waar moest ze beginnen? Er was zo veel te vertellen. Zoveel gedachten en ervaringen die ze plotseling dolgraag zou willen delen. En ze had ook zo veel vragen.

Maar kon ze Cheng Li vertrouwen? Ze was zich bewust van de reputatie van de vrouw die tegenover haar zat – aan boord van de *Diablo* werd over de voormalige onderkapitein met een mengeling van angst en minachting gesproken. Connor had echter hoog van haar opgegeven – hij had haar hard maar eerlijk genoemd – en zijn mening telde voor Grace zwaarder dan de mening van ka-

pitein Wrathe of zijn maar al te gemakkelijk te beïnvloeden ondergeschikten. Eén ding dat Connor haar had verteld, gaf Grace
echter werkelijk reden tot bezorgdheid, en dat was de beschuldiging van kapitein Drakoulis dat Cheng Li Molucco had bespioneerd; dat ze daarom aan boord van de *Diablo* was gekomen, en
dat ze daarom ook weer plotseling was vertrokken.

'Wat wil je weten?' vroeg Grace ten slotte. Ze had besloten het
initiatief bij Cheng Li te leggen en bij elke vraag de afweging te
maken of ze haar voldoende kon vertrouwen om antwoord te geven.

Cheng Li haalde haar schouders op. 'Nou, om te beginnen, hoe
vind je het leven aan boord van de *Diablo?*'

Het was een eenvoudige vraag, maar Grace nam even de tijd
om haar antwoord te formuleren. Terwijl Cheng Li afwachtte,
nam ze nog een slok thee.

'Ach, wel prettig,' zei Grace.

Cheng Li nam haar aandachtig op met haar stralende, aman-
delvormige ogen. Het was duidelijk dat ze meer verwachtte. Grace
besloot het erop te wagen.

'Ik weet alleen niet of ik er voorgoed wil blijven.'

'O nee?' Cheng Li trok vragend een wenkbrauw op. 'Het kan zijn
dat ik me vergis, maar heeft Connor inmiddels niet getekend?'

Grace knikte. 'Ja,' antwoordde ze zacht.

Cheng Li nam een slok thee. 'Dan zitten jullie met een pro-
bleempje.'

Daar hoefde ze Grace niet aan te herinneren. Het feit dat Connor had getekend, was haar een voortdurende doorn in het vlees.

'Een dergelijk contract wordt algemeen beschouwd als bindend
voor het leven.' Cheng Li keek Grace aan. 'Maar er is natuurlijk altijd een manier om dat soort probleempjes te omzeilen.'

Grace vatte weer moed. Stond Cheng Li op het punt haar een
reddingsboei toe te werpen?

'En hoe doet Connor het op het schip?'

'Heel aardig,' antwoordde Grace.

Cheng Li glimlachte. '"Heel aardig"? Is dat alles? Volgens de nautische nieuwsdienst is hij een natuurtalent voor de piraterij! Een soort wonderkind!'

'Hij doet het heel goed,' verbeterde Grace zichzelf. 'Natuurlijk is hij diep geschokt door de dood van Jez. Dat zijn we allemaal. Maar Jez en Connor... en Bart... Nou ja, ze waren heel hecht met z'n drieën.'

'Ja.' Cheng Li nipte peinzend van haar thee. 'Dat weet ik. De drie boekaniers.'

Grace knikte. 'Connor komt er wel weer bovenop. Hij geniet van het piratenleven.'

'Jij niet, zo te horen.'

'Ach, ik vind het wel prettig.'

'Dat heb je al eerder gezegd. Waarom ben je zo gesloten, Grace? Vertrouw je me niet?'

Ai! Cheng Li wond er geen doekjes om.

'Je vertróúwt me niet,' vervolgde ze. 'Ik merk het aan alles. Dat geeft niet, Grace. Ik ben het gewend om op de *Diablo* als "slechterik" te worden beschouwd.'

Grace was onder de indruk van haar openhartigheid. En het was heerlijk om eindelijk eens met iemand over al haar zorgen te kunnen praten. Ondanks haar twijfels over Cheng Li's betrouwbaarheid voelde ze al iets van een band met het oudere meisje. Net zoals ze voelde dat Cheng Li haar misschien wel eens zou kunnen helpen.

'Het komt door...' begon Grace. Ze kon net zo goed schoon schip maken. 'Het komt door wat kapitein Drakoulis over je heeft gezegd.'

'O? Wat heeft Narcisos Drakoulis precies gezegd? En tegen wie?'

'Hij zei tegen kapitein Wrathe – of eigenlijk tegen alle piraten –

dat je onder valse voorwendselen aan boord van de *Diablo* was gekomen; dat je was gestuurd door de Piratenfederatie, om kapitein Wrathe te bespioneren. Die dacht dat je gewoon stage liep als onderkapitein, maar al die tijd zou je als agent voor de Federatie hebben gewerkt.'

Cheng Li knikte en schonk de glazen nog eens bij. 'Ga door, kindje.'

'Je had opdracht kapitein Wrathe in het gareel te brengen, maar dat is je niet gelukt. En daarom werd je plotseling weggeroepen – terug naar de Piratenacademie.'

Cheng Li keek Grace doordringend aan. Die merkte dat ze nerveus werd. Had ze te veel gezegd?

'Het is allemaal waar,' zei Cheng Li ten slotte.

Grace kon haar oren niet geloven.

'Ik vertel je dit omdat ik denk dat je het zult begrijpen. Ik werk inderdaad voor de Federatie. Een jaar of wat geleden, toen ik nog op de Piratenacademie zat, hebben ze me al gevraagd om voor de Federatie te gaan werken en dat doe ik nog steeds.'

'Wat ís de Federatie precies?'

'Dat wilde ik je net gaan vertellen,' zei Cheng Li. 'De Federatie heeft tot doel de piratenbelangen over de hele wereld te behartigen – om onze macht op de oceanen te behouden en een wereldomvattend netwerk van piratenvloten te creëren die vreedzaam met elkaar samenwerken.'

Dat klinkt nuttig, prijzenswaardig, dacht Grace.

'In de ogen van de Federatie is Molucco Wrathe een voortdurende ergernis,' vervolgde Cheng Li. 'Hij heeft zijn glorietijd gehad, maar hij weigert zijn loopbaan rustig af te bouwen. Ondanks ons aandringen wil hij eenvoudig niet in het gareel lopen. Sterker nog, hij opereert koppig op eigen houtje. Hij weigert de zeeroutes van andere kapiteins te respecteren. Het enige wat hem drijft, is de verlokking van snelle buit en van mooie avonturen waar hij vervolgens in geuren en kleuren over kan vertellen.' Ze zweeg even. 'Dit klinkt jou misschien wat extreem in de oren, Grace, maar ik vrees dat de minachting van Wrathe voor de Federatie uiteindelijk tot de dood van Jez Stukeley heeft geleid.'

Grace knikte. Ze was tot dezelfde conclusie gekomen, ook al had ze tot op dat moment geen zicht gehad op de grotere verbanden.

'Narcisos Drakoulis is net zo'n ongeleid projectiel,' vervolgde Cheng Li. 'Als ik de neiging had me dramatischer uit te drukken, zou ik hem "psychotisch" noemen. Hoe dan ook, hij is zelf ook bepaald geen aanbeveling voor de Piratenfederatie. Maar hij had een legitieme aanleiding voor zijn conflict met Molucco Wrathe. Met zijn onverantwoordelijke manier van doen heeft Wrathe veel piratenkapiteins tegen zich in het harnas gejaagd. Alleen waren er in dit geval twee verschillen. Om te beginnen bestaat er tussen Drakoulis en Wrathe al jaren een vete over de een of andere schat in Griekenland, waarbij Wrathe uiteindelijk het schip van Drakoulis tot zinken heeft gebracht. Ten tweede heeft Drakoulis besloten iets aan het recente wangedrag van Wrathe te gaan doen. Begrijp me niet verkeerd. Ik sta bepaald niet achter de handelwijze van Drakoulis. En de Federatie ook niet. Maar kapitein Wrathe heeft die aanval zelf uitgelokt. Als het niet Drakoulis was geweest, zou – vroeg of laat – een van de tientallen andere piratenkapiteins die hij onrecht heeft aangedaan, in actie zijn gekomen. En vergis je niet, als hij zijn leven niet betert, gebeurt het opnieuw!' Weer schonk Cheng Li Grace een doordringende blik. 'En bij een volgende aanval zou Connor wel eens gewond kunnen raken.'

Grace wist dat Cheng Li gelijk had. 'Dat besef ik,' zei ze dan ook. 'Dat besef ik maar al te goed. Maar wat kan ik eraan doen? Connor is vastberaden carrière te maken als piraat.'

Cheng Li schudde haar hoofd. 'Het probleem is niet dat Connor piraat wil worden. Het probleem is de kapitein die hij heeft gekozen.'

Cheng Li was buitengewoon openhartig tegenover Grace geweest, ze had haar onvoorwaardelijk in vertrouwen genomen. Bovendien, en dat was nog belangrijker, het was maar al te duidelijk dat ze kon helpen. Ze had niet veel tijd te verliezen. Dus Grace besloot op haar beurt Cheng Li in vertrouwen te nemen. Ze haalde diep adem.

'Is er een manier waarop we Connor kunnen losweken van zijn contract bij kapitein Wrathe? Een manier om van de *Diablo* af te komen? Voor ons allebei?'

'Natuurlijk,' zei Cheng Li nonchalant. 'Daar wilde ik net over beginnen.'

Een belangrijk besluit

'DE PIRATENACADEMIE?' HERHAALDE CONNOR. 'Je wilt dat we ertussenuit knijpen om naar de *Piratenacademie* te gaan?'

'Het is geen kwestie van ertussenuit knijpen,' antwoordde Grace. 'We doen het niet stiekem. Bovendien zou het maar voor een week zijn. Kapitein Wrathe geeft ons verlof...'

Connor staarde zijn zus ongelovig aan over de inmiddels lege pot zeeleliethee. Cheng Li was naar de bar verdwenen en Grace had Connor naar boven gehaald.

'Maar de Piraten*academie*, Gracie? Je kent me toch. Scholen en ik... Dat is gewoon geen goede combinatie.'

Grace glimlachte. 'Dat weet ik ook wel, Connor. Maar we hebben het hier niet over de school in Crescent Moon Bay. We hebben het over de *Piraten*academie. Dat heeft niks te maken met saaie proefwerken en boeken die je verplicht moet lezen. We hebben het hier over lessen in gevechtstechnieken, navigeren, OEO...'

'Wat is OEO?'

Grace glimlachte. 'Overleving onder extreme omstandigheden!' verkondigde ze trots.

Connor begon ook te lachen. 'Ik hoor het al! Cheng Li heeft het leuk weten te verkopen.' Hij zweeg even. 'Maar iets anders. Stel dat ik het een goed idee zou vinden – en ik zeg niet dat ik dat vind, maar stél – hoe krijgen we kapitein Wrathe ooit zover dat hij ermee akkoord gaat, in de wetenschap dat de uitnodiging van Cheng Li komt en dat zij ons op de Academie onder haar hoede neemt?'

Grace knikte. 'Daar heb ik ook aan gedacht,' zei ze. 'We kunnen niet doen alsof Cheng Li er niets mee te maken heeft. Kapitein Wrathe is niet gek. Maar we kunnen haar betrokkenheid wat afzwakken. We zeggen alleen dat we het leuk zouden vinden om een kijkje te nemen op de Academie – en met nieuw opgedane kennis terug te komen op de *Diablo*. Misschien zelfs wel met een paar nieuwe rekruten.'

'Ik weet niet of hij daar gevoelig voor is.' Connor schudde zijn hoofd.

'Jij kent hem beter dan ik,' moest Grace toegeven. 'Maar we vragen om een weekje verlof... Niet langer... Om mee te beginnen.'

'Hoezo, om mee te beginnen?'

Grace haalde diep adem. 'Connor, ik moet met je praten.' Ze zag aan zijn gezicht dat hij meteen op zijn hoede was, maar ze vermande zich en zette door. 'Het gaat om je contract.'

'Wat is daarmee?'

'Nou, ik wou gewoon... Ik zou willen dat je niet zo snel bij Molucco had getekend.'

'Hij heeft mijn leven gered, Gracie.'

'Ja, en nu brengt hij het in gevaar.'

'Wat bedoel je?'

Ze was niet van plan geweest het zo bot te spelen. Maar nu het eenmaal was gezegd, kon ze net zo goed open kaart spelen.

'Volgens Cheng Li is het slechts een kwestie van tijd voordat een van de andere kapiteins zich tegen Molucco keert...'

'Drakoulis is een halvegare, Grace, een idioot, zo gek als een deur. We hebben gewoon pech gehad...'

'Nou, Jez had wel meer dan péch.' Ze zag dat zijn gezicht betrok.

'Het spijt me, Connor, maar ik maak me zorgen over je. Ik maak me zorgen over óns. Volgens mij lopen we groot gevaar als we op de *Diablo* blijven.'

Connor keek haar grijnzend aan. 'Niet om het een of ander, maar blijkbaar gedijen we in gevaar, jij en ik.'

Ze kon zich er niet toe brengen zijn grijns te beantwoorden. 'Neem me nou toch alsjeblieft serieus, Connor. Ik heb niets tegen Molucco Wrathe persoonlijk. Integendeel, ik ben hem dankbaar. Hij heeft jou een thuis gegeven, en mij heeft hij ook gastvrij aan boord genomen. Maar volgens Cheng Li is het echt een kwestie van tijd voordat een van de andere piratenkapiteins de *Diablo* aanvalt. En met jou in de aanvalslinie maak ik me zorgen – ik maak me echt de grootste zorgen! – dat je wordt gedood.'

Connor pakte haar hand. 'Ik begrijp hoe je je voelt,' zei hij. 'En om je de waarheid te zeggen, heb ik na de dood van Jez hetzelfde gedacht. Molucco is geen slecht mens, maar door zijn manier van doen lokt hij problemen uit. Ik zou dit nooit tegen iemand anders zeggen, maar ik ben bang dat Jez niet had hoeven sterven.'

Grace omklemde krampachtig zijn hand. Ze had niet verwacht dit uit zijn mond te horen. Nadat ze uit elkaar waren gerukt – en na alles wat hen daarna was overkomen – had ze soms bijna de neiging te vergeten hoe hecht de band tussen hen was. Het was goed te weten dat die band nog steeds bestond.

'Dus je gaat het aan Molucco vragen?' opperde ze gespannen.

'Een week verlof, zodat we naar de Piratenacademie kunnen?'

Grace knikte.

'Ik zal het hem vragen. Maar ik verwacht er niets van. Eerlijk gezegd denk ik niet dat hij het goedvindt.'

'Bedankt, Connor. Los van alles zal het heerlijk zijn om even weg te zijn. Dan kunnen we eindelijk op ons gemak over de toekomst praten. Over eventuele plannen die we hebben, over wat we verder met ons leven willen.'

'Gracie, ik ga kapitein Wrathe om een week verlof vragen, maar daarna moet ik gewoon terug naar de *Diablo*.'

'Maar dat geldt niet voor mij.' Het was eruit voordat ze er erg in had.

Connor fronste zijn wenkbrauwen. 'Wat bedoel je?'

'Jij hebt getekend,' zei ze. 'Ik niet.'

'Nog niet,' zei hij. 'Maar dat ga je toch wel doen? Dat is toch het enige wat telt? Dat we samen zijn?'

Grace liet zijn hand los. 'We zijn ook niet meer samen als jij sneuvelt bij een aanval, Connor. En je kent me goed genoeg om te weten dat ik daar niet op ga wachten.'

'Wat wil je dan? Waar wil je heen?' Hij keek haar onderzoekend aan.

Ze kon het hem niet vertellen, maar blijkbaar verried haar gezicht haar.

'O nee, Grace! Dat meen je niet! Je bent toch niet van plan om terug te gaan naar het vampiratenschip?'

Ze zuchtte. 'Er zijn daar mensen die me nodig hebben.'

'Dat zijn geen mensen.' Hij schudde zijn hoofd. 'Vampiers zijn het. Monsters. Demonen.'

'Dat is jouw mening, en daar heb je recht op,' zei ze zacht.

Connor werd boos. 'Je leest mij de les over veiligheid, en al die tijd ben je van plan om terug te gaan naar een schip waar ze overdag slapen en 's nachts elkaars bloed drinken!'

'Je weet niet waar je het over hebt.' Nu werd zij ook boos. Wat wist hij van het vampiratenschip? Hij zou eens moeten weten hoe Lorcan leed, hoe hard hij haar nodig had.

'Grace, ik kan het gewoon niet geloven. Sterker nog, ik kan niet geloven dat we het hier serieus over hebben.'

'Hoor eens,' begon ze, en haar stem verried hoe vastberaden ze was. 'Ik heb geen zin in ruzie. Je bent voor mij het allerbelangrijkste op de hele wereld. Dat weet je. En je hebt gelijk: we zouden samen moeten blijven. Maar er zijn dingen waar we nooit over hebben gepraat, omdat we daar niet de tijd voor hebben met alles wat er om ons heen gebeurt. Als je Molucco zo ver zou kunnen krijgen dat hij ons een week verlof geeft, komen we daar ook eindelijk aan toe.'

Connor schudde berustend zijn hoofd. Op de een of andere manier wist ze de discussie altijd naar zich toe te trekken. 'Goed, jij je zin,' zei hij dan ook. 'Ik zal het hem vragen. Maar verwacht geen wonderen.'

Hij trok het gordijn weg dat de nis scheidde van de galerij. Toen hij zich over de reling boog, kon hij Molucco zien zitten, samen met Ma Kettle. Ze waren bezig Scherpent pinda's en zoutjes te voeren.

'Kapitein Wrathe!' riep Connor. 'Kapitein Wrathe! Kan ik u even spreken?'

'Natuurlijk, knul. Kom maar naar beneden!'

In de aangrenzende nis horen Sidorio en Stukeley Connor roepen.

Stukeley gaat met een ruk rechtop zitten. 'Dat is Connor!' zegt hij. 'En Molucco.' Instinctief reikt hij naar het gordijn dat hem scheidt van de rest van de taveerne.

Sidorio grijpt hem bij zijn pols.

'Nee, heb ik gezegd.'

'Oké, oké. Au, je doet me pijn.'

'Sorry,' mompelt Sidorio. Hij laat los, maar duwt Stukeleys hand terug naar de tafel. 'Maar blijf van dat gordijn af.'

'Hier is niks aan,' zegt Stukeley. 'Hier is echt helemaal niks aan.'

'O nee?' Sidorio neemt zijn luitenant, niet voor het eerst, onderzoekend op.

'Nee, ik kan niks drinken!' Stukeley tikt nijdig tegen zijn kroes, die nog voor driekwart vol is. De rest van het bier is over de tafel gemorst. 'Blijkbaar kan ik het niet binnenhouden.'

'Dat komt omdat je bezig bent te veranderen,' zegt Sidorio. 'Je moet geduld hebben.'

Stukeley fronst en pakte de kroes weer op.

'Nee!' roept Sidorio razend.

Uitdagend neemt Stukeley een slok bier. Sidorio schudt gefrustreerd zijn hoofd wanneer Stukeley opnieuw verstikkingsverschijnselen begint te vertonen. Hij buigt zich naar zijn metgezel en slaat hem op de rug.

'Au! Hou op!'

'Jíj moet ophouden! Met drinken! Je kunt er niet tegen.'

'Maar waarom niet?'

Sidorio slaakt een vermoeide zucht. 'Nogmaals, je moet geduld hebben.'

'Geduld! Je moet geduld hebben! Denk erom dat je niemand aankijkt. En met niemand praat. En van het bier afblijft. Sorry, kapitein, maar je lijkt mijn moeder wel.'

Sidorio schudt zijn hoofd. Misschien werd het tijd om zich van deze halve zool te ontdoen. Maar nee. Het is allemaal nog pril. Het is al zo lang geleden dat hij de metamorfose zelf heeft ondergaan, dat hij het verloop daarvan niet meer kent. Hij moet proberen vol te houden, en dit als een experiment te zien. Bij de volgende die hij terughaalt, gaat het misschien alweer een stuk gemakkelijker. En bij degene daarna nog gemakkelijker. En bij degene daarna... en daarna... Sidorio's bemanning. Het is een gedachte die hem troost. Precies wat hij nodig heeft om zichzelf op te vrolijken.

'Laat dat bier nou maar staan. We gaan.' Vastberaden komt Sidorio overeind.

'Waarom? Waar gaan we heen? Wat heb je nog meer voor spannends in petto?'

Sidorio lacht. 'Spanning? Ben je uit op spanning? Nou, daar kan ik wel voor zorgen. Ik weet precies wat jij nodig hebt.'

Hij stormt de nis uit. Stukeley pakt zijn jas en volgt zijn nieuwe meester.

'Waar heb je het over? Waar gaan we heen? Wát heb ik nodig?' vraagt Stukeley, Sidorio op de voet volgend.

Sidorio is al bij de trap. Daar blijft hij staan en hij draait zich om naar zijn lastige luitenant.

'Bloed, Stukeley. Wat jij nodig hebt, is bloed.'

'Ziezo,' zei Connor, toen hij zich weer bij Grace voegde. 'Het is geregeld.'

'Heeft hij ja gezegd?'

'Ja,' klonk de bulderende stem van Molucco Wrathe. De kapitein verscheen naast Connor. 'De kapitein heeft ja gezegd.'

Grace bloosde gegeneerd. 'Neemt u me niet kwalijk, kapitein. Ik had u niet gezien. Maar dank u wel... dat u ons laat gaan. Dat is geweldig nieuws!'

Kapitein Wrathe wuifde haar dank weg. 'We hebben op het schip een paar moeilijke dagen achter de rug,' zei hij. 'Het zal jullie goeddoen er even tussenuit te zijn.'

Grace kon gewoon niet geloven dat hij er zo luchtig over deed.

'Nou, ik moet zeggen... ' Cheng Li kwam terug van de bar. 'Dat is een verfrissend staaltje duidelijkheid.'

'Meesteres Li,' zei kapitein Wrathe. 'Wat een onverwacht óngenoegen.'

Cheng Li lachte sarcastisch. 'Het doet me deugd te merken dat de recente ontwikkelingen uw vlijmscherpe geest en uw gevoel voor humor niet hebben aangetast.'

Molucco keek haar strak aan. 'Een man die niet meer kan lachen, meesteres Li, is straatarm, hoeveel geld hij ook mag bezitten.'

Cate ging naast hem staan, Ma Kettle aan de andere kant. Nog meer piraten keerden zich naar hen toe of dromden om hen heen. Iedereen besefte dat dit de eerste ontmoeting was tussen de kapitein en zijn voormalige onderkapitein sinds Drakoulis Cheng Li van spionage had beschuldigd.

Volstrekt niet onder de indruk negeerde Cheng Li de menigte, en ze richtte zich rechtstreeks tot kapitein Wrathe en Cate. 'Het spijt me heel erg wat er met Jez Stukeley is gebeurd,' zei ze. 'Hij was een geweldige piraat.' Ze richtte haar rookgrijze ogen op Cate. 'Trouwens, gefeliciteerd met je promotie tot onderkapitein. Ik hoop dat de extra verantwoordelijkheid niet te zwaar voor je zal blijken te zijn.'

De twee vrouwen keken elkaar aan – de voormalige onderkapitein en haar opvolgster. Het viel Grace op dat Cate groeide in haar nieuwe rol; dat ze met elke nieuwe dag meer zelfvertrouwen leek te bezitten. Maar nu, oog in oog met haar voorgangster, leek ze toch een beetje onzeker.

Molucco sloeg een arm om haar schouders. 'Cate is een prima onderkapitein,' zei hij. 'Eindelijk heb ik iemand naast me die ik kan vertrouwen.'

Cheng Li glimlachte. 'U hebt mij ook altijd kunnen vertrouwen, kapitein.'

'Ja,' zei Molucco lachend. 'Ik kon erop vertrouwen dat je bezwaar zou hebben tegen mijn plannen; dat je obstakels op mijn pad zou zetten; dat je mijn gezag en mijn beweegredenen voortdurend ter discussie zou stellen. In dat soort zaken was je inderdaad volstrekt betrouwbaar.'

'Ach, kapitein.' Cheng Li glimlachte opnieuw. 'Nogmaals, tegen die humor van u heb ik nooit op gekund. Maar nu moet ik ervandoor. Er moeten voorbereidingen worden getroffen voor de komst van Grace en Connor naar de Piratenacademie. Tenminste... als u denkt dat ik te vertrouwen ben met ze?'

Wat bezielde haar, vroeg Grace zich geschokt af. Dit was hetzelfde als een stier een rode lap voorhouden! Maar Molucco bleef ongewoon beheerst.

'Jou vertrouw ik voor geen duit,' antwoordde Molucco. 'Maar Connor en Grace vertrouw ik onvoorwaardelijk. Ze willen dolgraag een kijkje nemen op de Academie, en ik zie geen reden om hun dat te ontzeggen.'

'We hebben daar anders heel andere ideeën over de piraterij,' zei Cheng Li. 'Bent u niet bang dat we hun jonge zieltjes bederven?'

Opnieuw voelde Grace paniek opkomen, maar Molucco lachte slechts.

'Lage metalen zoals jij, meesteres Li, zijn gemakkelijker te bederven dan het pure goud van de tweeling.' Hij nam zijn arm van Cates schouders en legde zijn ene hand op de schouder van Grace, de andere op Connors schouder. 'Geniet ervan, m'n goede vrienden. Jullie zijn nog jong. Dus jullie verdienen het wat meer van de wereld te zien. Er zijn heel wat goede mensen op de Academie. Stel je open voor wat ze jullie kunnen leren.' Hij gaf hun schouders een kneepje. 'En wanneer jullie daarna terugkeren naar de *Diablo*, begint het echte leven als piraat weer.'

Kapitein Wrathe pakte Ma Kettle bij de hand en liep weg. Na een paar passen bleef hij staan, en hij draaide zich om.

'Ze mogen dan tot mijn bemanning behoren, meesteres Li, ze zijn geen slaven. Op mijn schip moedig ik individuele denkers aan, en ik hecht grote waarde aan vrijheid van meningsuiting. Kunnen jij en Kuo, jullie verheven rector magnificus, en de anderen op de Academie hetzelfde zeggen?' Hij keek haar aan, toen pakte hij Ma weer bij de arm.

'Ach,' zei Cheng Li, 'we zullen zien. O, kapitein Wrathe, dat vergat ik bijna. Kapitein Quivers vroeg me u de groeten te doen.'

'Lisabeth Quivers.' Zijn gezicht klaarde meteen op. 'Die naam heb ik al minstens twee volle manen niet meer gehoord!' Hij keerde zich naar de tweeling. 'Lisabeth Quivers! In haar varensjaren was er geen betere kapitein dan zij.'

Ma Kettle lachte kakelend. 'Geen betere kapitein en geen grotere hartenbreekster! Met die ogen en dat vuurrode haar. O Lucky, ze wist jou en je broers aardig in het gareel te houden! Uniek, dat was ze! Wat hebben we altijd een schik met haar gehad!'

'Ja!' zei Molucco, met een zweem van weemoed in zijn stem. 'Ja, dat waren nog eens tijden!' Hij keerde zich naar Cheng Li. 'Wil je kapitein Quivers mijn allerbeste wensen overbrengen?'

'Je allerbeste wensen!' herhaalde Ma Kettle honend. 'Kom nou toch! Zeg dat we nog altijd dól op haar zijn en dat ze eens een avond langs moet varen voor een borrel.' Met die woorden schoof ze haar arm door die van Molucco en troonde hem mee naar de gelagkamer.

De piraten begonnen zich te verspreiden, in het besef dat het vuurwerk was afgelopen. Cate pakte Connor bij de arm, en samen gingen ze op zoek naar Bart.

Grace keerde zich naar Cheng Li. 'Waarom dééd je dat?' vroeg ze. 'Waarom probeerde je hem uit zijn tent te lokken?'

'Ach, daar kun je nog wat van leren.' Cheng Li knipoogde. 'Hij heeft toch gezegd dat jullie mee mochten? Wie zou dat ooit gedacht hebben?' Ze glimlachte naar Grace. 'Morgenochtend, stipt om negen uur, kom ik jou en Connor halen. Pak allebei een kleine tas en zorg dat jullie klaarstaan aan dek.'

Ondanks haar strenge toon kon Grace er niets aan doen dat ze moest glimlachen. 'Het gaat echt gebeuren, hè?'

Cheng Li knikte. 'Ja, Grace. Morgen om deze tijd zijn Connor en jij vrij van de *Diablo* en maken jullie je gereed voor je eerste nacht op de Piratenacademie.'

121

De Piratenacademie

DE HAVEN VAN DE ACADEMIE werd omsloten door een zeedam, de ingang gemarkeerd door een hoge stenen boog die uit het water oprees. Toen Cheng Li de kleine boot er dichter naartoe stuurde, zag de tweeling dat de boog was voorzien van een inscriptie. Grace las de woorden hardop.

OVERVLOED EN VERZADIGING,
VREUGDE EN WELBEHAGEN,
VRIJHEID EN MACHT.

'Dat is het motto van de Academie,' zei Cheng Li, en haar stem verried haar enorme trots. 'Afkomstig van een beroemde kapitein uit een ver verleden.'

'Wat betekent "verzadiging"?' vroeg Connor.

Cheng Li glimlachte. 'Dat betekent dat je neemt wat je wilt, en meer.' Connors ogen begonnen te stralen, maar Grace fronste onwillekeurig haar wenkbrauwen, denkend aan de schatkamer van Molucco Wrathe met alle nodeloze rijkdommen die hij had vergaard met plunderen. 'Natuurlijk is de piraterij tegenwoordig aanzienlijk complexer en gaat het er allemaal veel subtieler aan toe.' Grace nam haar aandachtig op, in afwachting van een nadere toelichting. 'Na een paar dagen op de Academie zul je begrijpen wat ik bedoel.' Cheng Li wendde zich af en wijdde zich aan de zeilen.

Terwijl Cheng Li de boot onder de boog door de haven in laveerde, deden Grace en Connor met open mond hun eerste indrukken van de omgeving op. De Academie was een kleurrijke oase; een uitgestrekte verzameling oude gebouwen, geschilderd in heldere tinten geel, roze en oranje, omringd door weelderige tuinen die tot aan de kade liepen. Toen ze die naderden, passeerde er een vloot van kleine zeilboten bemand door jonge kinderen – tenminste, alle boten op één na.

'Kapitein Avery!' riep Cheng Li. De oude man keek op, glimlachte toen hij haar herkende en tilde zijn pet op bij wijze van groet. 'Hij neemt de junioren mee voor zeilinstructie,' legde Cheng Li de tweeling uit. Nu hadden ook de kinderen haar in de gaten, en ze begonnen te wuiven. Terwijl ze dat deden, raakten sommige van de bootjes danig uit koers.

'Opletten!' riep kapitein Avery geërgerd. 'We zijn hier niet om naar meesteres Li te kijken, maar om op onze navigatie te letten, begrepen? Vooruit, Mr. McLay, probeer althans te dóén alsof je erbij bent met je gedachten. En jij, Miss Conescu – haal de zeilen in. Heel goed! Kijk eens aan, Miss Webber, goed gecorrigeerd! Je gaat vooruit. Met sprongen!'

Grace en Connor keken toe terwijl de leerling-piraten met wisselend succes probeerden hun bootjes weer op koers te krijgen. Ondertussen manoeuvreerde Cheng Li hun eigen bootje de ligplaats in. Ze stond al klaar om op de kade te springen en het vast te leggen, toen er een man kwam aanlopen die zijn hand uitstak. 'Geef maar!' zei hij. 'Laat mij dat maar doen.'

'Bedankt, commodore Kuo.' Cheng Li gooide hem de lijn toe. Hij ving hem op en knoopte hem met vaardige bewegingen aan een ijzeren ring. Toen stak hij zijn hand uit om Cheng Li op de kade te helpen.

Commodore Kuo bood een fraaie aanblik in zijn bedrukte katoenen broek met daaroverheen hoge, zwartleren laarzen, die glommen in het zonlicht. Hij droeg een stralend wit overhemd – de open boord onthulde het begin van een brede, gebruinde borstkas – en een rood zijden vest. Om zijn hals hing een ketting met drie bedels. Zijn zilvergrijze haar viel tot op zijn schouders, met als bij Molucco, maar anders dan bij kapitein Wrathe zag zijn haar eruit alsof het dagelijks werd gewassen en geborsteld. Bovendien was maar al te duidelijk dat er zich geen reptielen in verborgen hielden. Zijn knappe gezicht was gebruind en zijn donkerbruine ogen schitterden net zo helder als de zon op het water.

Toen ze naast hem op de kade stond, richtte Cheng Li zich tot de tweeling. 'Grace, Connor, het is me een groot genoegen jullie voor te stellen aan commodore John Kuo, rector magnificus van de Piratenacademie.'

Connor sprong uit de boot op de kade.

'Welkom, Mr. Tempest.' Commodore Kuo schudde hem krachtig de hand. 'Connor, ik heb al zo veel over je gehoord, van meesteres Li en van anderen. Het is werkelijk een voorrecht om je hier te hebben.'

Toen stak de commodore zijn hand uit om Grace uit de boot te helpen. 'Miss Tempest, welkom op de Piratenacademie.'

Terwijl de rector zich vooroverboog, kon Grace de ketting wat beter zien. Aan een dun gouden snoer hingen drie bedels: een zwaard, een kompas en een parel. De rector zag dat ze ernaar keek.

'Ik zie dat mijn ketting je is opgevallen.' Hij streek erlangs met zijn vingers. 'Alle bedels hebben hun eigen betekenis. Ze symboliseren de drie belangrijkste talenten waarover een piraat moet beschikken om succesvol te zijn. Het zwaard vertegenwoordigt het talent om te vechten; mijn eigen Toledokling heeft er model voor gestaan. Het kompas symboliseert het talent om te navigeren. En de parel... Ach, misschien is de parel wel de belangrijkste van de drie; die staat voor het vermogen om zelfs de duisterste, de meest oninspirerende situaties te lijf te gaan en ook daar de waarde in te kunnen ontdekken.'

Grace bloosde bij het zien van zijn warme glimlach en het horen van zijn stem, zacht als smeltende chocolade. 'Ziezo.' De rector legde luchtig een hand op hun schouders en duwde hen naar voren. 'Waar wachten we nog op? Laten we naar binnen gaan!'

Gevieren sloegen ze een wandelpad in dat over het terrein van de Academie slingerde. De tuinen roken heerlijk. Na wekenlang weinig anders dan zeelucht te hebben ingeademd, was de geur van de hoge jacaranda bij de kade overweldigend, bijna bedwelmend. De takken bogen ver door onder het gewicht van de blauwe bloemtrossen. Op de ronde bank rond de stam van de boom zaten twee jongens, die samen één boek lazen.

Toen het groepje langs hen liep, keken de jongens op en gingen ze keurig rechtop zitten.

'Sebastian, Ivan,' zei commodore Kuo. 'Zitten jullie lekker te lezen?'

'Ja, commodore!' De eerste van de twee jongens hield het boek omhoog.

'Aha, *Het Boek van de Vijf Sabels*,' zei commodore Kuo. 'Een echte piratenklassieker!'

'Ja, meesteres Li zei dat ik het moest lezen,' vertelde de jongen opgewonden.

'Inderdaad,' zei Cheng Li. 'Sebastian is zo enorm vooruitgegaan met vechttechniek. Dus ik dacht dat hij de biografie van kapitein Makahzi wel boeiend zou vinden.'

'Het is behoorlijk hoog gegrepen... En nogal gewelddadig voor een kind van tien,' merkte de rechter op. 'Maar blijkbaar is Sebastian er erg door geboeid. Trouwens, Ivan zo te zien ook.'

'Ja, commodore,' zei de andere jongen.

'Mooi zo.' De commodore glimlachte. 'Goed, dan zullen we deze piraten in de dop niet langer storen!'

De jongens straalden en wijdden zich in hun blauwe prieel weer aan hun boek. Er is nauwelijks een idealere plek denkbaar, dacht Grace – overschaduwd door de takken, gehuld in die heerlijke geur, met uitzicht op de glinsterende wateren van de haven.

'Kom mee, slome,' riep Cheng Li, die met de anderen al een eind verder was en voor een oogverblindende fontein stond, gemaakt van zeeschelpen en gekleurd glas.

Grace haastte zich om hen in te halen. 'Het is allemaal zo prachtig,' zei ze met een zucht.

'Dus je bent blij dat je bent gekomen?'

'Nou en of!' antwoordde Grace, haar ogen groot van verbazing en verrukking.

'Je bent hier wel heel ver van de *Diablo*.' Cheng Li schoof haar arm door die van Grace. Samen liepen ze langs de fontein, en Grace genoot van de koele waterdruppels die op haar gebruinde gezicht spatten, dat gloeide van de ochtendzon. Voor het eerst sinds lange tijd voelde ze dat ze echt begon te ontspannen.

Connor en commodore Kuo waren sneller doorgelopen en stonden inmiddels, in geanimeerd gesprek gewikkeld, bij de ingang naar een hoog terracottakleurig gebouw met een koepeldak. Grace kon duidelijk zien dat Connor en de rector het nu al geweldig konden vinden samen. Dat stemde haar optimistisch. Dit was een nieuw begin. Ze was ervan overtuigd dat ze Connor, met de hulp van Cheng Li, had gered van een zekere dood als lid van de bemanning van kapitein Wrathe.

Cheng Li en Grace voegden zich bij Connor en de commodore bij de ingang van het gebouw, twee reusachtige, rijk bewerkte, houten deuren. 'Deze deuren zijn ooit buit gemaakt door een van de kapiteins die de Academie hebben opgericht,' vertelde Cheng Li de tweeling. 'Bij een buitengewoon succesvolle overval voor de kust van Rajasthan.' Ze streek met haar hand over het fijne hout-snijwerk. 'Wanneer ik deze deuren zie, heb ik altijd het gevoel dat ik thuiskom.'

'De Academie is ook een thuis, voor al onze leerlingen, zowel de oude als de nieuwe.' De commodore duwde de deuren open. 'En waar je ook naartoe reist op deze wereld, onze deuren zullen altijd openstaan om je na je avonturen weer te verwelkomen.'

Bij die laatste woorden deed hij een stap naar achteren, en Grace en Connor zagen dat ze op de drempel stonden van een enorme, ronde ruimte, badend in een koel, blauw licht.

'Dit is de Koepelzaal,' vertelde commodore Kuo. 'Maar de leer-lingen noemen hem liefkozend de "Octopus", vanwege de vele tentakels.' Hij wees glimlachend op de diverse gangen die vanaf het midden alle kanten uit liepen.

Grace' aandacht werd naar boven getrokken. Het koepelgewelf van de enorme zaal was bezet met ronde glazen panelen in alle denkbare tinten blauw: van bleek turkoois via helder lazuur tot diep indigo. Het zonlicht dat door de panelen filterde, hulde de Octopus en iedereen die zich in de grote ruimte bevond, in aqua-relachtige blauwtinten. Het effect was verbluffend, alsof je op de zeebodem liep.

Connor volgde haar blik en keek ook omhoog, maar zijn aan-dacht werd getrokken door iets anders.

Vanaf de hoogste punt van de koepel hingen glazen kisten aan stalen draden; het leek wel een reusachtige mobiel. De kisten hin-gen een paar meter boven hun hoofd, en toen Connor beter keek, zag hij dat elk van de kisten een zwaard bevatte. Het was een vreemde – en merkwaardig ontmoedigende – gewaarwording om naar al die zwaarden op te kijken, die als een school prachtige, maar dodelijke vissen door de blauwe oceaan van licht zwommen.

'Allemachtig!' bracht Connor uit. 'Waarom hangen die zwaar-den daar?'

'Indrukwekkend, hè?' zei commodore Kuo. 'We zijn erg blij dat we hier op de Academie de zwaarden hebben van sommige van de beroemdste piratenkapiteins uit de moderne geschiedenis. Het grootste deel van de collectie is ons door de kapiteins zelf geschonken toen ze met pensioen gingen, maar in sommige gevallen was het andersom en ging het zwaard met pensioen! Dat zwaard bijvoorbeeld is ooit van jullie vriend, kapitein Molucco Wrathe, geweest. Zie je dat?'

De commodore wees naar drie zwaarden die in een groepje bij elkaar hingen.

'Welke van de drie?' vroeg Connor.

'Ik begrijp je vraag, want ze zijn in elk opzicht identiek, op het gewicht na. Die drie zwaarden zijn ooit van de drie gebroeders Wrathe geweest: Molucco, Barbarro en Porfirio. Maar die daar, in het midden, dat was het rapier van Molucco. Als je goed kijkt, kun je de saffier op het gevest zien. Die saffier is kenmerkend voor Molucco.'

Gezien de tamelijk misprijzende manier waarop Molucco over het instituut had gesproken, was Connor een beetje verbaasd dat hij de Academie een zwaard had geschonken. Connor kende de kapitein echter goed genoeg om te weten hoe wispelturig en onvoorspelbaar hij was. Bovendien had Bart hem bij hun eerste ontmoeting verteld dat Molucco en zijn broers de koningen onder de piraten waren. Dus het was maar al te begrijpelijk dat de Academie trots was op de zwaarden van de gebroeders Wrathe.

'En van wie is dít zwaard?' Connors aandacht was plotseling getrokken door een veel eenvoudiger, lang zwaard, waarvan het gevest was omwikkeld met zacht glanzend leer.

'Je hebt onze gasten goed geïnstrueerd, meesteres Li.' Commodore Kuo glimlachte.

Cheng Li beantwoordde zijn glimlach, maar schudde haar hoofd.

128

'Wat bedoelt u?' vroeg Connor.

'Dat is mijn oude zwaard,' zei de commodore. 'Mijn Toledo-kling. Mijn bondgenoot in menig gevecht. Een heel ongebruike-lijk wapen.' Hij kwam naast Connor staan, terwijl ze naar het zwaard keken dat boven hun hoofd hing.

'Het is op een heel bijzondere manier gesmeed,' legde de commodore uit. 'Iberische smeden zijn ware meesters in hun ambacht, en bij dit zwaard hebben ze zichzelf overtroffen. De stalen kling heeft een ijzeren kern, waardoor hij uitzonderlijk hard is. Daarom koos ook de grote Hannibal voor een zwaard uit Toledo, en hetzelfde geldt voor talloze beroemde koningen en grote leiders in de geschiedenis.' Commodore Kuo keek Cheng Li aan. 'Zelfs Japanse samoerai maakten de reis naar Toledo om hun katana en hun wakizashi daar te laten smeden. En dat heb ik ook gedaan.'

De hand van de commodore rustte op Connors schouder. 'De schepping van een dergelijk wapen is een ingewikkeld proces. De smid werkt met hard en zacht staal dat hij tegelijkertijd moet smeden, en bovendien op extreem hoge temperaturen. Daarna wordt het zwaard gekoeld met water, of olie, om de naad te dichten. De meester-smid die dit zwaard heeft gemaakt, heeft twintig-duizend keer zijn blaasbalg moeten gebruiken om tot de vol-maakte samenstelling te komen. Probeer je dat eens voor te stellen! Hij maakt dan ook maar drie klingen per jaar. En kijk eens naar het gevest. Dat is omwikkeld met de huid van een pijlstaart-rog, uitzonderlijk taai en watervast. Mijn laarzen zijn van hetzelf-de materiaal.'

Grace keek naar zijn laarzen en besefte nu pas dat ze niet van leer waren gemaakt, zoals ze had aangenomen. Ze moest denken aan een soortgelijke fout die ze had gemaakt met de cape van de vampiratenkapitein en de zeilen van het geheimzinnige schip. Hoewel de laarzen van commodore Kuo glansden in het licht, verwachtte ze niet dat er aderen in zouden oplichten, zoals bij de cape en de zeilen. Desondanks bezorgde de Academie haar ook in een ander opzicht een gevoel dat leek op wat ze op het vampiratenschip had ervaren: ook hier was ze zich bewust van talloze opwindende geheimen die lagen te wachten om te worden ontsluierd.

Connor kon zijn ogen niet van de Toledokling afhouden. Wat de commodore had verteld, was verbijsterend. Plotseling kwam er een gedachte bij hem op. 'Commodore Kuo, zou ik het zwaard eens mogen uitproberen?'

'Ik ben bang van niet,' zei de rector beslist, ook al klonk zijn stem nog altijd soepel en fluweelzacht. 'De zwaarden worden maar één keer per jaar uit hun glazen kist gehaald, en dat is op Zwaardendag. Dan vieren we de oprichting van de Academie en de prestaties van onze leerlingen. Degenen die in het jaar daarvoor de beste resultaten hebben behaald, worden beloond met de eer van een demonstratiegevecht met de zwaarden.' Hij keerde zich naar Connor. 'Helaas geldt dit alleen voor studénten op de Academie, niet voor gásten.'

Connor was teleurgesteld, gefrustreerd zelfs. Hij zou er alles voor hebben gegeven om dat zwaard in zijn handen te houden, zelfs als het betekende dat hij zich voor een jaar aan de Academie zou moeten verplichten.

'De Academie bezit een groot aantal kostbaarheden, allemaal verschillend van aard. Voor elk wat wils, zou je kunnen zeggen.' De stem van de commodore weergalmde door de koepelzaal. 'Ik zou jullie willen aanmoedigen om alles te onderzoeken waar je belangstelling naar uitgaat, alles wat je mooi vindt. Daarvoor zijn jullie hier tenslotte. Je kunt vragen wat je wilt, en voor zover dat mogelijk is...' Hierbij keek hij omhoog naar de Toledokling. 'Voor zover dat mogelijk is, zullen we proberen jullie ter wille te zijn. Meesteres Li zal optreden als jullie gids, en de deur van mijn kamer staat altijd open. Nu moet ik er helaas vandoor om me te wijden aan de wijzigingen in ons leerplan Navigatie. Meesteres Li, ik kan het aan jou overlaten om Grace en Connor hun kamer te wijzen?'

'Natuurlijk.'

Commodore Kuo sloeg een van de gangen in. Toen schoot hem blijkbaar iets te binnen, want hij bleef met een ruk staan en draaide zich om. Zijn ogen glansden van bezieling. 'Ooit was ik kapitein van een duizendkoppige bemanning. Nu voel ik me kapitein van de stralendste toekomstige sterren van de piratenwereld. Mochten jullie na een paar dagen tot de conclusie komen dat je je bij ons wilt aansluiten, dan vinden we ongetwijfeld een manier om dat te regelen. Waar of niet, meesteres Li?'

'Ja... eh, ja natuurlijk.'

Commodore Kuo draaide zich weer om en deze keer verdween hij door een van de kronkelende tentakels van de Octopus. Zijn laarzen, met hun glinsterende huid van pijlstaartrog, maakten een dreunend geluid op de in ruitpatroon gelegde tegels.

Connor keek nog altijd naar de meer dan honderd zwaarden boven zijn hoofd, die ooit van beroemde piratenkapiteins waren geweest. Hij stelde zich de avonturen, de gevechten voor waarvan al die zwaarden getuige waren geweest. Wat zou het geweldig zijn als ze hun verhalen konden vertellen!

Terwijl hij nog opgewonden de bijzonderheden van de verschillende zwaarden in zich stond op te nemen, kwam er beweging in de kisten. De hele reusachtige mobiel begon langzaam te draaien, als een dodelijke carrousel. De kisten met de zwaarden gingen op en neer, als paarden in een draaimolen, steeds sneller... Connors ogen dronken gretig de tekenen van de verschillende kapiteins in: een kostbare edelsteen op een gevest, een geheimzinnig geëtst patroon op een kling. Maar het duurde niet lang of de zwaarden draaiden te snel in het rond om nog bijzonderheden te kunnen onderscheiden. De zaak begon uit de hand te lopen! Steeds sneller draaiden de zwaarden in het rond, tot de glazen kisten uiteenspatten en er een regen van glasscherven op hem neerdaalde. Daar stond hij, in het hart van een soort meteorenregen, zo in de ban van wat er gebeurde dat hij geen pijn voelde. Toen hij weer opkeek, was het alsof er om hem heen werd gevochten. Sterker nog, het leek wel of hij zich in het heetst van de strijd bevond. Hij zag hoe het zonlicht oogverblindend werd weerkaatst door stalen klingen; hij zag opbollende, witte zeilen, hij zag dekplanken, masten. En hij hoorde het geluid van zwaarden die schallend op elkaar beukten; van scheurend want, van kanonsvuur, dat alles begeleid door de kreten van piraten die het strijdgewoel in en uit renden. Hij probeerde zich te concentreren op wat ze riepen.

'De kapitein!' hoorde hij een van hen roepen. 'Kapitein Tempest.'

Nee! Dat kon niet waar zijn!

'Kom mee. Kapitein Tempest.'

Daar klonk het opnieuw, glashelder, onmiskenbaar.

'Kom mee. Kapitein Tempest. Hij is gewond. We moeten hem...'

Connor probeerde te begrijpen wat hij zag, maar het visioen was alweer vervaagd. De kreten werden zwak. Toen zag hij opnieuw de zwaarden boven zijn hoofd, nog altijd draaiend, maar uiteindelijk hingen ze weer roerloos in hun oorspronkelijke positie, nog altijd in hun glazen kisten. Hij maakte zijn blik ervan los en keek naar de vloer van de koepelzaal. Er was geen glassplinter te bekennen.

'Kom mee, kapitein Tempest.'

Connor keek op en zag dat Cheng Li hem glimlachend stond op te nemen. Hij knipperde met zijn ogen. Had ze hem inderdaad 'kapitein' genoemd?

'Je wordt nog duizelig, als je zo omhoog blijft kijken,' vervolgde ze. 'En het kan ook niet goed zijn voor je nek. Kom, dan gaan we eens kijken of we iets te eten kunnen krijgen.'

Connor zag dat ze tegen hem praatte, maar wat ze zei drong niet tot hem door. Hij verkeerde nog altijd in de ban van het visioen; het visioen met de zwaarden die nu weer boven hem hingen. Had hij het zich verbeeld, of had hij beelden uit zijn toekomst gezien? Beelden waaruit bleek dat hij het tot piratenkapitein zou schoppen?

'We gaan iets éten, Connor,' zei Cheng Li, met slechts een zweem van ongeduld. 'Zelfs een wonderkind in de piraterij moet af en toe eten. En de kok van de Academie maakt de lekkerste noedels die je ooit hebt geproefd!'

Geen gewone school

'Zo!' CHENG LI HIEF haar kop jasmijnthee. 'Nogmaals welkom op de Piratenacademie.' Connor en Grace volgden haar voorbeeld en stootten hun kop zachtjes tegen die van Cheng Li.

Ze zaten te lunchen op het terras van de Academie, omringd door leerlingen en onderwijzend personeel, in de aangename, milde middagzon. Terwijl Grace geanimeerd met Cheng Li praatte, liet Connor zijn blik in het rond gaan. Dit leek in niets op de scholen die hij ooit had gezien. Hoewel, als hij eerlijk was, moest hij bekennen dat hij alleen maar ervaring had met de middelbare school in Crescent Moon Bay, en het zou je niet meevallen om ergens een school te vinden die nóg troostelozer, nóg havelozer, nóg fantasielozer was.

'Hoeveel leerlingen zijn er?' hoorde hij Grace aan Cheng Li vragen.

'Honderdvijftig, in de leeftijd van zeven tot zeventien. In elk van de tien leeftijdsgroepen hebben we vijftien leerlingen. Door de verhouding tussen leerkrachten en leerlingen krijgt iedere aankomende piraat alle kans om naar zijn of haar beste vermogen te presteren. In dat opzicht – en niet alleen daarin – is de Piratenacademie geen gewone school.'

'Waar komen de leerlingen vandaan?' vroeg Grace.

'Dat is een goede vraag,' antwoordde Cheng Li. 'Onze leerlingen zijn afkomstig uit de allerbeste piratenfamilies. En het valt bepaald niet mee om een plekje te krijgen op de Academie. Het toelatingsexamen is buitengewoon streng, en daarnaast worden er met alle leerlingen individuele gesprekken gevoerd. Je kunt je hier niet inkopen door simpelweg een donatie te doen voor de aanschaf van een nieuwe trainingsboot of een kist met kortelassen. De verdiensten van de leerling zelf zijn het enige toelatingscriterium.'

'Het klinkt wel alsof je rijk moet zijn,' zei Connor.

Cheng Li haalde haar schouders op. 'De meeste succesvolle piratenfamilies zijn per definitie rijk. Je zou als piraat geen knip voor de neus waard zijn als je het je niet kon permitteren je kinderen een goede opleiding te geven, of wel soms? Natuurlijk zijn er voor uitzonderingsgevallen – zoals jullie, bijvoorbeeld – beurzen beschikbaar.'

Connor haalde zijn schouders op. 'We zijn hier alleen maar op bezoek.'

Cheng Li knikte. 'Ach, natuurlijk. Dat was ik even vergeten!' Iets in haar stem vertelde Grace dat ze het helemaal niet was vergeten. Geen moment.

'Dus piraten sturen hun kinderen graag hierheen? Leiden ze hun kinderen niet liever zelf op, aan boord van hun eigen schip?' vroeg Grace.

'Nee, en dat is ook niet zo vreemd,' antwoordde Cheng Li. 'Je weet uit ervaring hoe hectisch het eraan toegaat aan boord van een piratenschip, zoals op de *Diablo*. Werkende piraten hebben nauwelijks tijd om hun kinderen iets bij te brengen. Het spreekt vanzelf dat alle schepen hun jonge piraten moeten leren vechten, maar tijd voor de brede opleiding die we onze leerlingen hier kunnen bieden is er niet, en daarbij denk ik aan Geschiedenis, Navigatie, Strategie, Kapiteinsvaardigheden. We vragen de ouders ons tien jaar lang hun kinderen te geven, en na die tien jaar krijgen de ouders ze terug, niet alleen als volwaardige bemanningsleden, maar met alles in hun mars om kapitein te worden.'

'Dat klinkt aantrekkelijk,' zei Grace. 'Vind je ook niet, Connor?'

Connor gaf geen antwoord. Hij was verdiept in zijn eigen gedachten; gedachten aan het visioen in de koepelzaal, waarin hij zichzelf met 'kapitein' had horen aanspreken.

'Vind je ook niet, Connor?' vroeg Grace nogmaals.

'Wat? O, eh... ja, natuurlijk.' Hij wist niet zeker wat Grace hem had gevraagd, maar blijkbaar had hij het goede antwoord gegeven.

'Kijk eens, ik heb voor jullie allebei een lesrooster.' Cheng Li gaf hun een opgevouwen kaart. 'Hier staan alle lessen op die jullie zouden volgen als je in het achtste jaar zat, samen met de andere veertienjarigen. Ik heb de vakken aangekruist waarvan ik denk dat ze voor jullie het boeiendst zijn, maar de keus is aan jullie. Tenslotte ben je hier te gast. Het gaat erom dat je een indruk krijgt van de Academie, dus het staat jullie vrij om zo veel lessen te volgen als jullie willen.'

Grace vouwde haar rooster open, maar Connor luisterde al niet meer naar Cheng Li en liet zijn blik opgewonden over het aanbod gaan. Saaie vakken bestonden hier niet! Van Geschiedenis van de piraterij op maandagmorgen tot Gevechtstechnieken op vrijdagmiddag leek elke dag één aaneenschakeling van boeiende leerstof. Misschien was het blokuur Zeebiologie op dinsdagochtend iets waar hij wel zonder kon, maar een driedubbel uur Praktische piraterij en vaartechniek klonk geweldig, en hij was razend nieuwsgierig naar OEO. Hij keek Grace stralend aan. Tenslotte was het aan haar te danken dat ze hier waren! Ze beantwoordde zijn glimlach.

Het enige wat hem minder beviel, was de lange duur van het programma. Elke lesdag begon om zeven uur met 'Kracht, Uithoudingsvermogen en Motivatie' en eindigde pas om acht uur 's avonds, hoewel het laatste uur na het avondeten was gereserveerd voor individuele studie, clubactiviteiten of andere sociale bezigheden. Op zaterdagmorgen werd er ook les gegeven, en aan het eind van de zondagmiddag was er nog Meditatie, dat werd gegeven door Cheng Li. Anderzijds, de leerlingen werden hier voorbereid op een leven als piraat, aan boord van schepen zoals de *Diablo*, dus ze konden maar beter meteen wennen aan het maken van lange dagen. In Crescent Moon Bay was hij nooit een ochtendmens geweest, maar sinds hij had aangemonsterd bij Molucco Wrathe en meedraaide in het takenschema, was de zonsopgang hem bepaald dierbaar geworden.

Connor nam een laatste hap dim sum – genietend van de verrukkelijke smaken van gember en citroengras – en legde ten slotte zijn stokjes op het porseleinen schaaltje. Cheng Li had gelijk. Het eten was verrukkelijk, en de porties waren buitengewoon royaal. Terwijl hij een slok jasmijnthee nam, werd hij zich bewust van een overweldigend gevoel van welbehagen. Even gingen zijn gedachten terug naar de *Diablo*, maar het leek wel of het schip al minder aan hem trok. Tenslotte zou hij over een week terug zijn, en in de tussentijd had hij hier meer dan genoeg afleiding – van het verrukkelijke en overvloedige eten tot de fantastische lessen.

'Vind je ook niet, Connor? Connor!'

Toen hij opkeek, zaten zijn zuster en Cheng Li hem aandachtig op te nemen. Hij was zo in gedachten verdiept geweest, dat hij niets van hun gesprek had gehoord.

Cheng Li glimlachte. 'Ik zei alleen maar dat jullie vanmiddag geen lessen hoeven te volgen. In plaats daarvan zal ik jullie een rondleiding geven, en daarna kunnen jullie je installeren in je kamer. Vanavond is er een speciaal diner met alle leraren waarbij jullie worden verwacht. Onze leraren zijn stuk voor stuk voormalige kapiteins – en legendarisch in de piratenwereld – en ze zien ernaar uit kennis met jullie te maken.'

Connor straalde. 'Daar zou ik wel aan kunnen wennen, aan

zo'n vipbehandeling.' Hij strekte zijn armen en geeuwde tevreden.

Grace en Cheng Li keken hem hoofdschuddend aan, maar heimelijk was Grace dolblij dat Connor zo enthousiast was. En ze was dankbaar voor alle voorbereidingen die Cheng Li in zo'n korte tijd had weten te treffen. Het diner met de piratenkapiteins was een buitengewoon aardig gebaar. Grace kende haar broer als geen ander. Hoe meer hij zich thuis voelde op de Piratenacademie, hoe meer hij het gevoel had dat hij erbij hoorde, des te groter de kans dat ze hem zou weten over te halen nog wat langer te blijven; sterker nog, om niet meer terug te gaan naar de *Diablo*. Ze voelde zich een beetje schuldig wanneer ze aan hun vrienden aan boord van het schip dacht – vooral Cate en Bart – maar het ging tenslotte om de veiligheid van haar broer. Ze weigerde hem hetzelfde lot tegemoet te laten gaan als Jez Stukeley. Uiteindelijk zou iedereen dat toch moeten begrijpen.

De tweeling zette hun bagage in hun kamers en volgde Cheng Li weer naar buiten, voor een uitgebreide rondleiding over het terrein van de Academie.

'En, hoe vinden jullie je kamer?' vroeg Cheng Li. 'Ik neem aan dat alles naar wens is?'

'Absoluut!' antwoordde Grace. Ze had niet op zo'n grote, fraai ingerichte kamer gerekend. Hij had zelfs een eigen balkon, met uitzicht op de haven. De kamer van Connor was even royaal, maar bevond zich aan de andere kant van het gebouw en keek uit op de 'binnenring': een omsloten binnentuin met een zorgvuldig bijgehouden gazon, waar een van de klassen vechttechnieken oefende.

Vanaf het terras had het terrein van de Academie al uitgestrekt geleken, maar terwijl de tweeling met Cheng Li hun nieuwe omgeving verkende, bleek het nog veel uitgestrekter. Bomen en struiken die vanboven de indruk hadden gewekt de grenzen van het

Academieterrein aan te geven, vormden in werkelijkheid slechts een scheidslijn met andere delen, die ook weer hun eigen gebouwen hadden, net als de kern van het complex geschilderd in zachte, zonnige tinten.

Cheng Li wees hun de verschillende gebouwen aan: van de slaaphuizen voor de leerlingen en de onderkomens van de staf, tot de sportzaal waarin Vechttechnieken werden onderwezen, van het archief tot de gehoorzalen en de klaslokalen. De Academie was een complete wereld op zich, en de indrukken waren dan ook overweldigend, vooral in de slaapverwekkende hitte van de vroege middag. Grace betrapte zich erop dat sommige bijzonderheden van Cheng Li's enthousiaste monoloog haar ontgingen, maar ze was getroffen door de enorme trots waarmee Cheng Li haar verhaal deed. Het was iets wat Connor ook opviel. Dit was een heel andere Cheng Li dan die hij aan boord van de *Diablo* had leren kennen. Ze leek kalmer, meer zichzelf – alsof ze hier thuishoorde.

'Wow!' Connor was vooruitgerend, en nu draaide hij zich om, in afwachting van Grace en Cheng Li. 'Wat is dát?'

Toen de meisjes hem hadden ingehaald, zag Grace dat hij naar een reusachtige amfitheater wees, een klein eindje van de haven. Er was echter een belangrijk verschil met alle amfitheaters die Grace ooit op plaatjes had gezien. In plaats van een toneel had dit theater een bassin met flonkerend water. Op dat water lag een schip, een galjoen dat wel iets weg had van de *Diablo* of het vampiratenschip.

'Dat is het Bloedbad!' zei Cheng Li. Haar ogen schitterden net zo stralend als het water. Ze lachte. 'Tenminste, zo noemen de leerlingen het. Het schip wordt gebruikt voor aanvalstraining en vechtdemonstraties. Het is een van mijn favoriete plekken op de Academie!'

Connor keek naar het dek. Het was leeg, als het dek van een

spookschip. Maar hij kon zich gemakkelijk voorstellen dat er piraten over de planken renden. Opnieuw moest hij denken aan zijn visioen in de koepelzaal. Het dek dat hij daarin had gezien, had grote gelijkenis vertoond met het dek van dit schip. Misschien zou hij daar – in het 'Bloedbad' – leren wat het betekende om kapitein te zijn.

'Tijd voor iets lekkers!' Cheng Li bleef staan bij een granaatappelboom en haalde twee vruchten tussen het dikke gebladerte vandaan die ze aan de tweeling gaf. De granaatappel was nog warm van de zon, voelde Grace.

Cheng Li plukte voor zichzelf ook een granaatappel. Toen pakte ze een van haar katana's, ze gooide de vrucht omhoog, sneed hem in de lucht door en ving de twee helften met haar vrije hand op. Glimlachend deed ze hetzelfde voor Grace en Connor. De blootgelegde zaden glinsterden als edelstenen in het zonlicht. Gedrieën gingen ze in het gras zitten om van het fruit te genieten. Het sappige vruchtvlees was verrassend koel op haar tong, proefde Grace, en heerlijk dorstlessend. Ze keek naar de boten in de haven aan de voet van de helling. Kapitein Avery stond op het punt met weer een nieuwe klas leerlingen van wal te steken. Zo te zien heeft hij er niet echt zin in, dacht Grace onwillekeurig.

'Nee, nee, néé, Mr. Webb!' hoorde ze hem tegen een van zijn jonge pupillen roepen.

Dichterbij liep een groep oudere leerlingen doelbewust over het pad langs de haven naar een gebouw dat in een soort bleke goudkleur was geschilderd.

'Dat is de voornaamste gehoorzaal,' vertelde Cheng Li. 'En dat is klas 10, onze leerlingen die in hun laatste jaar zitten, op weg naar een college van kapitein Larsen, als ik me niet vergis.'

'Meesteres Li! Goedemiddag!' riep een van de leerlingen beleefd. De anderen draaiden zich om en knikten eerbiedig in haar richting.

'Mr. Blunt!' riep Cheng Li. 'Mr. Blunt, kan ik je even spreken?'

Een lange, knappe jongen met blozende wangen en heel licht-blond haar keerde zich naar hen toe, zijn wenkbrauwen vragend opgetrokken. Hij was in geanimeerd gesprek gewikkeld geweest met zijn vrienden, maar nu maakte hij zich los van de groep en kwam naar hen toe lopen.

'Heb je weer granaatappels gestolen?' vroeg hij lachend aan Cheng Li. 'Foei! Foei! Maar ik zal niks tegen de tuinmannen zeggen. Erewoord!'

'Ik wil je even voorstellen aan Connor en Grace Tempest,' zei Cheng Li, zijn brutaliteit negerend. 'Weet je nog dat ik zei dat we gasten kregen?'

'Natuurlijk!' De jongen stak zijn hand uit naar Connor. 'Hallo Connor, ik ben Jacoby Blunt.' Hij schonk Connor een stralende glimlach. 'Volgens meesteres Li ben je een briljánt zwaardvechter.'

'Jacoby is misschien wel de beste vechter op de Academie,' zei Cheng Li. 'Dus ik denk dat jullie twee aardig aan elkaar gewaagd zijn.'

Connor keek in de grijsblauwe ogen van Jacoby Blunt. Even stonden ze koud, emotieloos, en Connor slaakte heimelijk een zucht. Cheng Li had de toon gezet en hen al tot rivalen gemaakt voordat ze elkaar zelfs maar hadden ontmoet. Hij wist uit erva-ring hoe het verder zou gaan. Dat had hij op de middelbare school in Crescent Moon Bay tenslotte vaak genoeg meegemaakt. Maar tot zijn verrassing verscheen er opnieuw een brede grijns op het gezicht van Jacoby Blunt. 'Het lijkt me geweldig om eindelijk eens een fatsoenlijke tegenstander te hebben. Écht geweldig!'

Cheng Li glimlachte tevreden. 'Ik ben ervan overtuigd dat Con-nor en jij de kans krijgen te laten zien wat jullie waard zijn. Con-nor blijft de hele week, en zoals ik al zei, ik zou het leuk vinden als jij hem en zijn zus, Grace, een beetje onder je hoede nam.'

Cheng Li wees naar Grace, waarop Jacoby zich naar haar toe

boog en haar de hand schudde. 'Nou, dat zal bepaald geen opgave zijn, Grace, om jou onder mijn hoede te nemen.' Grace bloosde ervan. Bovendien was zijn glimlach allercharmantst.

'Nou, ga nu maar naar college,' zei Cheng Li tegen Jacoby. 'Maar vergeet niet dat je vanavond bent uitgenodigd voor het kapiteinsdiner met Grace en Connor. Commodore Kuo laat vragen of je de tweeling om halfacht naar zijn kamer wilt brengen.'

'No problemo,' zei Jacoby met een ontspannen grijns. 'Nog een fijne middag, lui! En ik kom jullie iets voor negentien uur dertig halen! En zorg dat je er goed uitziet!'

Nog altijd grijnzend draafde hij weg, achter zijn klasgenoten aan.

'Oké!' Cheng Li werkte zich overeind. 'We hebben lang genoeg gezeten! Laten we doorgaan met de rondleiding. Want jullie móéten ons zoetwaterbassin zien!'

'Absoluut!' Connor sprong op en liep achter Cheng Li aan. Ze waren al een eindje het pad af gelopen, toen ze beseften dat ze Grace misten.

'Grace?' riep Connor.

'Grace!' riep ook Cheng Li. 'Waar ben je?'

Ze bleven staan en draaiden zich om. Grace stond op de met gras begroeide helling en keek uit over de haven, roerloos als een standbeeld. Het enige waaruit bleek dat ze geen standbeeld was maar een mens van vlees en bloed, was het wapperen van haar lange haar, dat op en neer danste in de bries vanuit de haven.

'Grace!' riep Connor, die zijn geduld begon te verliezen. Zijn zus draaide zich niet eens om.

Toen zakte ze plotseling in elkaar op het gras.

'Grace!' riepen Connor en Cheng Li als uit één mond. Ze renden over het gras naar haar toe, zich afvragend wat er in hemelsnaam aan de hand kon zijn.

De reis

'Rustig maar, ik mankeer niks,' zei Grace. Toen ze haar ogen opendeed, zag ze dat Connor en Cheng Li haar onderzoekend opnamen. 'Wat is er gebeurd?' vroeg Connor. 'Het ene moment stond je nog uit te kijken over de haven, het volgende zakte je als een zoutzak in elkaar.'

'Ik weet het niet.' Grace schudde langzaam haar hoofd. Ze was zelf ook verrast door de val. Die was voorafgegaan door een stortvloed aan gevoelens; sommige nieuw, andere vertrouwd. Ze was echter nog niet zo ver dat ze dit met anderen kon delen.

'Laat me je hoofd eens voelen,' zei Cheng Li. 'We zouden je naar de ziekenboeg moeten brengen.'

'Nee, dat hoeft niet. Ik mankeer echt niets,' hield Grace vol, terwijl Cheng Li voorzichtig haar achterhoofd betastte. 'Volgens mij moet ik gewoon even rustig blijven zitten.'

'Ik voel geen zwelling of iets dergelijks,' zei Cheng Li. 'Toch zou ik me een stuk geruster voelen als je zuster Carmichael even naar je liet kijken.'

'Maak je over mij geen zorgen,' zei Grace. 'Laat me maar even met rust. Ondertussen gaan jullie gewoon door met de rondleiding. Ik weet zeker dat Connor niet kan wachten om het zoetwaterbassin te zien!'

'Natuurlijk wel,' haastte Connor zich te zeggen. 'Dat heeft geen haast. Dat kan later ook wel.' Hij slaagde er echter nauwelijks in de teleurstelling uit zijn stem te weren.

'Nee, ga nou maar. Ik red me wel.' Ze keek naar de jacarandaboom met de ronde bank om de stam, en er kwam een idee bij haar op. 'Misschien willen jullie me even daarheen helpen. Dat ga ik een poosje lekker in de schaduw zitten.'

'Natuurlijk!' Connor maakte bereidwillig aanstalten haar op te tillen. 'Cheng Li, kun je me even helpen?'

Samen hielpen ze haar overeind. Met haar armen om hun schouders liet ze zich naar de jacaranda helpen.

'Ik schaam me dood!' zei Grace.

'Welnee. Je hoeft je nergens voor te generen.' Cheng Li schudde haar hoofd. 'Het is bloedheet. Dus het had ons allemaal kunnen gebeuren. Alsjeblieft.' Cheng Li haalde een fles water uit haar rugzak. 'Je moet wat drinken.'

'Bedankt.' Grace pakte de fles van haar aan. Cheng Li en Connor keken aandachtig toe terwijl ze een slok nam. Het koude water deed haar goed. 'Ik voel me alweer een stuk beter,' zei ze. 'Dus ik blijf hier gewoon een tijdje zitten. Lopen jullie maar verder.'

Cheng Li legde haar hand op het voorhoofd van Grace. 'Je voelt nog altijd een beetje warm. Connor en ik gaan verder, maar over uiterlijk een uur komen we weer bij je kijken.' Grace knikte, niet onder de indruk van Cheng Li's onderzoekende blikken. Het enige waaraan ze behoefte had, was een beetje rust. Dat was alles.

Zodra Cheng Li en Connor weg waren, schoof Grace nog wat dieper onder de takken van de jacaranda. Toen ze met haar armen langs de trompetvormige bloemen streek, gaven die nog meer van hun zoete geur af. Vanuit haar veilige cocon keek ze naar de haven, waar kapitein Avery er eindelijk in was geslaagd zijn pupillen met hun boot uit de aanlegplaatsen te krijgen, zodat ze inmiddels koers zetten naar de havenmuur. Terwijl haar blik op het glinsterende water rustte, had ze een gevoel alsof ze begon weg te zinken. Het was hetzelfde gevoel als vlak voordat ze in elkaar was gezakt. Nu vocht ze er niet tegen, maar gaf ze zich eraan over. Ze sloot haar ogen, voelde dat haar lichaam opnieuw verslapte. Anders dan die eerste keer wist ze haar val nu op te vangen door op de bank te gaan liggen, voordat ze opnieuw het bewustzijn verloor. Het duurde niet lang of ze had het gevoel dat ze dreef op iets wat meer meegaf dan de houten bank – misschien was het de oceaan wel.

Ze hield haar ogen gesloten, maar ondanks dat zag ze dat ze razendsnel, met een uitzinnig aantal knopen, door de lucht reisde – over de kade, de haven, naar de havenmuur en onder de toegangsboog door, naar de open zee daarachter.

De snelheid waarmee ze zich bewoog, was opwindend en duizelingwekkend tegelijk. De ruige kustlijn raasde voorbij als een vage penseelstreek, de zon maakte plaats voor wolken en regen, maar keerde ten slotte weer terug. Ze haalde diep adem en liet zich willoos door dit vreemde tij meevoeren, zich afvragend of deze reis haar angstig of opgewonden zou moeten stemmen.

Uiteindelijk bereikte ze het punt waarop ze elk gevoel van snelheid verloor en terechtkwam in een zachte, witte mist, waarin ze geen hand voor ogen kon zien. De bedwelmende sensatie maakte plaats voor een diep gevoel van rust, van kalmte. Ze voelde zich veilig. Ze wist om onverklaarbare redenen dat er voor haar werd gezorgd, dat ze werd vastgehouden, dat ze werd geleid door onzichtbare handen. Dus ze wachtte rustig af.

Geleidelijk aan trok de mist op, en ze was precies waar ze had gehoopt dat ze zou zijn: op het dek van het vampiratenschip. Hoewel ze op het dek stond, kon ze de houten planken onder haar voeten niet voelen, noch de wiegende beweging van het schip. Daardoor begreep ze dat ze er niet écht was – tenminste, niet in de normale betekenis van het woord. Grace dacht aan Darcy, die haar had opgezocht in haar hut aan boord van de *Diablo*. Op de een of andere manier was zij er ook in geslaagd een dergelijke reis te maken. Geen fysieke reis, maar een reis in de geest. Hoe had ze dat gedaan? En hoe kwam ze straks weer terug? Ze besloot de vragen voor later te bewaren en alleen maar te genieten van het feit dat ze hier was.

Het was dag, dus het dek lag er verlaten bij, precies zoals ze op dit uur zou hebben verwacht. Even bleef ze staan, onder de donkere zeilen van het schip, die haar opnieuw aan vleugels deden denken. Een krachtige bries deed ze bollen. Grace strekte haar hand uit naar het vreemde, leerachtige materiaal. Maar ze kon het niet aanraken – net zomin als Darcy iets had kunnen aanraken tijdens haar bezoek aan de *Diablo*. Haar vingers gingen dwars door het zeil heen, alsof het een hologram was. Toch schoot er een vonk van licht door de aderen in het zeil terwijl ze dat deed. Grace zag het licht steeds hoger klimmen, vonkend en schitterend als vuurwerk. Ze was vervuld van verwondering en verrukking. Wat was het heerlijk om terug te zijn!

Ze liep over de vertrouwde rode planken van het dek naar de uiterste punt van het schip. Onder haar verhief Darcy – overdag het schitterende houten boegbeeld van het schip – zich boven de golven, met haar grote, geschilderde ogen naar de horizon starend. Grace boog zich over de reling, maar een onzichtbare barrière maakte het haar onmogelijk deze aan te raken. De krachtige wind blies het haar in haar gezicht. Ze streek het weg en keek neer op het volmaakt geschilderde haar van het boegbeeld.

'Hallo, Darcy!' riep ze, zich afvragend of haar vriendin haar zou kunnen horen boven het gebulder van de wind en het luidruchtige geklapper van de zeilen uit.

'Grace!' Bij het horen van Darcy's volkse accent maakte haar hart een sprongetje van vreugde. 'Grace, je bent teruggekomen. Dat had je niet moeten doen. Ik heb je toch gezegd dat je dat niet moest doen... Maar ik ben wel blij dat je er bent!'

'Ik ook.' Grace kreeg plotseling een brok in haar keel. 'Hoe gaat het met je? En met de anderen?'

Het bleef even stil. Toen klonk er iets wat leek op een snik, maar misschien was het slechts het klotsen van het water tegen het schip.

'Het gaat steeds slechter, Grace. Met alles.'

'Hoe komt dat dan? Wat is er gebeurd?'

'Dat... Dat is niet aan mij om je dat te vertellen, Grace. Bovendien kan ik amper horen wat je zegt. Overdag is mijn hoofd gevuld met het geluid van de golven. Tot het donker wordt, zijn mijn oren en mijn mond van hout, dus dan valt het niet mee om te praten. Bovendien was de kapitein razend toen hij erachter kwam dat ik bij je op bezoek was geweest. Ik heb hem nog nooit zo boos gezien.'

'Hoezo? Waarom was hij zo boos?' vroeg Grace.

'Hij zei dat we je met rust moeten laten. Dat dit schip een plek is voor wezens zoals wij, niet voor meisjes zoals jij. Hij zegt dat we je vrij moeten laten, zodat je verder kunt met je leven.'

'Hoe kan dat nou?' vroeg Grace. 'Hoe zou ik verder kunnen met mijn leven, wanneer ik weet dat jullie in moeilijkheden zijn... Dat Lorcan in moeilijkheden is?'

'Dat heb ik ook gezegd,' zei Darcy. 'Maar hij werd steeds bozer, en uiteindelijk heeft hij me zijn hut uit gegooid. Hij zei dat ik... dat ik een lastpost was. Niets anders dan een ergerlijk stuk...' Ze snikte. 'Een ergerlijk stuk drijfhout!'

Grace reageerde geschokt. Ze had nooit gedacht dat de kapitein zo wreed kon zijn. Met een huivering vroeg ze zich af wat hij zou zeggen wanneer hij erachter kwam dat ze naar het schip was teruggekeerd. Sterker nog, misschien wist hij dat al. Er gebeurde aan boord maar weinig waar hij zich niet van bewust was. Hoeveel tijd had ze nog?

'Darcy, ik ga even kijken hoe het met Lorcan is.'

'Oké, Grace. Maar wees voorzichtig!'

'Hoezo?'

'Gewoon, ik wil dat je voorzichtig bent.'

Grace kreeg diep vanbinnen een gevoel van dreigend onheil. Maar wat had het voor zin om hier te komen, als ze niet ging kijken hoe het met Lorcan was? 'Ik zie je nog wel, Darcy.' Met die woorden liep ze terug over het dek.

De deur naar de hut van de kapitein was dicht, zag ze toen ze erlangs liep en in plaats daarvan de deur opendeed die naar de hoofdgang leidde. De lichten brandden, – zij het gedempt – en ze liep zachtjes en op haar hoede naar Lorcans hut. Toen ze de hoek omsloeg, zag ze een paar gezichten die ze niet kende: een lange, goedgebouwde zwarte man met kort zilvergrijs haar, en een man die aanzienlijk tengerder was en er een beetje mismaakt uitzag. Zijn hoofd was bedekt met een monnikskap. Ze zag vrijwel meteen dat het vampiers waren, geen donors. De twee mannen waren in druk gesprek gewikkeld en leken haar niet op te merken, zelfs niet toen ze in de smalle gang in het voorbijgaan langs hen streek. Heel vreemd allemaal!

Voor Lorcans hut bleef ze staan, plotseling nerveus. Ze moest al haar moed verzamelen om op te deur te kloppen, maar het lukte haar niet contact te maken met het hout. Ondanks dat ging de deur wel open. Ze ging naar binnen, waar totale duisternis heerste.

'Hallo?' Het kostte haar ogen moeite zich aan te passen aan de duisternis.

Het bleef even stil. 'Lang niet gezien,' zei toen een vertrouwde stem.

'Lorcan!' zei ze, overweldigd door emoties, maar ze deed haar uiterste best zich er niet door te laten meeslepen. 'Wat heerlijk om je stem te horen!'

'Ja, zeg dat wel. Ik vind het ook heerlijk om jou weer te horen. Hoe is het ermee?'

'Goed. Heel goed. Alleen, ik mis jullie. Jullie allemaal. Ik mis jullie echt verschrikkelijk.'

'Wij missen jou ook, Grace.'

Zijn stem stierf weg.

Haar ogen waren inmiddels gewend aan de duisternis, maar het enige wat ze kon onderscheiden waren de omtrekken van zijn hoofd en zijn lichaam. Door de gordijnen om het hemelbed was het moeilijk erin te kijken. Ze liep eromheen, maar ze had het gevoel dat hij voortdurend zijn gezicht afgewend hield, alsof hij niet wilde dat ze hem zag. Aarzelend ging ze op de rand van het bed zitten. Net als Darcy, die had geprobeerd op háár bed te gaan zitten, merkte Grace dat ze zweefde. Niet dat het niet comfortabel was, maar ze hing een klein stukje boven het bed.

'Darcy zei dat jullie het sinds mijn vertrek erg moeilijk hebben.'

'Soms zou Darcy beter moeten nadenken en er niet meteen alles uit moeten flappen.' De opgewekte toon was abrupt uit zijn stem verdwenen.

'Hoor eens, Lorcan, als er problemen zijn, dan wil ik dat weten. Omdat ik jullie wil helpen.'

'Ach, Grace. Je bent zo lief.' Zijn stem klonk inmiddels vermoeid. 'Maar ik ben bang dat je ons niet kunt helpen. Zelfs de kapitein heeft het moeilijk. Zijn gezag is nog nooit zo zwaar op de proef gesteld.'

'Wat bedoel je? Heeft het soms te maken met de rebelse vampiraten?'

'Wat weet jíj daar nou weer van?'

'Dat heb ik van Darcy gehoord. Dat Sidorio niet de énige vampiraat was die in opstand kwam tegen de kapitein, maar de éérste. Dat anderen niet meer naar hem luisteren. Ze willen meer bloed, meer Feestmalen.'

'Grace, dit zijn dingen waar jij je niet mee moet bemoeien. Waar je niet eens aan moet denken!'

Draaide hij zich nou eindelijk maar eens naar me om, dacht ze. Het zou al een stuk schelen als hij een kaars aanstak. 'Maar ik wil jullie helpen,' zei ze. 'Jullie zijn zo goed voor me geweest. Jullie allemaal... maar vooral jij en de kapitein.'

'Je doet er verstandig aan ons zelf onze eigen weg te laten zoeken,' zei Lorcan somber, bijna verslagen. 'Je bent hier nooit meer dan een bezoeker geweest, dus wat weet je nou helemaal van onze wereld?'

'Dat klopt, maar ik wil er dolgraag meer van weten.'

'Dat is te gevaarlijk. Je hebt al dichterbij weten te komen dan enige sterveling. Ik weet niet hoe het je is gelukt terug te komen... Op deze manier.'

Grace haalde diep adem. Had ze het met haar wilskracht gedaan, vroeg ze zich af. 'Volgens mij is me dat gelukt omdat ik oprecht om jullie geef.' Haar stem brak.

Lorcan zuchtte. 'Daar moet je dan mee ophouden, Grace. Je moet ons loslaten.'

'Maar hoe dan? Hoe moet ik dat doen? Moet ik alle gevoelens die ik heb, gewoon maar verdringen? Moet ik jullie vergeten, uit mijn hoofd zetten?'

'Ja.' Zijn stem klonk steeds zwakker, en het verlangen hem te kunnen zien werd bijna ondraaglijk.

'Lorcan, heb je een kaars? Het is hier zo donker. Als je misschien een kaars zou kunnen aansteken...'

'Nee, Grace,' zei hij plotseling heftig. 'Geen kaarsen! Dat is het verschil tussen ons. Ik heb geen licht nodig, maar duisternis.'

'Lorcan, praat alsjeblieft niet zo. Ik dacht dat je blij zou zijn om me te zien.'

Zijn enige antwoord was een zucht. Het was bijna alsof praten een te grote inspanning was.

'Lorcan, ben je zelfs niet een heel klein beetje blij om me te zien?'

Er kwam nog altijd geen antwoord.

Plotseling was de kamer gevuld met rook. Nee, het was te koud om rook te zijn. Het was de mist die terugkwam. En hoezeer ze zich er ook tegen verzette, hij werd alleen maar dichter en dichter. Gefrustreerd en wanhopig maaide Grace met haar armen, vechtend tegen het scherm dat haar scheidde van haar geliefde Lorcan.

Maar het was zinloos. Ze was nooit meer dan een bezoeker geweest, en hoe ze hier ook was gekomen, ze had het niet onder controle om te blijven. De mist nam bezit van haar, drong in haar oren en haar neus, vertroebelde haar gezichtsvermogen. Toen was ze weer onderweg, deze keer achteruit. Licht als de veer van een zeemeeuw vloog ze van het dek van het schip en werd meegetrokken over de oceaan. Rotsen, riffen en lagunes raasden voorbij, slechts vaag te onderscheiden, zodat het haar duizelde. Ten slotte werd het weer donker om haar heen, donker en stil, en ze rook een bedwelmende geur die haar weliswaar vertrouwd was, maar die ze niet meteen kon plaatsen.

Toen ze haar ogen opendeed, zag ze dat alles blauw was om haar heen. Als vanzelf ging ze terug naar haar allereerste momenten op het vampiratenschip, toen ze in de intens blauwe ogen van Lorcan Furey had gekeken. Maar dit blauw was anders. Naarmate haar ogen beter focusten, onderscheidde ze trompetvormige, blauwe bloemen. Ineens wist ze het weer. Ze lag op de bank onder de jacaranda. Zuchtend werkte ze zich overeind, verwonderd over de vreemde reis die ze had gemaakt. Was ze echt op het schip geweest of had ze het zich alleen maar verbeeld? Het had allemaal zo echt geleken.

'Grace.'

De stem klonk zacht maar dichtbij. Ze draaide haar hoofd om.

Cheng Li zat naast haar en hield een soort kleine zak boven haar voorhoofd.

'Ik heb een ijszak voor je meegebracht,' zei ze. 'Volgens zuster Carmichael zou dat je goeddoen. Ze zei dat ik je naar je kamer moest brengen, zodat je even kon rusten. Denk je dat je daarheen kunt lopen, steunend op mij?'

Grace werkte zich overeind. Eigenlijk voelde ze zich best redelijk, alleen nogal geschokt en verward; haar hoofd tolde van de onbeantwoorde vragen.

'Ik kan prima lopen.'

'Oké.' Cheng Li pakte haar hand. 'Kom mee dan.' Even stonden ze oog in oog. 'En onderweg kun je me vertellen wat er aan de hand is.'

'Wat bedoel je?' Grace keek haar geschrokken aan.

'Je hebt in elk geval géén zonnesteek, Grace,' zei Cheng Li. 'Er is iets veel ingewikkelders aan de hand. En ik weet zeker dat je je een stuk beter voelt als je het vertelt. Het is niet goed om met geheimen rond te lopen. Die knagen aan je. Ze vreten je vanbinnenuit op.'

Grace huiverde toen ze zich voorstelde hoe alle geheimen uit haar tijd op het vampiratenschip diep vanbinnen aan haar knaagden. Ze had inderdaad het gevoel alsof er iets aan haar vrat. En dan waren er ook nog de nieuwe geheimen; geheimen die zelfs Connor niet kende – zoals het feit dat ze contact kon maken met het vampiratenschip en erheen kon reizen, dat wil zeggen, in de geest.

Cheng Li glimlachte toegeeflijk en schoof haar arm door die van Grace. 'Kijk maar niet zo angstig, kindje. Ik zal je heus niet dwingen. Als je het me niet wilt vertellen, als je nog altijd denkt dat je me niet kunt vertrouwen, dan vind ik dat ook prima.' Haar rookgrijze ogen keken Grace onderzoekend aan, leken dwars door haar heen te kijken. 'Ik kan heel goed luisteren, Grace, al zeg ik het zelf. Dus wanneer je alsnog besluit dat je erover wilt praten, heb je aan mij een goeie.'

Kon ze haar vertrouwen, vroeg Grace zich af. Het zou zo'n opluchting zijn om haar geheimen te delen. En Cheng Li was tot op dat moment altijd aardig voor haar geweest.

'Dank je wel,' zei Grace terwijl ze begonnen te lopen. 'Ik zal het in gedachten houden.'

Ze liepen zwijgend de heuvel op. Ondanks het feit dat ze uitgeput was, voelde Grace zich uitgelaten door haar eerste reis terug naar het vampiratenschip. Bovendien voelde ze zich gesterkt door de gedachte dat ze haar hart zou kunnen luchten bij Cheng Li als ze dat wilde. Ze snakte ernaar om met iemand te kunnen praten, al was het maar om een klankbord te hebben voor de vragen waar ze mee worstelde. Maar haar gedachten bleven met de hardnekkigheid en de dreiging van een school haaien terugkeren naar die ene vraag: kon ze Cheng Li vertrouwen?

Bij de deur van Grace' kamer gekomen nam Cheng Li afscheid. 'Ga even liggen, Grace. Het is wel duidelijk dat je gesloopt bent door wat je hebt meegemaakt, wat dat ook geweest mag zijn. Maar vanavond wil je je beste beentje voor kunnen zetten bij de kapiteins.' Ze klopte Grace op de schouder, wendde zich af en wilde al weglopen.

'Wacht even!' zei Grace, heftiger dan haar bedoeling was geweest. Cheng Li draaide zich om, één wenkbrauw verrast opgetrokken. Grace haalde diep adem. 'Kom even mee naar binnen,' zei ze. 'Er zijn inderdaad dingen waar ik graag over wil praten.'

Cheng Li knikte, plotseling heel ernstig. 'Ik beschouw je vertrouwen als een enorm geschenk. En het spreekt uiteraard vanzelf dat alles wat je me vertelt onder ons blijft.'

De goede luisteraar

TOEN GRACE EENMAAL BEGON te praten, was ze zelf verbaasd hoe gemakkelijk het haar viel om Cheng Li over de vampiraten te vertellen. Eigenlijk was het een enorme opluchting om eindelijk eens met iemand anders dan Connor te praten. Haar broer was altijd veel te beschermend geweest en had meteen zijn oordeel klaar gehad – over alle vampiraten, niet één uitgezonderd – zonder zelfs maar te proberen een beetje begrip voor hen op te brengen.

Anders dan Connor viel Cheng Li haar niet in de rede met haar eigen mening. In plaats daarvan luisterde ze aandachtig, waarbij ze slechts af en toe iets vroeg om duidelijkheid te krijgen. Maar het grootste deel van de tijd was Grace aan het woord en Cheng Li luisterde, bemoedigend knikkend en Grace aanmoedigend steeds meer van haar ervaringen te delen.

Toen ze op de wekker naast het bed keek, zag Grace dat ze al meer dan anderhalf uur aan het woord was. En ze had nog lang niet alles verteld. Aanvankelijk had ze haar meest extreme ervaringen buiten haar verhaal willen houden, maar wie A zei moest ook B zeggen, besloot ze. Als ze Cheng Li in vertrouwen nam en wilde dat die haar hielp, zou ze ook alles moeten vertellen. Want óf je vertrouwde iemand volledig, óf je vertrouwde hem niet.

En dus vertelde ze alles, van haar aankomst op het schip tot haar ontdekking dat Lorcan – die lieve, aardige Lorcan – geen jongen was van zeventien, maar een vampier die zevenhonderdnegen jaar geleden was geboren! Ze vertelde Cheng Li hoe ze haar hut uit was geglipt om de vampiratenkapitein ter verantwoording te roepen, die allesbehalve het monster bleek te zijn dat ze had verwacht. En ze deed uitvoerig verslag van het Feestmaal en de donors en haar gruwelijke ontmoeting met Sidorio.

'Die man klinkt fascinerend!' zei Cheng Li. 'Angstaanjagend maar tegelijkertijd fascinerend. Waar zou hij zijn gebleven?'

'Dat durf ik me nauwelijks af te vragen,' antwoordde Grace. 'Toen de kapitein hem van het schip verbande, hoopte ik dat hij simpelweg zou verdwijnen. Dat we hem nooit meer terug zouden zien. Maar ik heb zo'n gevoel dat hij weer ergens opduikt. Bovendien zijn er inmiddels ook anderen op het schip die tegen de kapitein in opstand komen. Ik zou zo graag willen dat ik iets kon doen; dat ik kon helpen!'

'Maar, Grace, wat zou je kúnnen doen?'

Dat was de vraag waar het om draaide. Grace dacht ingespannen na. 'Ik weet het niet,' zei ze ten slotte. 'Ik weet het echt niet. Maar ik heb gewoon zo'n gevoel, diep vanbinnen, dat ik zou kunnen helpen. En dat wil ik ook echt! Tenslotte ben ik voor een groot deel verantwoordelijk voor wat er nu gebeurt.'

'Hoezo, waarom zou jij daar verantwoordelijk voor zijn?'

'Sidorio is weggestuurd omdat hij mij aanviel. Als ik niet aan boord was geweest, was het misschien nooit zo ver gekomen.'

Cheng Li schudde haar hoofd. 'Dat is onzin, Grace,' zei ze. 'Je moet wel eerlijk blijven tegenover jezelf. Sidorio is niet alleen van boord gestuurd omdat hij jou had bedreigd en in je hut gevangen had gehouden. Hij had zijn donor vermoord! Of ben je dat alweer vergeten? Daarmee had hij openlijk het gezag van de kapitein getart. Ik heb genoeg gehoord om te weten dat de kapitein hem daarvoor hoe dan ook zou hebben weggestuurd, of jij nou wel of niet aan boord was geweest.'

Grace voelde een enorme opluchting door wat Cheng Li zei, maar toen kreeg haar somberheid weer de overhand. 'Dat mag dan misschien waar zijn, maar hoe zit het dan met Lorcan?'

Ze vertelde Cheng Li dat Lorcan haar in bescherming had genomen toen Connor en de piraten aan boord waren gekomen om haar te bevrijden; dat hij aan dek was gebleven, ook nadat de Ochtendklok was geluid. En toen deed ze verslag van haar twee geheimzinnige visioenen waarin Lorcan een rol had gespeeld, en van de merkwaardige manier waarop hij zich had gedragen toen ze op haar 'droomreis' bij hem in zijn hut was geweest.

'Tja, ik besef dat je dit liever niet wilt horen, maar je hebt gelijk,' zei Cheng Li. 'Het klinkt inderdaad alsof Lorcan een beschadiging aan zijn ogen heeft opgelopen doordat hij te lang in het daglicht is gebleven.'

'En dat is dan mijn schuld,' zei Grace.

'Je bent veel te hard voor jezelf. Tenslotte kende hij de gevaren, Grace. Hij moet hebben geweten wat hij deed. Het was zijn eigen keuze...'

'Ja, omdat hij mij wilde beschermen!'

'Toch was het zijn eigen keuze.'

Ze zwegen geruime tijd en dachten na over elkaars woorden. Ten slotte verbrak Cheng Li de stilte. 'Bij je laatste bezoek aan het schip, wat voor indruk had je toen van zijn ogen?'

Grace schudde haar hoofd. 'Ik kon ze amper zien. Het was donker in de hut, en hij hield zijn hoofd afgewend, verborgen achter de bedgordijnen.' Ze glimlachte spijtig. 'Het leek wel of ík problemen had met mijn ogen.'

'Grace, de reis naar het schip heeft je overrompeld – en dat is maar al te begrijpelijk. Je hebt er goed aan gedaan, maar voor je eigen geruststelling zou je de volgende keer dat je erheen gaat, meer vragen moeten stellen. Probeer erachter te komen hoe het zit met Lorcans ogen. Probeer uit te vinden wat je kunt doen om je vrienden op het schip te helpen. Misschien kunnen zij je dat vertellen. Sterker nog, misschien is dat wel de reden waarom ze je terugroepen.'

Grace keek Cheng Li verwonderd aan. 'Denk je echt dat zíj mij terugroepen?'

'Natuurlijk. Denk jij van niet? Eerst komt Darcy bij je langs, en vervolgens krijg je twee visioenen over Lorcan...'

'Maar dat kwam door de ring,' hielp Grace haar herinneren. 'Ik had mijn hand op de Claddagh-ring gelegd, die werd warm, en toen kreeg ik de visioenen. Trouwens, vlak voordat Darcy kwam, werd de ring ook warm. Ik voelde me doodellendig. En toen ik mijn ogen opendeed, was ze er ineens.'

Cheng Li dacht even na. 'Dus het eerste contact dat je legde nadat je van boord was gegaan, kwam tot stand door Lorcans Claddagh-ring? Door de ring aan te raken riep je als het ware een reactie op van je vrienden op het schip?'

Grace knikte.

'Ik weet zeker dat ze het zo hebben gewild,' zei Cheng Li. 'Sterker nog, ik weet zeker dat Lorcan je daarom die ring heeft gegeven.'

'Door die ring zou ik altijd een stukje van hem bij me hebben wanneer ik weg was, zei hij. En hij zei ook dat ik er goed op moest passen tot we elkaar terug zouden zien.'

'Zie je nou wel!' Cheng Li keek haar triomfantelijk aan. 'Hij heeft je bijna met zoveel woorden gezegd wat je kon verwachten. Het was zijn manier – en die van de vampiraten – om met je in contact te blijven.' Ze zweeg even, en het was duidelijk dat er een nieuwe gedachte bij haar opkwam. 'Toen je naar het schip ging – op die droomreis, zullen we het maar noemen, of die astrale reis – heb je de ring toen aangeraakt om dat voor elkaar te krijgen? Werd hij warm, net als die andere keren?'

Grace schudde haar hoofd. 'Ik geloof niet dat de ring er die keer ook maar iets mee te maken had.'

'Fascinerend. Volgens mij duidt dat erop dat jullie band sterker wordt. Blijkbaar hebben ze de ring alleen maar gebruikt om je aandacht te trekken, om je als het ware voor te bereiden. Maar inmiddels...'

'Ja?' Grace was benieuwd naar de gedachtegang van Cheng Li.

'Inmiddels lijkt het erop dat ze er klaar voor zijn om je met nog meer kracht terug te roepen.'

'Dus ik hoef alleen maar af te wachten?'

Cheng Li dacht even na. 'Laten we een experiment doen, oké? Leg je hand op de ring.'

Grace nam de ring tussen duim en wijsvinger. 'Hij is koud,' zei ze.

'Blijf hem vasthouden,' zei Cheng Li. 'Zodra hij warm begint te worden, moet je het zeggen.'

Grace hield de Claddagh-ring tussen haar vingers, zoals ze dat al zo vaak had gedaan. Cheng Li sloeg haar gade. 'Voel je al iets?' vroeg ze na een paar minuten.

Grace schudde haar hoofd.

'Oké. Volgens mij heeft de ring geen functie meer. Je moet inderdaad afwachten tot ze je roepen. Maar zorg dat je erop voorbereid bent. Want het kan elk moment gebeuren.'

'Maar hoe krijg ik het voor elkaar om écht terug te komen op het schip?' vroeg Grace.

'Dat moet je mij niet vragen, maar hun!' Cheng Li glimlachte. 'De volgende keer dat je op het schip bent, moet dat je eerste vraag zijn.'

Grace knikte. Dat sneed hout.

'Het is al laat,' zei Cheng Li. 'Het is fascinerend wat je allemaal hebt verteld, Grace, maar nu moet je proberen nog wat te rusten voor het diner. Later praten we verder. Ondertussen blijf ik erover nadenken. Als je met me wilt praten, dan hoef je het maar te zeggen. Wanneer je maar wilt.'

'Dank je wel,' zei Grace. 'Bedankt voor het luisteren.'

'Nee, Grace. Ik ben degene die jou moet bedanken, voor je vertrouwen. Dat betekent heel veel voor me.' Ze liep glimlachend naar de deur. Daar bleef ze nog even staan. 'Ik zou hierover zo min mogelijk tegen de andere kapiteins zeggen. Ze zullen ongetwijfeld geïnteresseerd zijn in jullie achtergrond, maar wanneer ze daarnaar vragen, zou ik de vampiraten buiten mijn verhaal houden als ik jou was. Niet iedereen is zo ruimdenkend als ik.'

Grace knikte. Cheng Li stond nog altijd bij de deur en keek haar aan met een merkwaardige uitdrukking in haar ogen.

'Wat is er?' vroeg Grace. 'Waar denk je aan?'

'Ik sta te denken dat ik het meest fascinerende van dit hele verhaal de band vind die je voelde – die je nog steeds voelt – met de opvarenden van dat schip. Ieder ander zou blij zijn geweest dat hij had weten te ontsnappen; dat hij het er levend af had gebracht. Maar jij... jij zou niets liever willen dan teruggaan.'

'Natuurlijk!' zei Grace. 'Zou jij dat dan niet willen?'

Cheng Li dacht even na. 'Wil je een eerlijk antwoord? Ik weet het niet. Ik ben een doordouwer, Grace. Er is weinig waardoor ik me laat ontmoedigen. Net als jij ben ik nieuwsgierig naar de wereld en zijn mysteries. Maar of ik vrijwillig het gevaar zou opzoeken... Dat weet ik niet.' Ze zweeg even. 'Toen ik je broer ooit naar je vroeg, begreep ik uit de manier waarop hij over je sprak, dat je een heel bijzonder iemand moest zijn.'

Grace bloosde van verrassing en blijdschap.

'En nu ik je heb leren kennen, weet ik dat hij gelijk had, Grace Tempest.' Met die woorden glipte ze ten slotte glimlachend de gang op.

Grace was doodop, van de reis, van het vele praten, en van de opluchting dat ze haar geheimen eindelijk met iemand had kunnen delen. Terwijl de deur achter Cheng Li in het slot viel, liet ze zich op het bed vallen, en haar hoofd had het zachte kussen nog niet geraakt of ze was al in diepe slaap.

Aan tafel met de kapiteins

PRECIES OM HALFACHT KLOPTE Jacoby Blunt op de deur van de kamer van commodore Kuo.

'Binnen,' riep de rector.

Jacoby deed de deur open en liet Grace en Connor voorgaan. Toen volgde hij hen de kamer binnen.

'Goedenavond allemaal.' Commodore Kuo keek op van zijn bureau, nog druk aan het werk. Hij droeg dezelfde kleren als eerder op de dag. Alleen had hij nu een brilletje op zijn neus gezet.

'Ik kom zo bij jullie.' Hij verdiepte zich weer in het document dat voor hem lag. Blijkbaar was hij tevreden met wat hij las, want hij zette met een zwierig gebaar in turkooisblauwe inkt zijn handtekening en legde het document in zijn bakje met uitgaande stukken. Toen draaide hij de dop op zijn pen, zette zijn bril af en legde pen en bril op het bureau.

'Het werk van een rector is nooit af,' zei hij, terwijl hij zijn stoel naar achteren schoof en opstond van achter zijn onberispelijk geordende bureau. 'Vlug, laten we zorgen dat we hier wegkomen voordat zich weer iets voordoet wat mijn aandacht vereist.'

Hij trok een smokingjasje aan over zijn vest en schonk Grace en Connor een stralende glimlach. 'Ik neem aan dat jullie hebben genoten van jullie eerste middag op de Academie?'

'Nou en of!' zei Connor. 'We zijn overal geweest. Het was geweldig. Ik heb een lange wandeling om de haven gemaakt, en we hebben het Bloedbad met het oefenschip gezien. En daarna ben ik gaan zwemmen in het zoetwaterbassin. Het was echt geweldig!'

'Mooi. Daar ben ik blij om,' zei de commodore. 'En jij, Grace? Heb jij ook een beetje genoten?'

Grace bloosde en dacht aan de goede raad van Cheng Li om terughoudend te zijn met informatie. 'Ja, het is allemaal schitterend,' zei ze, in de hoop dat ze het daarbij kon laten. En blijkbaar kon dat. Tenminste, voor dat moment.

'Goed zo.' De commodore ging hun voor naar de openslaande deuren aan de andere kant van zijn kamer. 'Het is zo'n mooie avond, dus ik vond dat we maar op het terras moesten eten.' Hij deed de deuren open, en onmiddellijk werden ze overspoeld door een golf van geroezemoes en gepraat. Blijkbaar zat de rest van het gezelschap al op hen te wachten.

'Nu kunnen we niet meer terug,' fluisterde Jacoby, die achter de tweeling liep.

De commodore stapte naar buiten, het terras op, gevolgd door Grace, Connor en Jacoby. Er stond een lange tafel met brandende kaarsen. De tafel leek haast te bezwijken onder een overdaad aan eten; van bergen koningsgarnalen tot schalen met schoongemaakte krab en kreeft. Op hete platen pruttelden curry-, rijst- en noedelschotels die een verrukkelijke geur verspreidden.

De andere leraren zaten al aan tafel, genietend van een glas wijn en op canapés knabbelend. Er waren nog vier lege stoelen, zag Connor – twee aan het hoofd, en twee aan het andere eind. Precies genoeg voor de rector, Jacoby, Grace en hemzelf.

'Jacoby. Als jij hier gaat zitten, stel ik ondertussen Connor en Grace aan iedereen voor,' merkte de commodore op.

Jacoby deed wat hem werd gezegd. Tegelijkertijd klapte Kuo in zijn handen. 'Mag ik even de aandacht?'

Tien mannen en vrouwen keerden zich naar hen toe. De meesten zwegen en keek vol belangstelling naar de tweeling. Een van de vrouwen kon het niet laten haar gesprek af te maken.

'... zeker níét in mijn tijd. Het is complete onzin als je het mij vraagt.'

Commodore Kuo schonk haar een brede grijns. 'Kapitein Quivers, ik popel van nieuwsgierigheid om te weten waar je het over hebt.'

'Dat geloof ik graag.'

'Nou, misschien kunnen we daar dan straks op terugkomen. Maar eerst wil ik jullie voorstellen aan Grace en Connor Tempest.'

Aan beide kanten van de tafel werd welwillend geknikt en geglimlacht. Toen begon commodore Kuo te klappen. Het applaus werd overgenomen door de leraren aan tafel, zij het niet door iedereen met hetzelfde enthousiasme. Het ontging Grace niet dat kapitein Quivers als laatste begon mee te klappen en het ook niet erg lang volhield. Ze wenste vurig dat de anderen zich even weinig enthousiast hadden getoond. Dit begon gênant te worden! Connor was duidelijk aanzienlijk minder in verlegenheid gebracht, zag ze. Sterker nog, hij zag eruit alsof hij genoot van alle aandacht.

'Zoals jullie ongetwijfeld weten, is de tweeling Tempest hier deze week te gast,' vervolgde commodore Kuo. 'Meesteres Li heeft hen namens ons uitgenodigd, en Connor en Grace hebben ermee ingestemd hun plichten aan boord van de *Diablo* gedurende een week te verzaken om een kijkje op de Academie te nemen. Ik ben ervan overtuigd dat we Molucco Wrathe allemaal erg dankbaar zijn voor het feit dat hij deze jonge piraten verlof heeft gegeven om aan wal te gaan.'

'Op Molucco!' riep kapitein Quivers uitbundig, en ze hief zo onstuimig haar glas, dat de wijn over de rand klotste en op het smetteloze tafelkleed viel. 'Oeps!'

'Inderdaad,' viel de commodore haar onverstoorbaar bij. 'Op

Molucco.' Hij hief grinnikend zijn glas en nam vervolgens opnieuw het woord.

'Het lijkt me hoog tijd om toe te tasten. Het ziet er allemaal heerlijk uit. Maar, voordat we dat doen, zou ik jullie graag persoonlijk willen voorstellen.'

Hij legde een hand op de schouder van ieder van de tweeling en begon de aanwezige kapiteins te introduceren.

'Grace, Connor... dit is kapitein René Grammont, in het verleden gezagvoerder op de *Troubadour*...'

'*Bonsoir, Monsieur et Mademoiselle Tempest.*' Kapitein Grammont knikte formeel in de richting van de tweeling.

'Naast René zit kapitein Francisco Moscardo, van de *Santa Anna* en de *Inferno*...'

'*Buenos noches*, Grace en Connor.'

'Dan komen we bij kapitein Lisabeth Quivers,' vervolgde de commodore. 'Ooit aan het roer van de *Passiebloem*.'

'Hallo, Grace. Hallo, Connor. Het is me een waar genoe...'

'En naast haar kapitein Pavel Platonov van de *Moskoviet*.'

'*Dos vadanya*.' Kapitein Platonov stond op en maakte een overdreven diepe buiging, wat voor kapitein Quivers aanleiding was tot een vluchtige glimlach, zag Grace.

'Ik hoop dat jullie het allemaal nog kunnen bijhouden,' zei commodore Kuo lachend. 'Naast hem hebben we kapitein Apostolos Solomos van de *Seferis*.'

'*Kalispera*, Connor en Grace.' Kapitein Solomos schonk hun een brede grijns.

'En dan komen we bij meesteres Li, maar die hoef ik niet aan jullie voor te stellen.' Cheng Li knikte hen formeel toe. Uit niets bleek dat Grace en zij die middag zo vertrouwelijk met elkaar hadden gesproken. Daar was Grace blij om. Het was duidelijk dat Cheng Li haar rol speelde, opdat niemand ook maar iets zou vermoeden. 'Meesteres Li heeft weliswaar nog niet als kapitein op de brug gestaan, maar ik ben ervan overtuigd dat haar carrière net zo illuster zal zijn als die waarop de hier aanwezigen kunnen terugkijken. Sterker nog, ik zou zelfs zo ver willen gaan om te zeggen dat ze sommigen van ons voorbij zal streven.'

'Daar sluit ik me volledig bij aan!' riep de vrouw die naast Cheng Li zat.

'Mag ik jullie voorstellen, kapitein Kirstin Larsen van de *Krönborg Slot*.'

Grace had nog nooit zulk witblond haar gezien. Het stak af tegen een diep gebronsde huid en ogen zo blauw als een bergmeer. Kapitein Larsen hief haar glas naar de tweeling en dronk het in één teug leeg.

'Daarnaast hebben we kapitein Floris van Amstel van de *Koh-i-Noor*.'

'Goedenavond.'

'En kapitein Shivaji Singh van de *Nataraj*.'

Kapitein Singh legde zijn handen tegen elkaar, alsof hij ging bidden. Grace was in de verleiding het gebaar te beantwoorden, maar daarvoor voelde ze zich te geremd, dus ze knikte alleen maar. Toen ze naar Connor keek, zag ze dat hij straalde. Het was duidelijk dat hij genoot van de ontmoeting met deze kapiteins, die volgens Cheng Li tot de beroemdste piraten van de hele wereld behoorden. En het mooiste was dat ze het allemaal geweldig leken te vinden om Connor en Grace te ontmoeten!

'En ten slotte kapitein Wilfred Avery van de *Barbarijse Kaper*.'

Eindelijk een bekend gezicht. Sinds hun aankomst op de Academie hadden ze kapitein Avery al diverse keren vanuit de verte gezien, maar nu zat hij tegenover hen, gebruind en met een pluizige witte snor en baard.

'Bij het toetje gaan we jullie onze namen overhoren,' zei hij met een brede grijns tegen de tweeling. Grace betrapte zich erop dat ze kapitein Avery meteen aardig vond.

Dus ze beantwoordde zijn glimlach.

'Ga zitten, Grace.' De commodore trok een stoel voor haar naar achteren tussen Cheng Li en kapitein Solomos. Toen liep de rector naar het hoofd van de tafel en gebaarde Connor tussen hem en kapitein Grammont plaats te nemen. Jacoby zat aan de andere kant en tastte reeds genietend toe.

'Connor, kan ik je wat van deze groene curryschotel opscheppen?' opperde kapitein Avery. 'Hij is werkelijk verrukkelijk!'

'Heel graag,' zei Connor.

'En wat dacht je van een *crevette?*' vroeg kapitein Grammont.

Een crevette? Waar had hij het over?

De kapitein hield hem een houten spies voor met daaraan een dikke garnaal. 'Een crevette,' herhaalde hij.

'O, heerlijk. Graag... Dank u wel.'

Geleidelijk aan raakte ook het bord van Grace gevuld, en ze deed zich genietend te goed aan het overdadige feestmaal, zich afvragend of de kapiteins elke dag zo uitgebreid aten. Dat zou ze Jacoby later nog vragen, nam ze zich voor. Ze veronderstelde dat de leerlingen, die ongeveer een uur eerder hadden gegeten, aanzienlijk simpeler kost kregen voorgezet.

'Vertel eens wat over jezelf, Connor,' zei kapitein Grammont. 'We weten zo goed als niets over je, behalve dat je een indrukwekkende start hebt gemaakt aan boord van de *Diablo.*'

'Ja, vertel!' Het was Grammonts buurman – kapitein Moscardo? – die dat zei. 'Wilde je altijd al piraat worden?'

'Wat hij eigenlijk wil vragen, is of je alle verhalen over onze wapenfeiten hebt gelezen,' merkte kapitein Avery op. 'En zijn wij altijd al je grote voorbeeld geweest?'

Connor schudde zijn hoofd. 'Nee, volstrekt niet.'

Kapitein Moscardo keek teleurgesteld, maar commodore Kuo begon te lachen. 'Ga door, Connor. Vertel ze om te beginnen maar eens waar je vandaan komt.'

'Nou, eh... We komen uit Crescent Moon Bay...'

Van alle kanten klonken zuchten van medeleven.

'Kent u dat?'

'Connor, het is ons vak om elke baai, elke rif, elke kreek op de kaart te kennen,' antwoordde kapitein Avery zacht.

'O! Ja, natuurlijk. Mijn vader was daar vuurtorenwachter. Toen hij stierf hadden we niemand meer, dus Grace en ik...'

'En jullie moeder dan?' viel kapitein Quivers hem in de rede. Ze keek Grace aan terwijl ze het vroeg.

'We hebben onze moeder nooit gekend,' antwoordde Grace verdrietig. 'Ze is... gestorven bij onze geboorte.'

'Ach, wat verschrikkelijk... Voor jullie allemaal.'

'Kortom, jullie lieten niets en niemand achter in die godverlaten baai,' zei kapitein Moscardo.

'Nee,' zei Grace. 'Dus we zijn op het jacht van onze vader gestapt en weggevaren.'

'Waar wilden jullie heen?' vroeg kapitein Grammont.

'Dat wisten we niet,' zei Connor. 'We wisten alleen dat we weg moesten. Als we langs de kust zeilden, zouden we uiteindelijk wel ergens terechtkomen, dachten we.'

De ogen van kapitein Avery begonnen te schitteren. 'Daaruit blijkt al dat jullie wel degelijk piratenbloed hebben.'

'En waar kwámen jullie terecht?' drong kapitein Moscardo aan.

'In een verschrikkelijk noodweer,' antwoordde Connor. 'Ons jacht werd stukgeslagen, en we dachten dat we zouden verdrinken.'

'Lieve hemel!' riep kapitein Quivers uit. 'Arme, arme kinderen!'

'Maar ik werd gered door meesteres Li,' vervolgde Connor. 'Zo ben ik op de *Diablo* terechtgekomen.'

'En jij, Grace?' Kapitein Larsen richtte haar kristalblauwe ogen op Grace.

Zonder te kijken wist Grace dat Cheng Li haar gespannen zat op te nemen. Ook de andere kapiteins keken haar inmiddels aan.

Ze haalde diep adem.

'Ik ben door een ander schip gered.'

'Welk?' drong kapitein Larsen aan. 'We kennen zo goed als alle piratenschepen in deze wateren.'

'Het was geen piratenschip,' zei Grace.

'Wat was het dan? Een koopvaarder?'

'Zoiets,' antwoordde Grace, vurig wensend dat Cheng Li haar te hulp zou schieten. Maar er kwam hulp uit een heel andere hoek.

'Ach, dat doet er niet toe,' zei kapitein Avery grijnzend. 'Waar het om gaat, is dat jullie zijn gered! En dat jullie uiteindelijk samen op de *Diablo* terecht zijn gekomen. Wat waren jullie eerste indrukken van kapitein Wrathe, als ik zo vrij mag zijn dat te vragen?'

Connor besefte dat hij zijn woorden zorgvuldig moest kiezen. Tenslotte wist hij niet hoe hier over Molucco werd gedacht. De kapitein van de *Diablo* had geen hoge dunk van de Academie, dus misschien was dat wel wederzijds. Anderzijds, Molucco's oude zwaard had een prominente plaats gekregen in de koepelzaal.

'Kapitein Wrathe is erg goed voor me geweest... Voor ons,' verbeterde Connor zichzelf.

'Ja, hij heeft altijd een scherp oog gehad voor jong talent,' merkte kapitein Quivers op.

'En Connor, vertel eens,' zette Moscardo zijn ondervraging voort. 'Was je niet bang om te leren schermen?'

Grace voelde dat alle aandacht zich weer op haar broer richtte. Aan de ene kant was ze een beetje beledigd, maar ze vond het vooral een opluchting. Hoe minder vragen haar werden gesteld, des te beter, vermoedde ze. Dus ze maakte van de gelegenheid gebruik om een vluchtige glimlach uit te wisselen met Cheng Li.

Die knipoogde haar bemoedigend toe en hield haar de schaal met gekruide inktvis voor.

'Nee.' Connor schudde zijn hoofd. 'Ik wilde het dolgraag leren, en het was mijn beloning.'

'Je beloning?'

'Ja, omdat ik kapitein Wrathe had geholpen toen hij werd aangevallen.'

'Zoals u ongetwijfeld allemaal nog wel weet, heeft Wrathe het huis van gouverneur Acharo, bij Port Hazzard, geplunderd,' zei commodore Kuo ter verduidelijking. 'De twee zoons van Acharo hebben vervolgens uit wraak de *Diablo* aangevallen.'

'O ja.' Kapitein Grammont knikte. 'Dat weet ik nog.'

'En Connor is kapitein Wrathe te hulp gekomen,' voegde de commodore eraan toe. 'Sterker nog, volgens alle verhalen heeft hij zijn leven gered.'

'Helaas wel,' mompelde kapitein Singh. Connor prentte in zijn geheugen dat Singh in elk geval sterk tegen Molucco was gekant.

'Je zult wel merken dat de meningen over kapitein Wrathe verdeeld zijn,' merkte commodore Kuo op bij het zien van de uitdrukking op Connors gezicht. 'Maar dat is ongetwijfeld niet nieuw voor je.'

Dat kon Connor alleen maar beamen.

'Eerlijk gezegd is kapitein Wrathe altijd een controversiële figuur geweest,' vervolgde commodore Kuo glimlachend. 'Dat geldt waarschijnlijk voor iedereen met zo'n grote, krachtige persoonlijkheid. Misschien zijn jullie op de hoogte van het bestaan van de Piratenfederatie en de regels omtrent de zeeroutes?'

'Ja.' Connor knikte. 'Ja, natuurlijk.'

Grace luisterde aandachtig en sloeg de veranderende uitdrukking op Connors gezicht oplettend gade. Ze was benieuwd of hij resoluut achter kapitein Wrathe zou blijven staan of misschien aan het twijfelen zou worden gebracht.

'De Academie werkt nauw samen met de Federatie,' vervolgde de commodore. 'Sterker nog, velen van ons bekleden ook een functie binnen de Federatie. We delen dezelfde principes en opvattingen en dragen die ook uit, zoals het respect voor de zeeroutes van de bij ons aangesloten kapiteins.'

'Daarnaast streven we ernaar opbouwende en vruchtbare relaties aan te gaan en te ontwikkelen met de machten op het vasteland, zoals gouverneur Acharo,' voegde kapitein Grammont eraan toe. 'Acharo heeft zich tegenover ons altijd soepel opgesteld. We waren dan ook... Nou ja, laten we maar zeggen dat de aanval van kapitein Wrathe ons enorm heeft gestóórd. In de maanden daarna hebben de houding en het beleid van Acharo jegens ons een dramatische verandering ondergaan. En dat leidt niet alleen tot problemen langs de kustlijn van zijn gebied, hij heeft ook machtige bondgenoten in het noorden. Dus de gevolgen van deze willekeurige actie van jullie kapitein strekken zich tot ver over deze wateren uit.'

Connor begreep wat ze wilden zeggen, maar hij was niet van plan kapitein Wrathe af te vallen; niet na alles wat Molucco voor hem had gedaan. De kapiteins waren nu echter niet meer te stuiten.

'Hoe meer kapitein Wrathe zich gedraagt als een ongeleid projectiel, hoe groter het gevaar voor hemzelf, maar ook voor andere piratenschepen,' zei kapitein Singh. 'Dat blijkt wel uit wat er een paar dagen geleden is gebeurd met kapitein Drakoulis.'

Connor liet verdrietig zijn hoofd hangen. 'Ik was erbij,' zei hij zacht. Grace zag dat hij aan Jez dacht. Natuurlijk dacht hij aan Jez.

'Wat verschrikkelijk,' zei kapitein Avery verdrietig.

'Ik was erbij,' herhaalde Connor. 'En ik heb moeten toezien hoe mijn kameraad... mijn goede vriend... werd afgeslacht.'

'Een mijlpaal in het leven van iedere jonge piraat.' Kapitein Avery knikte somber.

'De tijden veranderen.' Commodore Kuo schoof zijn lege bord weg. 'De ontwikkelingen in de wereld gaan snel, de piraterij breidt zich uit en ondergaat ingrijpende veranderingen met elke wisseling van het tij.'

'De zon van Wrathe is bezig onder te gaan,' verkondigde kapitein Singh. 'De toekomst ligt niet in individuele aanvallen, maar in samenwerking, in bondgenootschappen en het zorgvuldig uitzetten van een strategie.'

Connor luisterde naar wat Singh te zeggen had. Al vanaf het moment dat hij aan boord was gegaan van de *Diablo*, was hij zich bewust geweest van dit spanningsveld, toen Bart hem het verschil in opvatting tussen kapitein Wrathe en meesteres Li uit de doeken had gedaan. Nu kon hij uit eigen ervaring constateren hoezeer de tijdgeest in het voordeel van Cheng Li en de verzamelde kapiteins was, en wat belangrijker was, in het nadeel van Molucco. Het stemde hem zorgelijk over de toekomst van kapitein Wrathe en zijn bemanning – en het maakte dat hij vraagtekens begon te zetten bij zijn eigen toekomst. Maar hij had een contract getekend als bemanningslid van de *Diablo*. Daar viel niet aan te ontkomen. Hij had gezworen zijn beste krachten, desnoods zelfs zijn leven te geven voor Molucco. Grace had het hem al eerder gezegd, maar nu begon hij zichzelf ook af te vragen of hij die beslissing misschien wat al te haastig had genomen.

De commodore sloeg zijn handen in elkaar. 'Genoeg hierover. Ik ben bang dat we Connor in een loyaliteitsconflict hebben gebracht met onze... *observaties* over kapitein Wrathe.'

Connor haalde zijn schouders op. 'Alles wat hier is gezegd, had ik al eerder gehoord… Bij Ma Kettle's.'

Kapitein Larsen lachte hol. 'Er bestaat wel enig verschil tussen de roddelpraat die je oppikt in een taveerne en de meningen van dit illustere gezelschap.'

Hm, dacht Connor, dat is ook iemand met wie je het niet aan de stok wilt krijgen. Ik leer een hoop.

'Kirstin, Kirstin...' De rector klakte misprijzend met zijn tong. 'Laten we onze grieven niet afreageren op Connor. Tenslotte willen we toch allemaal dat hij het naar zijn zin heeft tijdens zijn weekje op de Piratenacademie?'

'Natuurlijk,' antwoordden kapitein Quivers en kapitein Avery als uit één mond. De anderen rond de tafel knikten.

'En wanneer jullie verblijf ten einde is, zullen we eens kijken wat jullie toekomstplannen zijn,' vervolgde de commodore.

Grace beet op haar lip. Ze had niet verwacht dat de rector Connor zo'n onverbloemd aanbod zou doen. Hoe zou Connor reageren? Ze keek zijn kant uit, maar haar broer glimlachte slechts en zei niets.

'En dan nu een toost,' zei de rector. 'Op Connor en Grace. Willen jullie alsjeblieft allemaal je glazen vullen?'

Een karaf met inktzwarte vloeistof werd voortvarend doorgegeven, borrelglaasjes werden gevuld.

'Heeft iedereen inktvisgrappa?' De commodore keek de tafel langs. 'Uitstekend. Heel goed. Laten we dan nu het glas heffen op Grace en Connor Tempest, die hebben getriomfeerd onder de meest tragische en moeilijke omstandigheden en die hun weg hebben gevonden in de piratenwereld. Grace en Connor, we zijn blij dat jullie een week bij ons willen verblijven. Dus laten we drinken op een buitengewoon aangename en leerzame week en, in de woorden van een veel grotere piratenkapitein dan ik, zou ik jullie allebei "Overvloed en Verzadiging, Vreugde en Welbehagen, Vrijheid en Macht" willen toewensen.'

De andere kapiteins sloten zich bij de toost aan. Connor en Grace herkenden de woorden als het motto van de Academie. Ze keken toe terwijl de kapiteins hun grappa in één teug achteroversloegen. Het goedje zag er weerzinwekkend uit, en rook net zo. Grace was blij dat haar geen glas was aangeboden.

Na de toost was niet langer alle aandacht op Connor en Grace gericht en begonnen de kapiteins ervaringen uit te wisselen over de dag die achter hen lag, net als elke willekeurige groep leraren – met dit verschil dat deze een kortelas aan hun riem droegen.

Ten slotte keek commodore Kuo op zijn horloge. 'Het wordt al laat,' zei hij. 'De jongsten onder ons kunnen beter zorgen dat ze wat slaap krijgen.'

'Zeker als jullie van plan zijn morgenochtend mee te doen met KUM,' zei kapitein Platonov grijnzend.

' KUM?' herhaalde Grace vragend.

'Kracht, Uithoudingsvermogen en Motivatie,' legde de Russische kapitein uit.

'Dat is altijd het eerste uur van de dag hier op de Academie,' voegde Cheng Li eraan toe. 'Het wordt beurtelings door alle kapiteins geleid, dus het varieert van yoga tot inspirerende, spirituele gesprekken tot...'

'Een stevige tien kilometer hardlopen!' vulde kapitein Platonov aan. 'We vertrekken om precies zeven uur van het terras.'

'Klinkt cool!' zei Connor. Jacoby grijnsde.

Grace glimlachte ook, maar besloot dat ze háár dag op de Academie wat rustiger zou beginnen. 'Ik ga naar bed.' Ze schoof haar stoel naar achteren en stond op. 'Dank u wel voor het diner. Het was erg leuk u te leren kennen.'

'Dat genoegen is geheel wederzijds, kindje,' zei kapitein Quivers. De andere kapiteins knikten.

Connor stond ook op. 'Mede namens mijn zus zou ik u allen willen bedanken voor uw uitnodiging om een week op de Academie te verblijven.'

Grace glimlachte. Ze was het niet gewend hem zo formeel te horen praten.

'Heel graag gedaan, Connor,' zei de commodore. 'En trek je alsjeblieft niets aan van onze kleinzielige kibbelarijen met kapitein Wrathe. We hebben begrepen hoe goed hij voor jou en je zus is geweest. En we bewonderen je om je loyaliteit.'

Connor wist een glimlach te produceren, maar deze maskeerde de gedachten die hem bestookten. Hij kon niet wachten tot hij alleen op zijn kamer was, zodat hij in alle rust kon nadenken over wat hij had gehoord. Hij begon zich oprecht zorgen te maken over het contract dat hem aan kapitein Wrathe bond. Ineens kon hij zich de angst van Grace maar al te goed voorstellen. Hij keek de tafel langs. De invloedrijkste piraten van hun tijd waren hier verzameld, en ze leken er allemaal van overtuigd dat de hoogtijdagen van Molucco Wrathe voorbij waren. Net zoals ze ervan overtuigd waren dat hij, Connor, over bijzondere talenten beschikte. Hij herinnerde zich zijn visioen, waarin hij kapitein was geweest, en nam zich vastberaden voor dat visioen werkelijkheid te laten worden. In de toekomst zou hij zijn bondgenoten en leermeesters aanzienlijk zorgvuldiger moeten kiezen.

'Kom mee.' Ineens stond Grace naast hem. 'Dan lopen we samen terug naar onze kamers.'

'Wat? O, ja. Ja, natuurlijk. Jacoby, ga je ook mee?'

'Dat zal niet gaan. Ik moet je even spreken, Mr. Blunt,' zei de commodore.

Jacoby knikte instemmend naar de rector. Grace en Connor zeiden hun nieuwe vrienden gedag en liepen over het terras in de richting van het gebouw waarin hun een kamer was toegewezen. Onder het lopen spraken ze geen woord. De maan hulde hen in haar zilveren gloed, terwijl ze ieder werden opgeslokt door hun eigen, geheime gedachtewereld.

Powder Creek

DE MAAN STAAT HOOG en vol aan de hemel en schijnt neer op de kleine veerboot, die zich gestaag een weg baant door de kreek.

'Ik zie land, kapitein,' zegt Stukeley. 'Is het hier?'

'Ja,' antwoordt Sidorio. 'Hoezo? Heb je inmiddels honger gekregen?'

'Ja, kapitein. Ik rammel van de honger.'

Een sluwe lach. 'Mooi zo.'

Sidorio roeit de boot recht op de ondiepe wateren af, springt overboord en trekt de boot, met Stukeley erin, op het smalle kiezelstrand. Nu springt Stukeley er ook uit.

'Hoe heet het hier, kapitein?'

'Powder Creek,' antwoordt Sidorio.

'Allemachtig, kapitein, volgens mij kent u elk plekje langs deze kust, hoe klein ook.' Stukeley is duidelijk onder de indruk.

Sidorio doet een stap naar voren. Achter hem wordt een houten bord zichtbaar dat heen en weer klappert in de wind.

WELKOM IN POWDER CREEK — LAAT SLECHTS UW VOETSTAPPEN ACHTER, NEEM SLECHTS HERINNERINGEN MEE.

'Kom op,' zegt Sidorio bruusk. 'We hebben geen tijd te verliezen.' Hij begint het strand over te steken, blijkbaar precies wetend waar hij heen moet. Stukeley volgt hem en moet zijn uiterste best doen de grote stappen van de kapitein bij te houden. Iets heeft diens belangstelling getrokken, en Stukeley heeft geleerd dat hij dan moet zorgen zo dicht mogelijk achter hem te blijven en nadere instructies moet afwachten.

Alles in aanmerking genomen is het niet zo slecht gegaan. Hoewel Sidorio de mond vol heeft van een glorierijke toekomst, een leger van mannen en een vloot van schepen, terwijl ze nog altijd maar met hun tweetjes zijn, met niet meer dan een gestolen veerboot en twee surfplanken. Maar je moet ergens beginnen, veronderstelt Stukeley. De kapitein heeft in elk geval dromen. Gróótse dromen.

Sidorio staat stil. Doet hij dat om Stukeley de kans te geven hem in te halen? Wat aardig van hem, denkt Stukeley. Doorgaans is hij niet zo hoffelijk. Hij zet het op een rennen, en terwijl hij het water tussen zijn tenen voelt soppen, bedenkt hij dat zijn oude laarzen betere tijden hebben gekend.

Wanneer hij Sidorio heeft ingehaald, ziet hij dat de kapitein met iemand staat te praten – sterker nog, met twee mensen. Twee jonge vrouwen. Wanneer een van de twee Stukeley in de gaten krijgt, begint ze te lachen.

'Nee maar, wat moet dit voorstellen! De reus en Kleinduimpje?'

'Dit is mijn luitenant,' zegt Sidorio. 'Hij heet Stukeley.'

'Aangenaam.' Stukeley maakt een kleine buiging.

'Nou, jullie zijn een merkwaardig stel.' Het meisje geeft haar vriendin een por, die prompt begint te giechelen.

'O ja?' Stukeley schenkt haar een beminnelijke grijns. 'Wat doen twee schoonheden zoals jullie op dit late uur nog aan het strand?'

'Dat lijkt me duidelijk,' antwoordt het eerste meisje verveeld. 'We wachten tot ons schip binnenloopt.'

Sidorio wijst glimlachend over zijn schouder, naar de oceaan. 'Misschien ís jullie schip al binnengelopen.'

Stukeley ziet iets in die glimlach wat het meisje ontgaat. Natuurlijk ontgaat het haar. Maar Stukeley heeft het eerder gezien. Het is een teken. Het teken dat de jacht is geopend.

'Ik zie helemaal geen schip,' zegt het meisje, zonder ook maar het geringste vermoeden van wat haar boven het hoofd hangt. 'Alleen een sjofele roeiboot.'

'Een *sjofele roeiboot?*' zegt Sidorio, die een kort lontje heeft. Stukeley zal zijn charmes in de strijd moeten gooien. Zo gaat het altijd. Stukeley moet de zaak redden met zijn charmes.

'Hij is groot genoeg om twee jeugdige schoonheden zoals jullie mee te nemen op een tochtje in het maanlicht,' zegt Stukeley. 'Tenminste, wanneer we de surfplanken eruithalen.'

'Surfen jullie?' vraagt het eerste meisje, alsof haar belangstelling plotseling is gewekt.

'Ja, we surfen,' bevestigt Stukeley met enige trots, want hij heeft zich de kunst pas recent eigen gemaakt.

'Laat dan eens zien wat jullie kunnen.' Ze vindt hem leuk, beseft hij. Trouwens, hij valt bij de meeste vrouwen wel in de smaak, weet hij.

'Nee.' Sidorio schudt zijn hoofd. 'Er wordt niet gesurft.'

'Wat de kapitein bedoelt, is dat we jullie liever eerst een tijdje mee uit varen nemen,' haast Stukeley zich te zeggen. 'Nu het water nog zo rustig is.'

'Ja, het is inderdaad rustig, hè?' Het meisje doet een stap in Stukeleys richting.

'Het is een kleine boot,' zegt die. 'Maar hij is groot genoeg als we een beetje dicht bij elkaar gaan zitten.'

'Op die manier blijven we ook lekker warm.' Het meisje schuift haar arm door die van Stukeley. Er gaat een huivering door hem heen. Vroeger zou hij op een moment als dit zijn overspoeld door allerlei verlangens. Nu voelt hij er nog maar één.

'Kom mee, Lily.' Het meisje kijkt achterom, over haar schouder. 'Ik neem David, jij mag Goliath hebben. We gaan met z'n allen een tochtje op de kreek maken.'

Haar vriendin, Lily, loopt giechelend naar Sidorio toe. Hij schenkt haar een glimlach, waarbij zijn twee gouden snijtanden zichtbaar worden. Lily houdt geschokt haar adem in, zich plotseling bewust van het gevaar dat haar vriendin niet ziet. Met stomheid geslagen door angst laat ze zich door Sidorio meetronen naar de boot.

Stukeley heeft die als eerste bereikt. Hij haalt de surfplanken eruit en legt ze op het kiezelstrand. Het andere meisje kijkt hem aan, blind voor Lily's angst.

'Ik ben Pearl,' stelt ze zich voor. 'En dit is Lily, mijn nichtje. Waar komen jullie eigenlijk vandaan?'

'Uit de Hel.' Sidorio tilt de doodsbange Lily in de boot.

'Je maat is een grappenmaker, hè?' vraagt Pearl aan Stukeley, terwijl hij haar aan boord helpt en de boot afduwt van het kiezelstrand, het water in.

'Nou en of,' antwoordt Stukeley. 'De kapitein is echt een enorme grappenmaker.'

Het geluid van twee levenloze lichamen die overboord worden gegooid, blijft onopgemerkt in een duistere, verlaten kreek, in het holst van de nacht. Zo zijn ze er nog, zo zijn ze verdwenen en worden ze door de stroperige wateren naar hun laatste rustplaats gezogen. En daar kunnen we ze maar het beste laten liggen. Het is vruchteloos om bij zulke dingen te blijven stilstaan.

Aan het oppervlak drijft de veerboot op het water, overgoten door maanlicht.

'Dat ging goed.' Stukeley gaat met zijn tong langs zijn lippen om de laatste druppel bloed op te likken.

'Je bent een snelle leerling,' zegt Sidorio.

'Ach, volgens mij zijn we een goed team, jij en ik.'

'Misschien.'

'En hoe zou ik ooit nog eenzaam kunnen zijn, in het gezelschap van zo'n sprankelende persoonlijkheid, zo'n onderhoudende prater?'

Stukeleys ironie ontgaat Sidorio. En dat is waarschijnlijk maar goed ook, denkt de luitenant. Sidorio is nu weer rustig. Nog even, en hij valt in slaap.

Daar liggen ze, naast elkaar in de veerboot, zachtjes wiegend op de stroperige wateren van Powder Creek. Weer een nacht, weer een onbeduidend avontuur. Stukeley schuift zijn arm onder zijn hoofd. Hij kijkt op naar de maan, naar de glanzende schijf die schuilgaat achter rookgrijze wolken. Er is geen licht dat de duisternis doorboort. In de hoop Sidorio's gesnurk buiten te sluiten doet hij zijn ogen dicht, en het duurt niet lang of hij slaapt ook, en laat zich meevoeren door een verrukkelijke droom.

Saamhorigheid

CONNOR RITSTE ZIJN TRAININGSPAK dicht – zwart-met-goud, de kleuren van de Academie – en keek op de wekker naast het bed. Tien voor zeven. Hij was al twintig minuten op. Vroeger, op de middelbare school in Crescent Moon Bay, was het ondenkbaar dat hij om halfzeven uit bed zou zijn gesprongen. Maar hier op de Academie popelde hij om aan de nieuwe dag te beginnen, en dat terwijl het de vorige avond behoorlijk laat was geworden. Datzelfde had hij op de *Diablo*. Misschien ben ik hier zelfs nog ongeduldiger om aan de slag te gaan, dacht hij een beetje schuldig. Was het echt pas twee dagen geleden dat hij van boord was gegaan? De *Diablo* leek hem nu al een andere wereld toe. Door die gedachte voelde hij zich nog trouwelozer. Máár, hielp hij zichzelf herinneren, kapitein Wrathe had tenslotte zelf zijn zegen gegeven aan het verblijf op de Academie.

Misschien was het beter geweest als hij nooit was gegaan. Dan zou de *Diablo* nog altijd alles zijn wat hij van de piratenwereld wist. Maar Connors ideeën over piraterij waren bezig snel te veranderen. Inmiddels was hij doordrongen van wat Cheng Li hem telkens weer had voorgehouden. De wereld van de piraterij reikte verder dan de *Diablo*. Het was een oneindig grote wereld, die zich voor hem had geopend en die hem maar al te graag zou verwelkomen. Tenminste, als hij het lef had die wereld te verkennen.

Hij schrok op uit zijn gedachten toen er op de deur werd geklopt. Het was Jacoby, gekleed in een identiek trainingspak, voorzien van het logo van de Academie: het zwaard, het kompas en de parel, net als de bedels die commodore Kuo aan de ketting om zijn hals droeg.

'Goeiemorgen!' zei Jacoby. 'Ik hoop dat je klaar bent voor een beetje afzien.'

'Altijd.' Connor glimlachte.

'Zullen we ook even bij Grace langsgaan?' vroeg Jacoby terwijl ze door de gang liepen.

Connor schudde zijn hoofd. 'Mijn zus is niet wat je noemt een ochtendmens. Die vindt dat je het vooral rustig aan moet doen als je net uit bed bent.'

Jacoby knikte. 'Nou, in dat geval moet ze niks hebben van wat Platonov met ons van plan is.'

Terwijl hij Jacoby naar buiten volgde, zag Connor dat Platonov en de andere leerlingen zich al op het terras hadden verzameld, allemaal in identieke trainingspakken, druk bezig met hun warming-up. Een knap meisje stak glimlachend haar hand op.

'Jasmine!' zei Jacoby, verliefd grijnzend. 'Goeiemorgen! Mag ik je even voorstellen? Dit is Connor Tempest. Connor, Jasmine Peacock. Het lekkerste ding van de Academie,' voegde hij er fluisterend aan toe.

Jasmine schonk Connor een stralende glimlach. Onwillekeurig registreerde hij hoe haar blonde haar in de ochtendzon glansde als goud. Hij vroeg zich wanhopig af wat hij kon zeggen om zijn onbeholpenheid te maskeren. 'Lekker weertje om te hardlopen, hè?' Weinig origineel, maar het was tenminste iets.

Ze glimlachte, toen bukte ze, zette haar handen op de grond en keek in spreidstand door haar gestrekte benen naar hem op. Hij bloosde. Het kon niet anders of ze zag dat hij zijn ogen niet van haar af kon houden, maar dat scheen ze niet erg te vinden. Connor werd uit de benarde situatie gered door kapitein Platonov, die op zijn fluitje blies en in zijn handen klapte. Meteen daarop zette hij er stevig de pas in en verliet hij het terras, op weg naar de tuinen van de Academie. De leerlingen volgden, een voor een, in een lange rij. Jacoby liep achter Connor.

'Ze vindt je leuk, Tempest!' fluisterde hij in zijn oor. 'De Pauw heeft haar zinnen op je gezet.'

Connor schudde zijn hoofd, verhoogde zijn snelheid en concentreerde zich op het parcours. Zoals hij wel had verwacht, hield Platonov het tempo hoog. Connor voelde zijn benen wakker worden, voelde dat zijn hart het bloed door zijn lichaam pompte. Om de dag te beginnen is er toch maar weinig zo bevredigend als een flink stuk hardlopen, dacht hij.

Terwijl ze de heuvel afdaalden in de richting van de haven, keek hij achterom naar het balkon van Grace. De gordijnen achter de openslaande deuren waren nog dicht. Hij glimlachte. Blijkbaar was Grace nog in diepe slaap. De luilak!

Vijftig minuten later begonnen Platonovs renners aan het laatste stuk. De kapitein had hen tot een hechte, compacte groep gemanoeuvreerd, in rijen van drie. Connor werd geflankeerd door Jacoby en Jasmine, ze liepen in precies hetzelfde ritme. De eindstreep kwam in zicht. Connor voelde dat hij erdoorheen zat, maar wist ook dat hij niet zou opgeven. Het was puur een kwestie van wilskracht.

'Kom op, dan gaan we zingen!' riep kapitein Platonov.

Dat was precies de afleiding die Connor nodig had. Hij luisterde aandachtig terwijl de kapitein en zijn medeleerlingen al rennend in gezang losbarstten:

'Piraten zijn de baas op zee,' begon Platonov.

'*Piraten zijn de baas op zee,*' zongen de leerlingen terug.

'Op elke plas, op elke ree!'
'Op elke plas, op elke ree!'
'Geolied is mijn kortelas.'
'Geolied is mijn kortelas.'
'De sterkste vijand vlucht alras.'
'De sterkste vijand vlucht alras.'
Connor grijnsde van oor tot oor terwijl hij met het gezang instemde.
'We hijsen de piratenvlag.'
'We hijsen de piratenvlag.'
'Eenieder siddert van ontzag!'
'Eenieder siddert van ontzag!'
'De mannen zijn van zessen klaar.'
'De mannen zijn van zessen klaar.'
'Wees waakzaam, want er dreigt gevaar!'
'Wees waakzaam, want er dreigt gevaar!'
Connor keek eerst naar Jacoby, toen naar Jasmine. Het was geweldig om als groep te rennen.
'De Hoge Zeeën zijn ons rijk.'
'De Hoge Zeeën zijn ons rijk.'
'Wie wijs is, neemt voor ons de wijk.'
'Wie wijs is, neemt voor ons de wijk.'
'Geen vijand wordt door ons gespaard.'
'Geen vijand wordt door ons gespaard.'
'Wij spreken slechts de taal van 't zwaard!'
'Wij spreken slechts de taal van 't zwaard!'
De leerlingen zwegen, en kapitein Platonov bulderde: 'Wie is er slechter dan wij?'
Zonder aarzeling riepen de leerlingen terug: *'Niemand!'*
'Wie is er wreder dan wij?' vervolgde kapitein Platonov.
Connor bulderde met de anderen mee: *'Niemand!*
'Wie regeert de oceaan?'

Connor, Jacoby, Jasmine en hun klasgenoten brulden het uit: *'Wíj regeren de oceaan!'*

Op dat moment voelde Connor zich machtig, niet te stuiten. Inderdaad, zíj waren de toekomst van de piraterij. Als alles volgens plan verliep, zouden ze over enkele jaren allemaal hun eigen vloot hebben, met duizenden piraten onder hun commando. De oceaan zou van hen zijn! Sterker nog, ze zouden ook machtig zijn op de wal. Het was een duizelingwekkende gedachte.

Platonov draaide zich om. Ze stonden weer op het terras. De kapitein klapte in zijn handen. 'Goed gelopen! Ik ben tevreden. Zorg voor een goede coolingdown. Dan douchen en ontbijten. En denk erom dat jullie op tijd zijn voor het eerste lesuur!'

Gewond

TOEN GRACE HAAR OGEN opendeed, was ze helemaal in de war. Ze had diep geslapen, maar hoe lang? Hoe laat was het, en waar was ze?

Ze keek om zich heen in de ruime kamer, die haar slechts vaag bekend voorkwam. Een uitgestrekte vlakte van zwarte en witte marmeren tegels leidde naar openslaande deuren, doorschijnende gordijnen bolden op in een zwakke bries die van het balkon daarachter naar binnen waaide. Waar was ze? Of was ze misschien niet echt wakker, maar gevangen in een vreemde droom, die zich opende als zo'n Russisch popje; een droom die je het idee gaf dat je wakker was, terwijl je in werkelijkheid nog in diepe rust verkeerde?

Ze werkte zich overeind en zette de kussens achter haar rug, zodat ze haar omgeving beter kon zien. Terwijl ze dat deed, merkte ze hoe zwaar haar hoofd aanvoelde. Hoe lang ze ook had geslapen, ze was er niet van opgeknapt. Integendeel, ze voelde zich versuft. Naast het bed stond een karafje water, en ze schonk zich een glas in. Het water was verrukkelijk koel in haar mond. Ze dronk het glas in een paar teugen leeg en schonk het opnieuw vol. Terwijl ze dat deed, liet ze haar blik opnieuw in het rond gaan.

Ze bevond zich in een lichte, ruime kamer met een hoge, ivoorkleurige kleerkast, waarvan de spiegels op de deuren het beeld van een bijpassende ladekast weerkaatsten. Aan de andere kant van de kamer stond een kaptafel, helemaal van spiegelglas, die het licht dat door de balkondeuren binnenviel, terugkaatste naar het midden van de kamer. Verder was er een hoge kast gevuld met boeken, maar door het spiegelende glas in de deuren kon Grace de titels op de ruggen niet lezen. Aan de muren hingen navigatiekaarten en schilderijen van schitterende, oude schepen. Boven de ladekast ontdekte ze een bijzonder indrukwekkende houtsnede die ook een schip voorstelde.

Grace sloeg de dekens terug om de afbeelding beter te kunnen bekijken. Haar hoofd voelde nog zwaar, maar ze was helder genoeg om te beseffen dat dit de kamer was die haar was toegewezen op de Piratenacademie.

Terwijl ze naar het schip keek, kwam er een verre herinnering boven. Onder aan de afbeelding stond DE PEQUOD. Natuurlijk! Grace herkende het schip als de walvisvaarder uit *Moby Dick*. Het was een van de lievelingsboeken van haar vader geweest, en hij had het de tweeling diverse malen voorgelezen. Haar vader had een prachtige oude editie bezeten, voorzien van houtsneden zoals deze. Misschien stond er wel een exemplaar van het boek in de kast. Ze liep erheen. De marmeren tegels voelden koel aan onder haar voeten. In een van de glazen deuren stak een sleutel. Ze draaide hem om, en het slot sprong open. Maar de deur klemde een beetje, dus ze moest hem openwrikken.

De planken waren gevuld met bekende en minder bekende boeken. Ze ontdekte inderdaad een exemplaar van *Moby Dick*, zo te zien dezelfde editie als haar vader had bezeten. Toen werd haar blik getrokken naar een in leer gebonden boek, *De roemruchtste piratenlevens*. De met marineblauwe stof beklede kaft was versierd met een gouden doodshoofd met gekruiste knekelbotten, op de rug van het boek stond een schip. Toen Grace het boek van de plank nam, ontdekte ze dat het in een cassette zat, ook bekleed met blauwe stof. Het was vast en zeker een heel oud en kostbaar werk, dacht ze. Voorzichtig nam ze het uit de cassette en sloeg het open. De bladzijden waren vergeeld.

Toen hoorde ze plotseling een geluid, als van voetstappen. Grace draaide zich om en schrok toen ze aan de andere kant van de kamer een meisje ontdekte. Het meisje leek net zo verrast als zij. Even stonden ze allebei roerloos, elkaar zwijgend en onderzoekend opnemend. Toen besefte Grace dat ze naar zichzelf stond te kijken, in de spiegel op de deur van de kleerkast. Ze voelde zich volkomen belachelijk. Blijkbaar was ze toch nog niet goed wakker. Ze liep dichter naar de spiegel toe en bestudeerde zichzelf aandachtig. Door wat ze zag, voelde ze zich nog belachelijker. Haar ogen waren bloeddoorlopen en haar haar piekte alle kanten uit. Nog altijd gewapend met het boek, probeerde ze met haar vrije hand haar haar min of meer in model te duwen.

Daar zou ze twee handen voor nodig hebben, besefte ze, dus ze legde het boek voorzichtig op de grond en keerde zich weer naar de spiegel. Na wat gefrunnik vond ze dat haar kapsel ermee doorkon. Darcy zou er geen genoegen mee hebben genomen, dacht ze glimlachend. 'Een jongedame behoort haar haar 's avonds honderd keer te borstelen,' had ze ooit tegen Grace gezegd. Die had haar advies ter harte genomen, maar het borstelen begon haar algauw te vervelen, ze raakte de tel kwijt en werd overmand door slaap. Net als nu.

Ze was amper uit bed, maar voelde zich nu alweer doodop. Het was net als tijdens haar eerste dagen op het vampiratenschip. Sterker nog, als ze door de glasgordijnen niet het balkon en de haven daarachter had kunnen zien, had ze zich kunnen verbeelden dat ze weer op het schip was. Dorstig dronken haar ogen de aanblik in van het turkooisblauwe water van de haven, verleidelijk glinsterend in de zon. Door de stand van de zon besefte ze dat het ochtend moest zijn.

Omdat ze zo licht in haar hoofd was, besloot ze te gaan liggen. Misschien zou ze wat kunnen lezen en weer in slaap vallen. Ze bukte zich om het boek van de grond te rapen en strompelde terug naar het bed. Toen ze zich op de sprei liet vallen en haar ogen sloot, was het alsof ze begon te bewegen. Nee, alsof het bed begon te bewegen!

Grace bleef roerloos liggen, haar armen en benen zwaar als lood, maar de bewegingen van het bed werden steeds krachtiger. Het gevoel was tegelijkertijd nieuw en vertrouwd. Opgewonden besefte ze dat ze weer werd meegevoerd naar het vampiratenschip, deze keer gedragen door het bed.

Tot haar verbazing verhief het ijzeren gevaarte zich van de marmeren vloer, even bleef het er een klein eindje boven zweven, toen verzamelde het snelheid en het schoot in de richting van het balkon. Maar het zou toch nooit door de smalle deuropening kunnen? Grace hield haar adem in, deed haar ogen dicht en zette zich schrap voor de botsing. Maar óf het bed werd smaller, óf de deuropening breder, want het duurde niet lang of ze vloog boven het balkon, terwijl het bed steeds hoger steeg en zijn vlucht vervolgde over het terras van de Academie, dat inmiddels ver beneden haar lag. Toen ze rechtop ging zitten, merkte ze dat ze zich minder duizelig voelde dan toen het bed nog op de grond had gestaan. Ook haar energie leek te zijn teruggekeerd, en ze was in staat te genieten van de wind die langs haar gezicht joeg, van het verbijsterende uitzicht op de tuinen van de Academie. Daar was de jacarandaboom, en daar de gehoorzaal, bij de haven. En daar, langs de kade, rende een groepje leerlingen. Grace herinnerde zich wat kapitein Platonov had gezegd. Ze zocht naar Connor in de groep, maar alle leerlingen droegen hetzelfde trainingspak, en ze was al te hoog gestegen om hem te kunnen onderscheiden. Wat zouden de leerlingen denken als ze omhoogkeken en haar zagen? Aan de ene kant hoopte ze dat ze dat niet zouden doen, aan de andere kant wenste ze dat Connor getuige zou kunnen zijn van haar uitzonderlijke vlucht.

Even later liet het bed het land achter zich, en het vloog over de haven, onder de hoge stenen boog door naar het open water daarachter: de oceaan. De snelheid van het bed nam nog steeds toe. Het landschap schoot aan haar voorbij, net als op haar laatste reis. De oceaan versmolt met rotsen, die op hun beurt versmolten met de hemel in één onafgebroken stroom van licht.

Toen werd ze omhuld door mist, fris en zwaar als pas gevallen sneeuw. Hij voelde koel aan en instinctief sloeg ze haar armen om haar lichaam. Toch had ze het niet echt koud. Integendeel, ze genoot van de mist en liet zich door de zachte nevelige armen omhullen. Het duurde echter niet lang of de mist begon te wijken. Ze was weer binnen, nog altijd op een bed, maar ze lag er niet echt op. In plaats daarvan zweefde ze er een klein eindje boven. Toen ze opkeek, zag ze boven haar hoofd zijden draperieën. Het rijke borduurwerk waarmee ze waren versierd, kwam haar bekend voor, en ze besefte dat ze niet meer op de Academie was, maar in haar hut op het vampiratenschip. Het voelde alsof ze nooit weg was geweest.

Alleen, de kaarsen brandden niet. Tenminste, niet allemaal. Toen Grace de hut had bewoond, was ze permanent – dag en nacht – omringd geweest door brandende kaarsen. Nu was er slechts één lange kaars aangestoken. Hij brandde in een windlicht dat op het nachtkastje stond. Het stemde haar tot nadenken. De kaarsen waren altijd een mysterie voor haar geweest. Het leek of ze nooit opbrandden, en zelfs wanneer ze dacht dat ze de vlammetjes had gedoofd, begonnen ze opnieuw te branden. Ze was tot de conclusie gekomen dat ze er geen controle over had. Maar wat zou het kunnen betekenen dat er nu nog maar één kaars brandde – nu zij het schip had verlaten?

Ze liet zich van het bed glijden, verlangend om opnieuw de rest van de hut te verkennen. Daar stond het bureautje. Ze had verschillende pennen en notitieboeken meegenomen, en wat er nog over was, lag wanordelijk op en rond het bureau. De pot met pennen was op de grond gevallen. Instinctief reikte Grace ernaar. Maar net als bij haar eerste bezoek was ze niet in staat iets aan te raken. Dus de wanorde bleef.

Ook aan de andere kant van de hut heerste chaos. De haarborstel en andere spulletjes waren van de kaptafel gevallen. Blijkbaar had het schip zwaar weer moeten trotseren. Kussens waren van het bed op de grond gevallen. Opnieuw stak Grace haar handen uit om de rommel op te ruimen. Maar in plaats van de kussens te pakken, grepen haar handen slechts lucht.

Haar blik viel op de grammofoon, met daarnaast een stapel oude platen. Er lag zelfs een plaat op de draaitafel, ook al was de muziek haar niet eerder opgevallen. Een vrouwenstem die haar merkwaardig vertrouwd voorkwam, zong tegen een achtergrond van violen en het gekraak van een stokoude opname:

'*Ach, kon ik je maar vergeten. Ach, kon ik dat maar.*
En toch, als ik jou vergat, zou ik vergeten wie ik ben...'

Waarom had ze de muziek niet meteen bij binnenkomst gehoord, vroeg ze zich af. Misschien had de mist niet alleen haar gezichtsvermogen vertroebeld, maar ook haar gehoor en haar in een soort zwevende toestand gehouden terwijl hij haar omhulde met zijn merkwaardige magie. Maar inmiddels werd haar hoofd gevuld met de woorden van het lied en de stem die ze zong – hoog en met veel ademgeruis:

'*Als ik jou vergat, zou ik niet meer weten hoe te lachen,*
Als ik jou vergat, zou ik het spreken zijn verleerd...'

190

Grace liep naar de grammofoon en probeerde de tekst op het label van de draaiende, zwarte schijf te lezen. Ze wist het niet zeker, maar ze meende de naam die daar stond te herkennen. In afwachting van het einde van het lied liet ze zich op het bed zakken.

'... *Ja, jou vergeten zou erger, veel erger zijn,*
dan wanneer ik je nooit had ontmoet.'

Ten slotte ging de schijf langzamer draaien, en uiteindelijk lag hij stil. Grace keek opnieuw naar het label en zag dat ze gelijk had gehad.

MISS DARCY FLOTSAM ZINGT *SONGS OF LOVE*, BEGELEID DOOR DE ROYAL PALM REVUE.

Grace glimlachte. Dus Darcy Flotsam had ooit een plaat gemaakt. Het was vreemd de stokoude opname van haar vriendin te horen. De vinyl plaat moest meer dan vijfhonderd jaar oud zijn! Het was een wonder dat hij de tand des tijds had doorstaan. Terwijl Grace zich afvroeg in hoeverre de opname Darcy's stem had verwrongen, besefte ze dat ze haar vriendin in het echt nooit had horen zingen. Dat zou ze haar moeten vragen, de volgende keer dat ze haar zag.

Op dat moment merkte ze pas dat ze niet alleen was in de hut. Deze keer was het geen gezichtsbedrog – er waren hier geen spiegels. Ze was klaarwakker. Sterker nog, misschien waren haar zintuigen wel extra alert. In de stoel zat Lorcan. Ze kon hem duidelijk zien. Hoe was het mogelijk dat ze hem niet eerder had opgemerkt? Hij zag eruit alsof hij sliep, gewikkeld in een deken die hij blijkbaar van het bed had gepakt. Hij zat in een ongemakkelijke houding; een arm hing over de zijkant van de stoel, de andere hield hij voor zijn ogen geklemd.

Grace kwam dichterbij. Lorcans ademhaling ging onregelmatig, hortend en stotend alsof hij akelig droomde. Moest ze hem wakker maken? Hij leek in diepe slaap, ondanks haar komst, ondanks het gezang van Darcy. Ze keek naar hem, in de hoop dat hij uit zichzelf wakker zou worden. Wat verlangde ze ernaar om zijn blauwe ogen weer te zien! Ze waren altijd zo'n troost voor haar geweest. Maar bij haar laatste bezoek aan het schip had hij zijn gezicht van haar afgewend en uit het licht gehouden. En nu kan ik zijn ogen weer niet zien, dacht ze gefrustreerd, omdat hij zijn arm eroverheen heeft gelegd. O, werd hij maar wakker!

Ze deed een stap naar achteren, ging op de punt van het bed zitten en keek naar Lorcan, zoals hij vroeger naar haar had gekeken. Het was een vreemde gewaarwording om naar iemand te kijken die sliep. Het voelde alsof je je opdrong, alsof je iemand betrapte in zijn meest weerloze staat. En terwijl je zo roerloos naar iemand keek, vroeg je je onwillekeurig af – al was het maar heel even – of hij misschien dood was, zodat je koortsachtig op zoek ging naar tekenen van leven.

In gedachten hoorde Grace de stem van Cheng Li, die haar herinnerde aan de vragen die ze Lorcan moest stellen. Toen ze met Cheng Li had gesproken in haar kamer op de Academie, had het niet meer dan logisch geleken dat ze Lorcan en de anderen om opheldering moest vragen. Maar eenmaal hier leken die vragen ineens niet meer zo belangrijk. Het enige wat ze wilde, was dat hij zijn ogen opendeed.

Plotseling slaakte Lorcan een diepe zucht, en er trok een huivering door zijn hele lichaam. Was hij bezig wakker te worden? Nee, hij was gewoon in een nieuwe fase van de slaap beland, want toen hij eenmaal een andere houding had aangenomen, zat hij weer roerloos – als bij een spelletje 'beeldje gooien'. Zijn hand was van zijn gezicht gegleden en hing over de andere stoelleuning. Er viel een donkere schaduw over zijn gezicht. Toen Grace zich over hem heen boog, besefte ze echter met een schok dat het geen schaduw was. Rond zijn ogen werd zijn gezicht ontsierd door een afschuwelijke blauwe plek, paars aan de randen, naar het midden toe bijna zwart. Zijn wenkbrauwen waren verbrand en zijn oogleden en de bleke huid onder zijn wenkbrauwen waren bedekt met blaren en rauwe brandwonden. Grace werd misselijk toen ze het zag. Het zag eruit alsof het ongelooflijk pijnlijk was.

Ze voelde een steek in haar hart, in het besef dat hij bij haar vorige bezoek alles had gedaan om te voorkomen dat ze zou zien hoe verschrikkelijk hij eraan toe was. Daarom had hij haar weliswaar binnengelaten in zijn hut, maar was hij in het donker gebleven en had hij zijn gezicht voor haar verborgen gehouden! Zoals altijd had hij haar ook toen willen beschermen.

Grace kon het nauwelijks opbrengen om naar zijn gruwelijke verminking te kijken. Heimelijk wierp ze nog een vluchtige blik op hem, maar het werd haar te veel. Snikkend wendde ze zich af. Terwijl ze dat deed, voelde ze een hand op haar schouder.

'Grace?'

'O, Lorcan!' Ze draaide zich langzaam naar hem toe.

Ze had verwacht dat hij zijn ogen zou opendoen, maar hoewel hij nu wakker was, hield hij ze krampachtig gesloten.

'Grace, waarom ben je opnieuw gekomen?'

Ze voelde zich verward. Had híj haar dan niet geroepen?

'Laten we het niet over mij hebben,' zei ze echter. 'Hoe is het met jou? Wat is er gebeurd?'

Ze kon er niets aan doen dat er tranen in haar ogen kwamen. Maar ze moest ertegen vechten. Ze moest sterk zijn, voor hem. Ze zocht naar iets om te zeggen, iets om zichzelf – en hem – af te leiden.

'Wat doe je in míjn hut?' Ze probeerde te glimlachen.

Hij beantwoordde het gebaar vluchtig, zijn mondhoeken gingen iets omhoog, maar zijn ogen bleven gesloten. 'Nou, nou, niet zo bezitterig. Ik kom hier soms... om na te denken over... over van alles.'

'En om oude platen te draaien?' vroeg Grace, nog altijd somber en met een bezwaard gemoed.

'Darcy heeft een mooie stem, vind je niet?'

'Ja,' antwoordde Grace. 'Ja, ze heeft een mooie stem.'

'Je zou haar in het echt moeten horen zingen.'

'Lorcan.' Ze kon de vraag niet langer voor zich houden. 'Lorcan, wat is er met je ogen gebeurd?'

Hij zei niets, haalde slechts zijn schouders op.

'Vertel!'

'Ach, het valt wel mee,' zei hij. 'Uiteindelijk komt het vanzelf weer goed.'

Ze waagde het opnieuw hem aan te kijken. 'De wonden zien er nog zo rauw uit,' zei ze. 'Kun je je ogen niet opendoen? Zelfs niet op een heel klein kiertje?'

'Het is nog steeds te pijnlijk,' antwoordde hij. 'Maar het is niets om je zorgen over te maken.'

'Hoelang is dat al zo?' vroeg ze, ook al wist ze het antwoord. Daar twijfelde ze niet aan. 'Wat is er gebeurd?' Alsof ze dat nog moest vragen!

Hij zei niets, maar legde zijn arm weer over zijn ogen. Ze wist niet zeker of hij dat deed om haar de aanblik te besparen, of omdat zelfs het zwakke licht van één kaars onverdraaglijk voor hem was.

'Het is drie maanden geleden gebeurd, waar of niet?' Ze kon zich niet langer beheersen. 'Op de ochtend dat Connor aan boord kwam. Darcy luidde de Ochtendklok, maar jij bleef aan dek, ook al werd het licht. Je bleef buiten... Om mij te beschermen.' Ze kreeg een brok in haar keel. 'Het is allemaal mijn schuld.'

'Nee, Grace. Het is niemands schuld.'

'Wel waar. Je mag niet naar buiten wanneer het licht is. Alleen de kapitein kan daglicht verdragen. Maar je hebt het toch gedaan en je bent buiten gebleven... Om mij te beschermen.'

'Je had me nodig.'

Ze schudde haar hoofd. Hij was zo'n intens fatsoenlijk mens. Alleen, hij was geen mens, hield ze zichzelf voor. Hij was onsterfelijk. Vampiers hadden toch het eeuwige leven? En door haar zou hij nu misschien eeuwig blind zijn. Toen kwam er een andere duistere gedachte in haar op. Wat gebeurde er als een vampier zo ernstig gewond raakte als Lorcan? Was het mogelijk dat hij voor een tweede keer zou sterven?

Haar hart ging als een razende tekeer, haar hoofd tolde. Ze móést de kapitein spreken. Nu meteen. Hij kon antwoord geven op haar vragen. Maar als dat zo was, hoe kon hij Lorcan dan zo laten lijden? Bij haar laatste bezoek had Lorcan gezegd dat het gezag van de kapitein op de proef werd gesteld. Betekende dit dat zelfs hij Lorcan niet kon helpen? Dat was verschrikkelijk, te erg voor woorden!

Ze keek achterom naar Lorcan, maar de mist begon zich al tussen hen te dringen. Wanhopig strekte ze haar handen naar hem uit. Hoewel hij haar niet kon zien, moest hij het hebben gevoeld, want ook hij strekte zijn handen uit. Ze konden elkaar echter niet aanraken. Het was alsof een onzichtbare muur hen scheidde, terwijl de mist steeds dikker en dichter werd.

'Nee!' riep ze. 'Nog niet. Ik kan nog niet weg!'

Maar de mist was inmiddels zo dicht dat ze Lorcan niet meer kon zien. Toch bleef ze naar zijn handen reiken, ook al wist ze dat het zinloos was. Toen werd ze plotseling naar achteren geslingerd, weg van Lorcan. Opnieuw schoot ze door de lucht, deze keer zonder bed, alsof ze zonder plank over de woeste golven van de oprukkende vloed scheerde.

Maar waarom, vroeg ze zich af. Waarom word ik weggerukt, net nu het zo belangrijk is om te blijven?

De gedachten maalden nog altijd door haar hoofd, toen ze haar ogen opendeed en zag dat ze weer in haar kamer op de Academie was. Ze lag languit op het bed, boven op de sprei, haar hoofd op de kussens.

Er werd op de deur geklopt, luid, dringend, dus wie het ook was, probeerde blijkbaar al een tijdje om haar wakker te krijgen.

'Binnen!' Ze werkte zich half overeind.

'Grace!' Connor kwam de kamer binnen stormen, rende langs haar heen en schoof met kracht de gordijnen open. 'Waarom lig je nog in bed? Het is een prachtige ochtend. Ik ben al wezen hardlopen en...'

Toen pas keek hij om naar zijn zus.

'Lieve hemel, Grace, je ziet er verschrikkelijk uit. Wat is er aan de hand?'

Grace werkte zich zuchtend iets verder overeind. 'Ik heb heel diep geslapen. Het zal wel... van al dat eten komen, gisteravond.'

Connor begon te lachen. 'Nou, ga dan maar gauw onder de douche. We zijn uitgenodigd voor de les Knopen van kapitein Quivers, meteen na het ontbijt. Het is een les voor junioren, maar het zou voor ons ook interessant moeten zijn. Vooruit, Grace. In de benen! We mogen het ontbijt niet missen!'

Grace keek haar broer aan. Hij had geen idee wat ze doormaakte. Ze zou het hem dolgraag willen vertellen, maar dat kon ze niet. Nog niet. Hij zou er niets van begrijpen. Het liefst praatte hij helemaal niet over de vampiraten. Dus hij kon zich beter concentreren op het leven op de Academie. Eén ding tegelijk, zei ze tegen zichzelf. Wanneer ze hem eenmaal zover had dat hij niet meer terugging naar de *Diablo*, zou ze hem deelgenoot maken van haar avonturen. Niet eerder.

Knopen

SAMEN MET JACOBY, JASMINE en wat andere leerlingen, gebruikten ze een snel ontbijt op het terras. De zon stond stralend aan de hemel, en het was al erg warm, dus Grace was blij dat ze zo verstandig was geweest haar zonnebril nog vlug mee te pakken toen Connor haar gejaagd de kamer uit had gedreven.

Jacoby kletste gezellig tegen Grace aan, en ze probeerde te reageren en de juiste antwoorden te geven, ook al was ze met haar gedachten nog ver van de Academie. Het leek Jacoby niet te storen. Hij was buitengewoon gemakkelijk in de omgang. Grace knoeide wat met haar muffin en nam een klein glaasje sinaasappelsap, terwijl de leerlingen om haar heen zich door stapels pannenkoeken en gebakken eieren met spek en bergen worstjes en fruit heen werkten.

'We moeten gaan,' zei Jacoby toen de bel ging. Onwillekeurig dacht Grace aan de Ochtendklok op het vampiratenschip – de bel die voor de vampiers het teken was om naar binnen te gaan. De bel die Lorcan had genegeerd om haar te redden. Ze voelde zich schuldig dat ze een zonnebril droeg, in het besef hoe goed en veilig haar leventje was, vergeleken bij dat van haar vriend. Haar vriend, die door haar zo veel pijn moest lijden.

'Waar zei je dat we als eerste naartoe gingen, Connor?' De opgewekte stem van Jacoby deed haar opschrikken uit haar naargeestige overpeinzingen. Door haar somberheid voelde ze zich eenzaam in zulk opgewekt gezelschap.

'Naar de les Knopen van kapitein Quivers,' antwoordde Connor.

Jacoby lachte. 'Ik zie dat ze jullie bij de basis laten beginnen. Oké, ik zal jullie wijzen waar je moet zijn. Kom mee, Grace. Trouwens, hoe is jullie dubbele schootsteek?'

Grace keek Jacoby door de donkere glazen van haar bril vragend aan.

Hij lachte. 'Hm, ik vraag me af of jullie wel genoeg koffie hebben gedronken om deze les aan te kunnen.'

Een paar minuten later leverde hij Grace en Connor via een van de tentakels van de Octopus af bij een klein, licht lokaal met lage banken en opgewonden jonge kinderen, die het soort hoge geluidjes maakten dat kinderen eigen is op een zonnige ochtend. Grace besefte dat ze binnen haar zonnebril waarschijnlijk zou moeten afzetten. Toen ze dat deed, kwam er onmiddellijk een overdaad aan stralende kleuren op haar af, van de door de leerlingen gemaakte tekeningen en collages aan de muren, tot de schaalmodellen van zeeschepselen die trots op planken stonden uitgestald. Ze keek omhoog en zag dat de leerlingen zelfs hun eigen zwaardenmobiel hadden gemaakt, een imitatie van de glazen kisten in de koepelzaal. Iedere leerling had zijn eigen zwaard geschilderd en zijn of haar naam er trots naast geschreven. KAPITEIN SAMARA PESCUDO VAN DE MELTEMI, las Grace glimlachend.

Voor in de klas deelde kapitein Quivers mandjes uit met stukjes gekleurd touw. Grace schatte de kinderen een jaar of zes, zeven. Een van hen stond naast de lerares en deelde aan ieder van zijn klasgenoten een soort kleine deegrol uit – althans, daar leek het op. Gewapend met hun deegrol en hun mandje met touw haastten de leerlingen zich terug naar hun bank.

Op dat moment keek kapitein Quivers op. Ze schonk Grace en Connor een stralende glimlach. 'Goedemorgen! Wat een prachtige dag, hè? Hoe gaat het ermee?'

'Heel goed.' Ondanks haar sombere bui moest Grace glimlachen. Ze mocht kapitein Quivers graag. 'Dank u wel dat we zomaar mogen komen binnenvallen.'

'Ja, en met je neus in de boter!' zei kapitein Quivers. 'Vijftien junioren en een enorme hoeveelheid touw! Ik hoop dat jullie goed zijn in het lósmaken van knopen!' Ze grinnikte. 'Pak een stoel, kinderen.' Ze keerde zich weer naar de klas. 'Wanneer je je houten pen eenmaal hebt, maak je die vast aan je bank. Vooruit, dat moeten jullie onderhand zelf kunnen. Laat onze gasten eens zien hoeveel we al kunnen en hoe zelfstandig we zijn.'

De tweeling keek toe terwijl de kinderen de pin in een houder aan de voorkant van hun tafel klikten, zodat hij min of meer schuin naar voren stak. De kinderen met wat meer organisatietalent waren al bezig strengen van verschillend gekleurde touwen naast elkaar op hun bank te leggen. Grace voelde nu al een sfeer van competitie tussen sommigen van de aankomende piraten. Connor en zij keken elkaar grijnzend aan terwijl ze hun plaats innamen. Geleidelijk aan voelde Grace dat ze weer tot zichzelf kwam, en dat de herinnering aan haar reis naar het vampiratenschip op de achtergrond raakte.

'Oké,' zei kapitein Quivers. 'Heeft iedereen zijn spullen op orde? Mooi. Pak een stukje blauw touw, en dan wil ik dat jullie een overhandse knoop maken.'

Onmiddellijk reikten de kleine handen naar de stukken touw en knoopten die deskundig om de pen aan de voorkant van hun bank.

'Goed gedaan. En dan nu, met rood, een achtknoop.'

Opnieuw werd een stuk touw gepakt en deskundig geknoopt. Kapitein Quivers liet haar blik door het lokaal gaan en knikte bemoedigend. 'Denk erom, goed strak aantrekken, Nile.' Ze glimlachte naar een van haar jongste leerlingen. Hij knikte ernstig en trok het touw strakker aan.

'En dan nu...' Kapitein Quivers zweeg even en keek opnieuw het lokaal rond. De kinderen zaten doodstil, hun adem ingehouden van opwinding, benieuwd welke kleur touw en welke knoop er vervolgens zouden worden afgeroepen. Grace moest zich beheersen om niet te giechelen. Het was heerlijk om zo veel enthousiasme te zien – ze voelde zich plotseling heel oud. Ik ben pas veertien, dacht ze. Niet eens zo lang geleden was ik zelf nog een kind, in een klaslokaal zoals dit. Maar nu... nu had ze net zo goed even oud kunnen zijn als kapitein Quivers. Er gaapte zo'n enorme ervaringskloof tussen haar en deze kinderen met hun stralende ogen.

'... pak een groen touw en maak een dubbele hielingsteek.'

Onmiddellijk werden er overal stukken groen touw opgepakt, gedraaid en geknoopt terwijl kleine vingers en duimen voortvarend aan de slag gingen met de laatste opdracht van kapitein Quivers.

'Heel goed, echt heel goed!' zei kapitein Quivers. 'Tja, jongens, we hebben vandaag twee heel bijzondere bezoekers. Dus ik zou jullie willen vragen Grace en Connor Tempest netjes te begroeten. Grace en Connor komen van het beroemde piratenschip, de *Diablo*. Ja, jullie horen het goed. De *Diablo*. Wie kan me vertellen hoe de kapitein van dat schip heet?'

Onmiddellijk gingen de vingers de lucht in, waarbij sommige kinderen in hun ijver bijna hun arm verrekten.

'Zeg het maar, Mika?'

'Kapitein Molucco Wrathe,' antwoordde het meisje, volmaakt zuiver articulerend.

'Inderdaad, Mika. Heel goed geantwoord. Laat je vingers maar weer zakken.'

Er klonk een opgewonden geroezemoes, terwijl de kinderen voor het eerst echt naar Grace en Connor keken.

'Omdat we Grace en Connor vandaag bij ons hebben, dacht ik dat jullie het misschien leuk zouden vinden om het knopen even te laten voor wat het is en hun een paar vragen te stellen over het leven op een echt piratenschip – tenminste, als jullie daarmee akkoord gaan, natuurlijk?' Terwijl ze zich naar Grace en Connor keerde, gingen de eerste vingers al omhoog.

'Hoe is kapitein Wrathe in het echt?' vroeg een klein jongetje met rossig haar dat vooraan in de klas zat.

'Goede vraag, Luc,' zei kapitein Quivers.

'Verbazingwekkend,' zei Connor. 'Denk aan alle opwindende verhalen die je ooit over hem hebt gehoord en tel er dan nog eens zo veel bij op!'

'Is het waar dat hij een slang als huisdier heeft?' vroeg een meisje halverwege de klas.

'Absoluut.' Connor knikte. 'Hij heet Scherpent, oftewel Scrimshaw, en hij woont in het haar van kapitein Wrathe.'

Er ging een zucht van ontzag door het lokaal, en alom klonken verbaasde geluiden. 'Ik zei het toch!'

Kapitein Quivers knikte naar een ander meisje. 'Zeg het maar, Samara. Wat wil je vragen?'

'Ik heb een vraag voor Grace. Wilde je altijd al piraat worden?'

Grace schudde haar hoofd. 'Nee, niet echt. Het is allemaal per ongeluk gegaan.'

Het meisje keek teleurgesteld.

'Heb jíj altijd piraat willen worden?' vroeg Grace op haar beurt.

'Ja.' Samara knikte heftig. 'Ik heet Samara Pescudo en ik word later piratenkapitein, net als mijn papa en mama.' Om haar heen werd instemmend geknikt. De kinderen zijn goed getraind, dacht Grace.

'Heb je veel gevochten?' vroeg een van de jongens aan Connor.

'Ja,' antwoordde Connor. 'Op een schip moet je altijd klaar zijn om jezelf te verdedigen, maar ook om aan te vallen.'

'Wat voor zwaarden gebruik je?' vroeg een andere jongen, te opgewonden om zijn hand op te steken. Alle ogen richtten zich weer op Connor.

'Ik heb een rapier,' zei die.

'Alleen een rapier?' hield de jongen vol.

Connor knikte. 'Alleen een rapier.'

'Wij leren hier doorgaans met twee wapens te vechten,' merkte kapitein Quivers op. 'Je krijgt deze groep later nog in actie te zien.'

Grace was geschokt. Waren deze kinderen niet een beetje jong om al met een zwaard rond te lopen?

'Vanmiddag krijgen we Vechttechnieken,' vertelde een van de kinderen aan Connor. 'Kom je naar ons kijken?'

Connor haalde zijn schouders op. 'Ik weet het nog niet. Zouden jullie dat leuk vinden?'

'Ja!' riep de jongen stralend. De anderen beaamden het in koor.

'Het is vandaag een bijzondere les,' vertelde kapitein Quivers. 'Het zou inderdaad de moeite waard zijn om te komen kijken. We hebben een kleine verrassing in petto voor onze jonge piraten.'

'Wat voor verrassing, kapitein Quivers?' Het was de kleine Samara weer.

'Tja, als ik dat vertel, is het geen verrassing meer.'

'We krijgen vandaag ons zwaard!'

'Niet gek gegokt, Luc, maar ik zeg niets. Helemaal niets.' Kapitein Quivers deed alsof ze haar lippen dichtritste.

'We krijgen ons zwaard, óf misschien geeft Mr. Tempest een demonstratie of zoiets.'

'Nou, jullie zullen gewoon geduld moeten hebben,' zei kapitein Quivers. 'Hebben we nog meer vragen voor Connor en Grace, of zullen we ons maar weer aan onze knopen wijden?'

Prompt ging er een vinger de lucht in.

'Zeg het maar, Mika?'

'Wat voor knopen gebruik jíj op de *Diablo*, Connor?'

'Om eerlijk te zijn, kan ik alleen de meest gebruikte,' zei Connor grijnzend. 'Een achtknoop, een platte knoop... en een schootsteek. Ik denk dat jullie me royaal de baas zijn.'

De kinderen moesten lachen.

'Nou, dat zullen we dan eens gaan controleren,' zei kapitein Quivers. Glimlachend gaf ze Connor ook een mand en een deegrollertje. 'Hier heb je wat touw, Connor. En jij ook, Grace, kindje. Dan ga ik jullie allemaal een nieuwe knoop leren. Een knoop waar je veel aan zult hebben. De trompetsteek...'

Er zijn ergere dingen dan op een zonnige ochtend in een klas met levendige kinderen te zitten en met stukjes gekleurd touw te spelen, dacht Grace. De leerlingen waren een vrolijk en onderhoudend stel en Mika, die naast haar zat, was een verrukkelijk kind. Amper zeven, maar nu al een geboren lerares, zoals bleek uit de manier waarop ze Grace geduldig elke knoop voordeed waartoe kapitein Quivers opdracht gaf: de schootsteek, de mastworp, de paalsteek.

Ze wist niet of het kwam door de knusse beslotenheid van het warme lokaal, door de aangename sfeer die kapitein Quivers wist te creëren, of simpelweg door de onweerstaanbare energie van de kinderen zelf, maar Grace besefte dat ze naar hartenlust genoot... voor het eerst in een heel lange tijd. Door de uitdaging van het knopen leggen kon ze het grote dilemma waarmee ze worstelde, even uit haar hoofd zetten. Misschien was het de eenvoudige bezigheid van simpelweg een stukje gekleurd touw pakken en er een knoop in leggen. Soms lukte het meteen, soms niet. Maar ook dat was geen probleem. Dan haalde je je werk gewoon uit, en je probeerde het opnieuw. Was haar leven maar zo simpel!

Grace voelde een plotselinge beschermingsdrang jegens Mika

en haar jeugdige klasgenoten. Ze keek het lokaal rond, naar de gretige aankomende piraten, met hun hoofd vol dromen van zon-overgoten oceanen en ongecompliceerde avonturen. Hier leek het allemaal zo veilig: knopen leggen in stukjes gekleurd touw, klei-modellen maken van octopussen of mobielen van zwaarden, ma-noeuvreren met kapitein Avery op kleine bootjes in de haven. Maar voorbij de havenmuren wachtte een andere wereld; een we-reld waarvan Grace zich nog niet eens een voorstelling had kun-nen maken toen ze zo jong was als deze kinderen. Ze zouden er-door veranderen, net zoals Connor en zij erdoor waren veranderd.

Ze keek naar Connor en glimlachte toen ze zag hoe hij met de stukjes gekleurd touw zat te zwaaien. Blijkbaar kwam hij er niet meer uit, en twee van de jeugdige leerlingen van kapitein Quivers schoten hem te hulp. Of misschien deed hij het alleen om hun een plezier te doen. Het was goed om hem te zien lachen, om te zien hoe hij grappen maakte met de kinderen, in een lokaal waar de zwaarden van karton waren en je in het ergste geval een papier-snee konden bezorgen. Plotseling besefte Grace dat de sombere weemoed die haar vervulde, niets te maken had met wat er met deze jonge leerlingen ging gebeuren. Ze was in de rouw om twee andere kinderen – twee kinderen die door omstandigheden veel te snel volwassen hadden moeten worden.

Kleine duiven

TOEN DE BEL GING voor de middaglessen, werden Grace en Connor door Jacoby over het zonovergoten terrein van de Academie naar het sportcomplex gebracht. In de lichte, hoge sportzaal troffen ze Cheng Li, die haar gebruikelijke uitmonstering had afgelegd en geheel in het wit was gehuld. Ze liep op blote voeten.

Toen ze binnenkwamen, keerde ze zich niet naar hen toe om hen te begroeten, dus het eerste wat ze van haar zagen waren de twee katana's, die als vleugels op haar rug rustten. Ze stond diep over een schaal met wierook gebogen. In haar handen hield ze een klein, in leer gebonden boek.

'Ga maar aan de kant zitten,' zei ze, nog altijd zonder zich om te draaien.

Jacoby trok zijn schoenen uit en gebaarde Grace en Connor hetzelfde te doen. Vervolgens liepen ze gedrieën naar een rij stoelen aan de zijkant van de zaal.

Cheng Li liep zorgvuldig over de met matten bedekte vloer. Ze stak wierook aan in een tweede schaal en wachtte tot de rook omhoog kringelde.

Opnieuw luidde de bel. Even later ging de deur van de sportzaal open, en de vijftien kinderen van de laagste klas kwamen binnen, allemaal in het wit, net als hun lerares. Ze zagen er schattig uit

– net kleine duiven, dacht Grace – terwijl ze hun positie innamen, gelijkmatig over de matten verspreid. De vleugels op hun rug bestonden uit twee korte stukken bamboe, die door riemen op hun plaats werden gehouden. Toen de kinderen eenmaal op hun plek stonden en zwijgend afwachtten, keerde Cheng Li zich naar hen toe, en ze begon zacht te praten.

'Controleer eerst de houding van je hoofd. Het mag niet achterover gekanteld zijn, maar ook niet voorover gebogen; niet opzij, niet schuin naar voren of naar achteren. Het zweeft als het ware boven je schouders, in volmaakte balans, als de ronde bol van de volle maan.' Ze zweeg even. 'Je ogen kijken niet naar links of naar rechts, maar strak naar voren. Je bent je bewust van je gezichtsveld, zónder je ogen te bewegen. En achter je oogleden, achter je ziénde ogen, bevindt zich een oog dat in alle situaties die je tegenkomt in de diepte kijkt. Activeer nu dit alziende oog.'

De kinderen stonden roerloos als standbeelden terwijl Cheng Li hen aan een strenge inspectie onderwierp, tussen hen door bewegend als een zachte bries door de lentebloesem.

'Verplaats je aandacht nu naar je nek en je schouders...' Cheng Li werkte met haar jonge leerlingen nog diverse soortgelijke mantra's af tot hun hele lichaam volledig bij het gebeuren was betrokken. Ze onderbrak zichzelf af en toe om voorzichtig de houding van een hals of een ruggengraat te corrigeren. Grace was verbijsterd door de beheersing waartoe de jonge kinderen in staat bleken. Óf ze waren natuurtalenten, óf ze waren perfect getraind. Hoe dan ook, het was buitengewoon indrukwekkend, maar ook een beetje angstaanjagend. Tijdens de les Knopen van kapitein Quivers hadden ze nog zulke kinderen geleken. Hier leek Cheng Li hen tot kleine krijgers te kneden.

'Laat je schouders zakken, hou je rug recht – níét je billen naar achteren steken – en breng kracht vanuit je knieën over naar je voorvoet. Geef je maag de ruimte zodat je heupen niet doorzakken.'

Opnieuw brachten de jonge piraten buitengewoon subtiele correcties aan in hun houding, totdat Cheng Li uiteindelijk tevreden en goedkeurend terugliep naar de voorkant van de zaal. 'Ik moet zeggen dat ik onder de indruk ben. Jullie hebben je huiswerk goed gedaan, en daarmee de basis gelegd om niet alleen piraten, maar ook krijgers te worden.'

Ze draaide zich om en pakte het leren boekje dat ze eerder in haar hand had gehouden. 'Dan gaan we nu werken aan een nieuwe aanvalsstrategie,' kondigde ze aan. 'Splits je op in je vechtgroepen...'

Bij die woorden hergroepeerden de kinderen zich op de matten. In een oogwenk waren de groepen gevormd en kon Cheng Li met haar instructie beginnen. 'Vandaag beginnen we met een nieuwe techniek om een vijandelijke kling te doen afbuigen,' zei ze. 'Ik ga de diagonale, neerwaartse stoot uitleggen.'

Er klonk opgewonden geroezemoes terwijl Cheng Li haar instructies vervolgde.

Grace boog zich naar Jacoby. 'Zijn deze kinderen niet een beetje jong om een diagonale, neerwaartse stoot te leren?' vroeg ze.

Jacoby schudde glimlachend zijn hoofd. 'Dit is waar het om draait,' zei hij. 'Wanneer ze teruggaan naar het schip van hun ouders, moeten ze zich kunnen verdedigen.'

'Ja, dat begrijp ik wel,' zei Grace. 'Maar ze zijn pas – wat is het – zeven, acht? Moeten ze niet de kans krijgen om te spelen, zoals gewone kinderen?'

Jacoby schudde opnieuw zijn hoofd. 'Het zíjn geen gewone kinderen, Grace. Deze kinderen zijn uitverkoren tot de toekomstige heersers op de oceanen. Ooit zullen ze een vloot onder zich hebben! Dus ze móéten wel jong beginnen. Bovendien, zien ze eruit alsof ze het erg vinden?'

Integendeel. Dat stoorde Grace misschien nog het meest. Van de vrolijke jonge kinderen die ze in de ochtendles had leren kennen, waren Mika, Samara, Nile, Luc en alle anderen veranderd in kleine moordmachines. Zwaaiend met hun bamboestokken zagen ze eruit als dodelijk, opwindbaar speelgoed.

'Wat vind jij, Connor?' vroeg Jacoby.

Connor zei niets, maar keek gespannen toe en volgde met zijn handen nauwkeurig de bewegingen die Cheng Li de kinderen voordeed met haar katana's.

Jacoby glimlachte, maar Grace fronste haar voorhoofd. Ze leunde naar achteren in haar stoel en volgde zwijgend de les, zich afvragend wat ze had gedaan en wat haar te doen stond. Tenslotte was zij het geweest die Connor naar de Academie had gebracht, om hem te redden van een wisse dood aan boord van de *Diablo*. Ze had gehoopt dat hij betoverd zou raken door de Academie, en alles wees erop dat die hoop in vervulling was gegaan. Alleen vroeg Grace zich angstig af of ze van de regen in de drup terecht waren gekomen. Of er misschien geen ontsnapping mogelijk was aan de dood door een vijandelijke kling?

Het was niet het schermen zelf waar ze moeite mee had, hield ze zich voor. Ze had Connor hier gebracht omdat de Academie haar piraten opleidde op een meer strategische, gecoördineerde manier. Als Connor hier bleef om zo veel mogelijk te leren, zou hij sterker staan als piraat. Hij zou bijna zeker als kapitein naar zee terugkeren, en niet als rapierenvlees. Toch ontleende Grace weinig troost aan die gedachte. Of Connor nu aan boord bleef van de *Diablo* of zijn intrek nam in de Piratenacademie, uiteindelijk wachtte hem hetzelfde lot. Hij zou moeten leven met het zwaard, en met de voortdurende dreiging voortijdig de dood te vinden. Haar enige kans om hem te redden, was hem het idee van een carrière als piraat uit zijn hoofd praten. Maar het leek haar buitengewoon onwaarschijnlijk dat ze daarin zou slagen.

'Is het niet verbijsterend?' Hij keerde zich met een ruk naar haar toe. 'Ik vind het hier wel zo gaaf! Echt, ik ben je ontzettend dankbaar dat je me hierheen hebt gehaald. Dat heeft mijn ogen geopend.'

Grace glimlachte, ook al voelde ze zich ellendig. Maar het zou allemaal nog veel erger worden.

'Uitstekend gedaan.' Cheng Li liet haar blik over haar leerlingen gaan. 'Jullie hebben goed in de praktijk gebracht wat je hebt geleerd. Maar pas op: denk maar niet dat je er al bent. Jullie zijn net jonge vogeltjes aan het begin van een lange reis. Ook al brengt de dag van vandaag je dichter bij je bestemming, je moet nog een heel eind vliegen.'

Bij deze woorden gingen de deuren van de sportzaal opnieuw open, en commodore Kuo kwam binnen, gekleed in een fraai gewaad van rode zijde, voorzien van de tekenen van de Academie; het zwaard, het kompas en de parel. Achter hem liepen twee leerlingen uit het laatste jaar, die een hoge, gelakte kist op wielen voor zich uit duwden.

De kinderen op de matten keken opgewonden toe. Overal werd druk gepraat, maar Cheng Li legde hen met één blik het zwijgen op.

'Commodore Kuo,' zei ze. 'De junioren hebben zich zojuist van hun beste kant laten zien.'

'Dat doet me goed.' De commodore glimlachte. Hij liep met grote stappen naar voren om de leerlingen zelf toe te spreken, maar niet voordat hij Grace en Connor vriendelijk had toegeknikt.

'Welnu, mijn jonge krijgers,' zei hij tegen de kinderen op de matten. 'Het moment is aangebroken waarop jullie doorstromen naar het volgende niveau van jullie opleiding. De senioren gaan nu over tot het uitreiken van zijden sjerpen, waarmee jullie zullen worden geblinddoekt.'

Terwijl hij nog aan het woord was, begaven de twee oudere leerlingen zich over de matten naar de jongere kinderen, die ze een voor een overeind hielpen en blinddoekten. Het duurde niet lang of alle junioren hadden een sjerp van rode zijde voor hun ogen, dezelfde kleur als het gewaad van de rector.

'Denk aan wat ik jullie eerder heb gezegd,' zei Cheng Li. 'Er is een verschil tussen observeren en zien. Je hoeft je ogen niet open te hebben om te zien. Je moet altijd zorgen dat je weet waar het zwaard van je vijand is, zelfs wanneer je het niet kunt zien.'

Terwijl ze aan het woord was, haalde de rector een sleutel tevoorschijn en maakte hij de gelakte kist open. De twee senioren hielpen hem het deksel eraf te nemen, waardoor rijen glimmende zwaarden zichtbaar werden.

'Gebruik nu je ziende ogen,' zei Cheng Li. 'Blijf doodstil staan en bereid jezelf voor.'

Connor keerde zich naar Jacoby. 'Wow!' zei hij. 'Wat is er aan de hand?'

Jacoby glimlachte. 'Gewoon goed kijken, m'n beste. Daar kun je nog een hoop van leren!' Bij zijn woorden liep er een rilling over de rug van Grace. Desondanks kon ze haar ogen niet van commodore Kuo afhouden.

De rector wenkte Connor. Die stond als in trance op. Grace keek toe terwijl de rector hem iets in zijn oor fluisterde. Connor knikte, waarop de commodore twee kleine zwaarden uit de gelakte kist nam. Connor bracht ze naar een van de kinderen op de matten en hield het kind het gevest voor.

Al snel strekte het kind zijn handen uit en greep beide zwaarden bij het gevest. Connor liet los, en er verscheen een brede glimlach op het gezicht van het kind terwijl het zijn *daisho* in handen hield.

De oudere leerlingen en de volwassenen deelden hetzelfde geschenk uit – als je het zo kon noemen – aan ieder van de kinderen. Ten slotte gingen ze allemaal in een rij staan, nog altijd geblinddoekt, hun kleine vuisten om de gevesten van hun scherpe, stalen klingen geklemd. Grace zag dat het hun moeite kostte hun gezicht in de plooi te houden.

De oudere leerlingen deden de gelakte kist dicht, en Connor kwam weer naast Grace zitten. De commodore ging voor zijn kleine krijgers staan, terwijl Cheng Li snel achter hen langsliep en hun de blinddoeken afdeed. De ogen van de kinderen schitterden als diamanten, terwijl ze hun eerste blik op de *daisho* wierpen: het paar zwaarden – de katana en de *sho* – dat ze in hun handen hielden.

'Laat deze klingen jullie kostbaarste bezit zijn,' zei de commodore. 'Deze zwaarden vertegenwoordigen het vertrouwen dat we in jullie hebben, en onze stellige overtuiging dat jullie de toekomst zijn van de piraterij. Gebruik deze wapens niet in plotseling opwellende woede of ten dienste van een snel profijt. Nee, ze dienen te worden gebruikt met zorg, met precisie en in eerzaamheid, zoals jullie dat hier op de Academie is geleerd. Deze klingen zijn voor jullie allen een verbindingslijn, door de tijd heen, met de nobele piraten die jullie voorgingen. En met de toekomst en de piraten die na jullie zullen komen. Maar – en dat is het allerbelangrijkste – je daisho verbindt jullie met elkaar, met jullie kameraden op de Academie en in de Piratenfederatie.'

Hij maakte een buiging naar de kinderen, toen liep hij naar Connor en Grace.

'Ik ben zo blij dat jullie hierbij konden zijn,' zei hij. 'Dit is hier op de Academie een van de opwindendste momenten van het jaar.'

Grace knikte. Ze zweeg, uit angst iets verkeerds te zeggen, en keek toe terwijl de senioren de junioren weer in een rij opstelden.

'Wat gaat er nu gebeuren?' vroeg ze.

'Nu worden de zwaarden teruggenomen en weer naar het arsenaal gebracht,' antwoordde de commodore. 'Op deze leeftijd mogen de leerlingen hun wapens nog niet bij zich houden. We willen niet het risico lopen dat er ongelukken gebeuren!'

Haar werk was gedaan, en Cheng Li liep over de matten naar voren om zich bij hen te voegen.

'Ik zei net hoe blij ik was dat Grace en Connor hiervan getuige konden zijn,' zei de rector.

'Ja, inderdaad,' viel Cheng Li hem bij.

'Ach, ik weet nog als de dag van gisteren dat hier een bijzonder getalenteerde zevenjarige op de matten stond en haar handen uitstrekte om haar daisho in ontvangst te nemen.' De commodore glimlachte. 'En moet je jezelf nu eens zien, Cheng Li.'

Ze glimlachte, duidelijk in verlegenheid gebracht.

Commodore Kuo keerde zich naar de tweeling. 'Jullie zijn weliswaar te laat om nog de volledige opleiding te volgen die we de leerlingen hier te bieden hebben. Maar er is nog heel veel wat we jullie zouden kunnen leren, mochten jullie willen blijven.'

Grace keek naar Connor, zich afvragend wat hij dacht en in het besef dat ze niet meer wist hoe ze zou willen dat zijn besluit uitviel. Misschien moest ze zich er niet meer mee bemoeien en hem zijn eigen keuzes laten maken. Ze herinnerde zich hoe geschokt ze was geweest toen bleek dat hij een contract bij kapitein Wrathe had getekend. Ze was er heilig van overtuigd geweest dat zij beter voor hen beiden kon beslissen. Maar wat was ze daarmee opgeschoten? Connor voelde zich als een vis in het water op een Academie die zevenjarigen veranderde in moordmachines, en zelf worstelde ze met het probleem van het 'schip der demonen' en het gevoel dat haar werk daar nog niet af was. Tijd om een toontje lager te zingen, dacht ze met de nodige zelfspot. Het nemen van de juiste beslissingen is duidelijk niet mijn beste kant.

'Je ziet een beetje pips, Grace,' zei Cheng Li, terwijl ze Grace glimlachend opnam. 'Heb je zin om een eindje te gaan lopen?'

Grace dacht even na. Ze begreep wat Cheng Li met haar voorstel beoogde. Daardoor zou ze de kans krijgen haar hart te luchten en Cheng Li te vertellen over haar laatste reis naar het vampiratenschip. Het was een verleidelijk aanbod, maar plotseling snakte Grace ernaar alleen te zijn.

'Nee, dank je,' zei ze dan ook. 'Eerlijk gezegd denk ik dat ik nog even ga zwemmen voor het avondeten.'

'Zwemmen?' herhaalde Cheng Li geamuseerd.

'Ja. Ik heb vanmorgen niet meegelopen met kapitein Platonov, maar ik heb wel behoefte aan een beetje lichaamsbeweging.'

'Goed idee!' zei Connor enthousiast. 'Wij gaan mee! Oké, Jacoby?'

'Prima,' zei Jacoby. 'We zouden Jasmine ook mee kunnen vragen.' Hij boog zich naar Connor. 'Want ik laat natuurlijk geen kans voorbijgaan om haar in bikini te zien,' fluisterde hij.

Commodore Kuo nam hen drieën stralend op. 'Geweldig,' zei hij. 'Echt geweldig. Veel plezier, jongelui.'

Ze draaiden zich om en liepen de gymzaal uit. Terwijl de deur achter hen dichtviel, keerde de commodore zich naar Cheng Li. 'Het is fijn dat Connor en Grace hier al vrienden hebben gemaakt, vind je ook niet?'

'Ja, erg fijn,' antwoordde Cheng Li glimlachend.

'Ik neem aan dat ik je niet kan verleiden tot een potje schermen voor het avondeten? Net zoals we dat vroeger deden?'

'Ach John, ik zou gehakt van je maken,' antwoordde ze glimlachend.

De commodore begon te lachen. 'Nou ja, dan zou ik tenminste sterven als een gelukkig mens.'

'Dood is dood, John. Of je nou sterft met een glimlach om de lippen of met tranen in je ogen, het resultaat is hetzelfde. Leegte, het totale niets.'

Ballingen

GRACE ZWOM BRAAF HAAR baantjes en ook later, tijdens het avondeten met Connor, Jacoby en Jasmine, deed ze wat er van haar werd verwacht. De maaltijd was niet zo uitgebreid als het diner met de kapiteins de avond tevoren, maar het was wel meer ontspannen, en ook nu weer verrukkelijk. Grace was er echter niet echt bij met haar hoofd, en haar hart. Haar gedachten dwaalden steeds af naar het vampiratenschip. Misschien zou ze zich pas volledig kunnen overgeven aan het leven op de Academie, wanneer ze ervoor had gezorgd dat op het schip van de vampiraten alles weer in orde was. Werd karma niet geacht zo te werken?

Na het avondeten stelde Jacoby een biljarttoernooi voor. Connor stemde er gretig mee in, en Jasmine zou ook van de partij zijn, maar ze wilde eerst nog wat lezen, als voorbereiding op de lessen van de volgende dag.

'Ja, het is niet alleen een lekker ding, ze is nog slim ook,' zei Jacoby tegen Connor toen Jasmine was verdwenen. 'Grace? Jij doet toch ook mee?'

Ze schudde glimlachend haar hoofd. 'Ik ben doodop, dus ik denk dat ik vroeg naar bed ga.'

Jacoby keek een beetje teleurgesteld. 'Dan blijven we met z'n tweeën over,' zei hij tegen Connor. Grace wenste hen welterusten.

'Laten we er een weddenschap van maken,' hoorde ze Jacoby tegen Connor zeggen terwijl ze hun de rug toekeerde. 'Dat maakt het extra spannend...' Ze glimlachte. Die twee waren onverbeterlijk.

Toen ze over het terras liep, ontdekte ze een vertrouwd silhouet, uitkijkend over de haven in de diepte.

'Cheng Li!'

'Grace! Hallo.' Cheng Li keerde zich naar haar toe. 'Ga je al naar bed?'

'Ja,' zei Grace. 'Het was een lange dag.'

Cheng Li schudde haar hoofd. 'Ik ben de rector niet, Grace. Mij strooi je geen zand in de ogen. We delen álles, weet je nog wel?' Ze legde een hand op de schouder van Grace. 'Kom op, een kleine wandeling door de tuinen zal je goeddoen. Dan kun je het van je afpraten, wat je ook dwars zit. En dankzij de frisse lucht slaap je straks extra lekker. Kom mee.'

'Weet je, ik vraag me gewoon af of ik hier op mijn plaats ben. Connor wel, maar van mezelf weet ik het niet. Ik denk eigenlijk van niet. Bovendien maak ik me zorgen om Connor. Ik dacht dat hij veilig zou zijn als ik hem maar weg kon krijgen van de *Diablo*. Maar sinds we hier zijn, heeft hij er helemáál zijn zinnen op gezet om piraat te worden. Dus we zijn nog niks opgeschoten. Het is hier net zo gevaarlijk als bij kapitein Wrathe!'

'We hebben Connor hierheen gebracht omdat we allebei weten dat dit het beste voor hem is,' zei Cheng Li. 'Als hij op de Piratenacademie blijft, gaat hij een schitterende toekomst tegemoet. Over een paar jaar keert hij als onderkapitein terug naar zee, net als ik.'

'Maar is hij dan veilig?' hield Grace vol.

Cheng Li bleef staan en glimlachte. 'Jullie hebben een bewonderenswaardige beschermingsdrang naar elkaar toe. En dat is ook heel begrijpelijk na alles wat jullie hebben meegemaakt. Maar weet je, Grace, veilig, echt veilig ben je nergens in deze wereld, in ónze wereld. Waarom wil je dat toch niet inzien?'

'Je bedoelt de pirátenwereld,' zei Grace. 'Maar dat is niet de wereld waarin we zijn geboren. Dus misschien zijn we hier inderdaad niet op onze plaats.'

'Wat wil je dan?' vroeg Cheng Li. 'Heb je andere toekomstplannen? Je hoeft het maar te zeggen. Wil je liever dat Connor en jij teruggaan naar Crescent Moon Bay? Naar het eentonige bestaan dat jullie daar zouden leiden? Is dat wat je wilt? Want in dat geval kan ik moeiteloos een van de schepen van de Academie lenen en jullie morgenochtend naar de kust brengen. Dan kunnen jullie tegen theetijd al zijn ingeschreven bij het weeshuis.'

Grace keek Cheng Li strak aan.

'Nee, dat wil ik niet,' zei ze ten slotte.

'Wat zei je, Grace? Ik ben een beetje doof.'

'Ik zei NEE,' herhaalde Grace. 'Dat wil ik niet.'

'Natuurlijk wil je dat niet!' viel Cheng Li haar bij. 'Jullie mogen dan niet in de piratenwereld zijn geboren, maar inmiddels maken jullie er wel deel van uit... In elk geval Connor. We moeten er nog achter zien te komen wat precies jouw plaats is. Maar dat gaat lukken, Grace. Heus. Dat gaat lukken.'

Grace slaakte een zucht. Wat Cheng Li zei, klonk bemoedigend, geruststellend.

'Ga lekker slapen,' zei Cheng Li. 'Het was een lange dag, en dat is morgen niet anders. Het leven op de Academie is zwaar. Heb je zin om morgen wat vechttechnieken met me te oefenen? Ik hoorde dat je er talent voor hebt, en het zou je kunnen helpen in ieder geval iets van je spanningen kwijt te raken.'

Grace glimlachte. 'Ja, dat lijkt me leuk,' zei ze instemmend.

'Akkoord. Nou, dan zien we morgenochtend wel weer hoe je je tegen die tijd voelt. Ga nu lekker naar bed. En je moet me beloven dat je ophoudt je zorgen te maken over Connor. Alles gaat precies zoals ik had gehoopt.'

'Zoals wíj hadden gehoopt,' verbeterde Grace haar.

'Ja, natuurlijk. Dat bedoelde ik ook.'

Eenmaal in haar kamer, kon Grace de slaap niet vatten. Hoe moe ze ook was, zodra ze haar nachthemd had aangetrokken en in bed lag, was ze klaarwakker. Ze deed haar ogen dicht, probeerde zichzelf te dwingen om te ontspannen, maar het was zinloos. Instinctief legde ze haar hand op Lorcans Claddagh-ring. Tenslotte had die haar al vaker geholpen tot rust te komen. Vóórdat de visioenen waren begonnen. Maar toen ze de ring tussen duim en wijsvinger nam, gebeurde er niets. De temperatuur van het metaal bleef constant, en er diende zich geen visioen aan. Het leek erop dat Cheng Li gelijk had. De rol van de ring was uitgespeeld. Hij had zijn doel gediend. Toch voelde ze zich dichter bij Lorcan wanneer ze hem aanraakte, en dat kon alleen maar positief zijn, besloot ze.

Ze herinnerde zich dat iemand ooit eens had gezegd dat je vooral niet in bed moest blijven liggen als je niet kon slapen. Dus ze sloeg de dekens terug, liep de kamer door, deed de openslaande deuren naar het balkon open en stapte naar buiten. De koele avondbries streek langs haar gezicht, terwijl ze haar blik over het terrein van de Academie liet gaan, en naar de haven in de verte. De Academie was prachtig in het avondlicht. Wat leerlingen hadden muziekinstrumenten meegenomen naar het terras en zaten te spelen. Ze waren opmerkelijk goed. Hun meeslepende, ritmische muziek riep associaties op met stammen in een ongerepte wildernis en was zowel kalmerend als perfect voor een zwoele avond als deze. Terwijl ze naar de leerlingen keek, sloot Grace haar ogen en gaf ze zich over aan de muziek en aan de beelden die deze opriep.

Plotseling was haar hoofd gevuld met andere, soortgelijke muziek. De muziek die ze aan boord van het vampiratenschip had gehoord, waarmee het Feestmaal was ingeluid. Ze stond doodstil en besefte dat zich opnieuw een visioen aandiende, zij het dat het ook deze keer weer iets anders ging dan bij voorgaande visioenen.

Voor haar geestesoog zag ze de vampiers en hun donors zich naar de eetzaal begeven, diverse dekken onder zeeniveau, gehuld in hun mooiste kleren. Dit leek haar geen visioen van het heden, maar eerder een herinnering. Ze kon zich de plechtige sfeer, het ceremonieel, de zorgvuldige etiquette helder voor de geest halen. In gedachten zag ze het kostbare porselein, het fraaie kristal, het smetteloze tafellinnen en het vreemde gebrek aan symmetrie van een tafel die slechts aan één kant was gedekt. En dan waren er de talloze gezichten die ze nooit eerder had gezien – de vampiers en hun donors die zacht met elkaar praatten en ten slotte het banket verlieten om naar hun hutten te gaan, waar het 'delen' zou plaatsvinden. Het idee van het 'delen' had Connor geschokt. Was het echt zo stuitend? De vampiers hadden simpelweg een behoefte waarin moest worden voorzien, en in zijn grote wijsheid had de kapitein daarvoor een menslievende oplossing weten te vinden.

Een lachsalvo deed haar aandacht terugkeren naar de leerlingen op het terras, die tussen het zingen van liederen door geanimeerd met elkaar praatten. Toen was haar hoofd opnieuw gevuld met de vreemde, ritmische muziek, en haar gedachten vlogen in razende vaart terug naar het vampiratenschip. Kon het misschien zo zijn dat dit de avond van het wekelijkse Feestmaal was, vroeg ze zich af.

Plotseling had ze het gevoel alsof er aan haar werd getrokken. Ze schoot naar voren, werd tegen de reling van het balkon gedrukt. Zich vastgrijpend aan de balustrade werkte ze zich weer overeind. Terwijl ze dat deed, besefte ze dat het balkon zich had losgerukt en dat ze hoog boven het terras zweefde, neerkijkend op de muzikanten. Een van hen keek op en glimlachte, maar ze had niet de indruk dat hij haar zag. Ze klampte zich uit alle macht vast terwijl het balkon in razende vaart door de lucht vloog, in de richting van de haven, omringd door duisternis.

Deze keer was ze zich scherper bewust van de beweging, en een gevoel van uitgelatenheid maakte zich van haar meester. Ze genoot van de reis! De wind blies door haar haren, en het leek of ze in haar eigen strijdwagen door ruimte en tijd joeg. Het licht verdween uit de hemel, en overal om zich heen zag ze de vurige oranje en roze tinten van de zonsondergang verschijnen. Het was alsof aarde en zee in brand stonden en zij door de vlammen reed – tegelijkertijd onthecht en deel van het gebeuren.

Ten slotte maakten de vlammen plaats voor een fluweelachtige duisternis. Grace verloor de sensatie van snelheid en werd omhuld door een zwarte deken. Het duurde echter niet lang of de hemel was gevuld met sterrenlicht, en het balkon vervolgde zijn weg, terwijl ze werd verblind door de gloed van de sterren en de maan. De adrenaline pompte door haar lichaam, de ervaring was ongelooflijk. Wat was ze gezegend om de wereld op deze manier te kunnen ervaren! Wie kreeg zo'n kans?

Toen het balkon de onvermijdelijke mist binnenvloog, begonnen de sterren uiteindelijk te verbleken. Het stemde haar een beetje verdrietig afscheid te moeten nemen van de nachtelijke hemel, maar ze wist inmiddels dat die slechts een vaste etappe van haar reis vormde. Dus ze gaf zich over aan de mist, zich ervan bewust dat die als het ware de wachtkamer was waardoor ze het vampiratenschip zou bereiken. Over enkele ogenblikken zou ze er zijn. Ze zuchtte. Ze verlangde ernaar Lorcan weer te zien. Deze keer zou ze met de kapitein gaan praten, besloot ze. Ze zou niet rusten voordat ze meer te weten was gekomen over Lorcans verwondingen en voordat ze wist wat ze kon doen om te helpen.

Terwijl de mist zich terugtrok, zag ze dat ze weer op het dek van het schip stond. Net als bij haar eerdere bezoeken kon ze de planken onder haar voeten niet voelen, het was alsof ze er net boven zweefde. Het was avond, Darcy had alle lampen aangestoken. Ergens hoorde ze muziek, vertrouwde percussieklanken. Grace huiverde. Ze had gelijk gehad. Dit was inderdaad de avond van het Feestmaal.

Aan dek heerste een drukte van belang; de vampiers maakten hun *passagiata* – een uitgebreide wandeling in hun mooiste kleren – voordat het Feestmaal zou beginnen. Er kwam een groepje haar kant uit, maar blijkbaar zagen ze haar niet. Ze wist nog net op tijd opzij te springen, anders zou ze onder de voet zijn gelopen. Het groepje liep langs haar heen, zich duidelijk niet van haar aanwezigheid bewust. De vampiers waren ongetwijfeld slechts bezeten van hun voortdurend groeiende honger, die over enkele uren eindelijk weer gestild zou zijn.

Ze zag een ander groepje de bocht van het dek om komen. Een van de vampiers nam haar in het voorbijgaan nieuwsgierig op en keek zo nadrukkelijk om, dat hij bijna zijn nek verdraaide. Grace voelde de rillingen over haar rug lopen. Ze herinnerde zich dat ze hem had gezien bij het laatste Feestmaal waarvan ze getuige was geweest. Hoe hij heette, wist ze niet, maar ze had zijn gezicht destijds al angstaanjagend gevonden. En dat vond ze nu weer. Gelukkig duurde het niet lang of hij was uit het zicht verdwenen, en het volgende groepje dat kwam langslopen keurde haar geen blik waardig.

Ze maakte het zich zo gemakkelijk mogelijk tegen de reling, zich nog altijd bewust van een onzichtbare barrière tussen het hout en haar lichaam. Toch was ze blij om terug te zijn. En deze keer zou ze zorgen dat ze antwoord kreeg op een aantal van de vragen waar ze mee worstelde.

'Nee maar, kijk eens wie we daar hebben!'

Grace schrok op uit haar overpeinzingen bij het horen van de vertrouwde stem met het volkse accent.

'Darcy!'

Darcy Flotsam zag er prachtig uit, in een jurk van hemelsblauwe chiffon versierd met gouden lovertjes. 'Overdag boegbeeld, 's nachts een meisje van vermaak!' riep ze uitbundig, en ze strekte haar armen uit om Grace te omhelzen. Ze gingen echter dwars door haar heen.

'Hè!' Darcy slaakte een spijtige zucht. 'Ik had gehoopt dat je er deze keer echt was.'

Grace schudde haar hoofd. 'Was het maar waar. Maar ik weet niet hoe ik dat voor elkaar moet krijgen. Heb jij een idee?'

Darcy schudde haar hoofd. 'Dat zou je aan de kapitein moeten vragen. Ik weet alleen dat als je op bezoek komt – zoals jij nu en zoals ik op dat piratenschip van jou – dat de enigen die je kunnen zien en horen, degenen zijn die een band met je hebben. Dat heeft de kapitein me uitgelegd.'

Grace knikte. Nu begreep ze waarom sommige van de opvarenden van het schip recht door haar heen leken te kijken, terwijl ze voor anderen – zoals Darcy en Lorcan – net zo echt leek als het dek waarop ze stond.

'O, Darcy,' zei Grace. 'Nadat ik je de vorige keer had gesproken, heb ik gedaan wat je zei. Ik ben bij Lorcan langsgegaan.'

Darcy knikte verdrietig. 'Hij is er verschrikkelijk aan toe.'

'Ja, en dat is allemaal mijn schuld.'

Darcy schudde haar hoofd. 'Nee, Grace. Hij weet dat je dat denkt. Maar het is niét jouw schuld.'

'Wel waar,' hield Grace vol. 'Natuurlijk is het mijn schuld! Maar ik ga hem helpen. Ik zal zorgen dat ik erachter kom hoe ik écht kan terugkomen, en ik ga op zoek naar een manier om hem te genezen.'

Darcy keek Grace verdrietig aan.

'Wat is er? Is er iets gebeurd wat ik niet weet?'

'Het gaat nog altijd niet beter met zijn ogen,' zei Darcy. 'Maar het is nog veel erger. Hij weigert bloed te nemen, dus hij wordt met de dag zwakker. Inmiddels komt hij zijn bed niet eens meer uit. O Grace, ik weet niet hoe lang hij dat nog volhoudt. Vanavond is het Feestmaal, maar Lorcan weigert zijn hut uit te komen om bloed te nemen. Het lijkt wel alsof hij het heeft opgegeven.'

Grace huiverde en kreeg het plotseling ijskoud. Ze moest iets doen om Lorcan te helpen, maar wat? Tenslotte wist ze nooit hoe lang ze kon blijven, en ze voelde zich hoe langer hoe gefrustreerder door het feit dat ze niets en niemand kon aanraken.

'Ik moet ervandoor,' zei Darcy. 'Het liefst zou ik nog heel lang doorkletsen, maar het is tijd om aan tafel te gaan.'

'Natuurlijk,' zei Grace. 'Ga maar. Ik blijf hier wachten zolang ik kan. Dus ik hoop dat ik er na het Feestmaal nog ben.'

Darcy knikte met een betraand gezicht.

'Die jurk staat je prachtig!' riep Grace haar na.

Toen Darcy zich omdraaide, glimlachte ze door haar tranen heen, en ze maakte een sierlijke reverence.

De vreemde muziek van het Feestmaal werd steeds luider, en Grace keek toe terwijl het dek leegstroomde. Ze stelde zich voor hoe de vampiers en donors twee aan twee in de eetzaal arriveerden en hun plaats innamen. De verleiding om te gaan kijken was groot, maar er was iets waardoor ze aan dek bleef – een macht of een kracht die ze niet helemaal kon verklaren.

Ze voelde haar ogen dichtzakken van vermoeidheid en probeerde ertegen te vechten, omdat ze niet wilde dat ze weer van het schip zou worden weggevoerd. Tenslotte was ze er net. Maar haar oogleden werden steeds zwaarder, ertegen vechten was zinloos. Haar ogen vielen dicht en ze zakte weg in een staat van totale ontspanning, alsof ze opnieuw op de donkere wateren dreef. Ze verzette zich er niet tegen, in het besef dat het visioen zelf zou bepalen waar het haar heen bracht.

Toen hoorde ze een kreet, of liever gezegd een gebrul. Ze sperde haar ogen open en zag tot haar verrassing dat ze nog steeds op het vampiratenschip was. Ze was niet weggevoerd, maar gewoon in slaap gevallen. Hoe lang ze had geslapen, wist ze niet, maar de muziek zweeg inmiddels, dus blijkbaar was het Feestmaal voorbij en hadden vampiers en donors zich in hun hutten teruggetrokken, voor het delen.

'Hou op!'

Ze herkende de stem onmiddellijk, en dat was ook niet zo verbazend. Het was een sterke, krachtige stem. Toch klonk hij niet luider dan een fluistering.

Ze keek om zich heen en zag de kapitein met grote stappen over het dek lopen, terwijl hij opnieuw een nijdig commando fluisterde.

'Hou op, zei ik!'

Toen Grace zich omdraaide, zag ze dat de kapitein zich tot een groepje van drie vampiers richtte, die zich op dat moment naar hem toe keerden. Grace deinsde geschokt achteruit. Hun ogen waren poelen van vuur. Ooit had ze Sidorio zo gezien, maar dríé vampiers in een dergelijke, uitzinnige staat, waren nog drie keer zo angstaanjagend. Twee van hen herkende ze. Voordat ze door Connor en de bemanning van de *Diablo* van boord was gehaald, had ze gezien dat ze met elkaar stonden te praten – samen te zweren, besefte ze nu.

Toen ze antwoord gaven, kropen hun woorden als vlammen over de houten planken van het dek naar de kapitein.

'We hebben meer bloed nodig. Meer bloed...'

'Nee,' zei de kapitein. 'Jullie hebben je portie gehad! Wat heet, je hebt meer dan je portie genomen!'

'We hebben meer nodig.'

Terwijl ze zich nog verder naar haar omdraaiden, zag Grace dat de vampiers drie donors in hun greep hielden. Op hun gezichten stond doodsangst te lezen.

'Hou op!' zei de kapitein voor de derde keer. 'Laat de donors vrij en ga terug naar je hut!'

Bij wijze van antwoord produceerden de vampiers een gesis, waarin hun woorden onverstaanbaar waren. Grace huiverde, blij dat ze aan het zicht was onttrokken. Ze dacht niet dat de vampiers haar zouden kunnen zien, maar toch wilde ze geen enkel risico nemen.

'Ik zeg het nog één keer,' beet de kapitein de vampiers toe. 'Laat de donors vrij.'

'Of anders?' klonk het antwoord als kwaadaardig knetterende vlammen.

'Of anders niks,' zei de kapitein koel. 'Je hebt geen keus. Laat ze gaan!'

'De aanpak van de kapitein is niet de énige aanpak,' zei een kwaadaardig sissende stem.

'De kapitein is niet de énige kapitein,' klonk een andere stem, als lekkende vlammen.

'Het schip is niet het énige schip,' voegde de derde eraan toe.

'Zo is het genoeg! Laat ze los!' zei de kapitein, en plotseling was het dek gevuld met licht. De vampiers deinsden achteruit, sloegen beschermend een arm voor hun ogen. Terwijl ze dat deden, maakten de donors van de gelegenheid gebruik om hun toevlucht te zoeken in de ring van licht.

'Ga naar binnen,' droeg de kapitein hen op, kalm maar bezwerend. Hoe verzwakt ze ook waren, dat lieten ze zich geen twee keer zeggen.

De vampiers hadden zich op het dek laten vallen, waarop de kapitein naar hen toe liep. Zodra de duisternis was teruggekeerd, kwamen de wezens overeind. Hun ogen schitterden, maar het vuur daarin was gedoofd.

'Ik heb lang geduld met jullie gehad,' zei de kapitein. 'Maar dat geduld is nu op.'

In de ogen van de vampiers las Grace inmiddels angst en spijt. Binnen enkele ogenblikken waren ze van monsters veranderd in schoolkinderen betrapt op kattenkwaad. De gruwelen die ze eerder had gezien, lieten zich echter niet verdringen.

Een van de vampiers richtte zich tot de kapitein. 'Soms kunnen we onze behoefte niet langer in bedwang houden, kapitein,' zei hij met valse onderdanigheid.

'We zijn niet allemaal zo gedisciplineerd als u,' zei de tweede.

'Soms lijkt het wel of het verlangen een eigen wil heeft,' vulde de derde aan.

'Daar ben ik me allemaal van bewust,' zei de kapitein, nog altijd afgemeten fluisterend.

'Help ons dan!' siste de eerste.

'Je hebt mijn hulp geweigerd, Lumar,' zei de kapitein verdrietig. 'Dus ik kan niets meer voor je doen. Je zult het schip moeten verlaten.'

'Nee, kapitein! Zeg dat niet!' Lumar maakte zich zo klein mogelijk.

'Als Lumar van boord gaat, moeten wij mee,' zeiden zijn metgezellen. In hun stem keerde alweer iets van hun eerdere kwaadaardigheid terug. De dreiging ontvouwde zich als de vleugels van een nachtuil.

'Inderdaad,' zei de kapitein onbewogen. 'Ik zie geen andere oplossing.'

'Maar waar moeten we heen?' vroeg de derde, een meisje.

'We moeten Sidorio zien te vinden,' siste haar metgezel, zijn stem druipend van hebzucht. 'Sidorio zal ons helpen onze behoefte te bevredigen.'

Grace huiverde. Dus ze wisten dat Sidorio nog ergens rondwaarde en op hen wachtte – of althans, dat vermoedden ze. Was het wel verstandig van de kapitein om dit drietal de kans te geven zich bij hem aan te sluiten? Maakte hij daarmee het risico van een kwaadaardige, vijandige macht niet alleen maar groter?

'Vooruit, van boord!' zei de kapitein. 'Jullie zullen jezelf moeten redden.'

Zijn stem verraadt duidelijk hoe teleurgesteld hij is, dacht Grace. Hij draaide zich om en liep terug naar zijn hut.

De drie verbannen vampiers klampten zich nog altijd aan de reling vast, alsof ze opnieuw de koppen bij elkaar wilden steken.

'Van boord, zei ik!' De kapitein draaide zich met een ruk om en stormde op hen af. Terwijl hij dat deed, begonnen de aderen in zijn cape licht te geven, de zeilen te gloeien en wild te klapperen. Vurige schichten schoten over de houten planken van het dek.

Grace moest haar ogen sluiten om ze te beschermen tegen de felle gloed. Toen ze eindelijk weer durfde te kijken, waren de vampiers verdwenen.

De kapitein stond aan de reling, met zijn handen voor zijn masker geslagen.

Grace verliet haar schuilplaats en liep naar hem toe.

Hij leek zich niet van haar bewust tot ze naast hem kwam staan en haar hand uitstrekte naar het vreemde materiaal van zijn cape. Tot haar frustratie merkte ze dat ze zelfs dat niet kon aanraken.

'Grace,' fluisterde hij. 'Wat doe je hier?' Hij klonk niet alsof hij blij was met haar komst.

'Ik ben teruggekomen om te helpen,' antwoordde ze. 'Het gaat niet goed hier, en ik kom om te helpen. Dat is het enige wat ik wil.'

'Je kunt ons niet helpen.' Zijn gefluisterde woorden vulden haar hoofd. 'Het enige waar je verstandig aan doet, is onmiddellijk vertrekken en nooit meer terugkomen.'

'Maar, kapitein...'

'Het is niet anders, Grace.' Hij keek haar niet aan, zijn masker was naar zee gekeerd.

'Maar kapitein,' begon ze opnieuw, met tranen in haar ogen. 'Lorcan is er afschuwelijk aan toe, en dat is mijn schuld...'

'Precies!' Eindelijk keerde de kapitein zich naar haar toe. 'Dus je ziet wat je hebt aangericht. Daarom moet je hier niet meer komen. Nooit meer!'

De tranen stroomden inmiddels over haar gezicht, maar Grace wilde niet opgeven. Nog niet.

'Alstublieft, kapitein. Als ik écht terug zou kunnen komen, zou ik misschien kunnen helpen.'

'Denk je dat je Lorcans blindheid zou kunnen genezen? Hoe stel je je dat voor? Vertel me dat eens.'

Zijn stem bleef een fluistering, maar ze kon duidelijk horen dat hij woedend was.

'Vooruit, vertel op!'

'Ik weet het niet. Ik weet niet hoe ik zou kunnen helpen. Sterker nog, ik weet niet eens óf ik zou kunnen helpen.'

'Het is heel simpel, Grace,' zei de kapitein. 'Er is maar één manier waarop je ons kunt helpen. En dat is door te vertrekken, en nooit meer terug te komen.'

Grace kon haar oren niet geloven. Was dit het einde? Werd al haar hoop de bodem ingeslagen? Was Lorcan gedoemd om blind te blijven? Trouwens, wat ging er met hem gebeuren, nu hij weigerde nog langer bloed te nemen? Ze kon het niet verdragen om het hierbij te laten, om niet te weten hoe het met hem zou aflopen. Maar de kapitein had haar duidelijk niets meer te zeggen en keerde haar de rug toe.

Grace keek hem na, terwijl hij langzaam van haar wegliep. Ze stond nog altijd aan de reling, en de tranen stroomden nog altijd over haar wangen toen de mist kwam, haar omhulde en haar wegvoerde van het vampiratenschip... voorgoed!

Zanshin

'GRACE! GRACE, IK BEN het, Connor!'

'Wat kom je doen?'

'Mag ik binnenkomen?'

'Ik kom eraan.'

Connor en Jacoby wachtten op de gang.

Het duurde niet lang of de deur ging open, en Grace stak haar hoofd naar buiten.

'Goeiemorgen, slaapkop!' Connor stak zijn hand uit en maakte haar haar in de war.

'Hou op! Je weet dat ik daar een hekel aan heb!'

'Wat zie je er verwilderd uit, zus. Is er iets?'

'Ik heb gewoon slecht geslapen. Hoe laat is het eigenlijk?'

'Tien voor zeven. Jacoby en ik gaan naar KUM. Het is vandaag t'ai chi, onder leiding van kapitein Solomos. Heb je zin om mee te gaan?'

Grace schudde haar hoofd. 'Nee, ik zie jullie later wel.' Ze deed de deur dicht.

Connor haalde zijn schouders op en keek Jacoby grijnzend aan. 'Zoals ik al zei, niet echt een ochtendmens!'

Connor klopte opnieuw bij Grace aan. En wachtte.

'Ja?' klonk het zwakjes.

'Grace, ik ben het!'

Er klonken voetstappen, de deur ging open.

'Ik heb je toch gezegd dat ik niet meega naar KUM...'

'Dat hebben we allang gedáán. Het is bijna halfacht. Wat is er met jou aan de hand vandaag?'

'Ik ben gewoon erg moe, oké?'

'Je ziet eruit alsof je van streek bent.'

'Ja, vind je het gek, als jij me al om tien over zeven komt wakker maken! En nu weer! Ik heb gewoon mijn rust nodig. Is dat zo erg?'

'Maar het is tijd om te ontbijten. En daarna is er een lezing van de commodore, over schermen! Hartstikke gaaf! Het is eigenlijk voor de senioren, maar hij heeft ons ook uitgenodigd.'

'Ik denk niet dat ik vandaag naar les ga,' zei Grace. 'In elk geval niet vanmorgen.'

'Maar, Grace, we hebben het over de rector...'

'Veel plezier!' Ze gooide de deur voor zijn neus dicht.

Connor fronste zijn wenkbrauwen. Het was een eer om te worden gevraagd de les van de commodore bij te wonen, maar hij wist uit ervaring dat Grace zich niet liet vermurwen wanneer haar besluit eenmaal vaststond. Nou ja, dan bleef ze maar in bed liggen! Daar zou híj zijn dag niet door laten bederven. Hij draaide zich om en ging op zoek naar Jacoby.

Aan de andere kant van de deur liet Grace zich op de grond zakken, met haar handen voor haar gezicht. Ze kon de gedachten aan het vampiratenschip niet van zich afzetten – aan Lorcan met wie het steeds slechter ging en aan de wrede woorden van de kapitein. Het was alsof hij een mes in haar hart had gestoken.

De commodore knikte naar Connor en Jacoby toen ze de gehoorzaal binnen kwamen.

'Aha, Mr. Tempest en Mr. Blunt. Goedemorgen, goede vrienden. Ga zitten.'

Connor vroeg zich af of hij een verklaring moest geven voor de afwezigheid van Grace, maar de rector leek zich er niet aan te storen, dus misschien kon hij maar beter zijn mond houden. Hoe minder hij erover zei, des te kleiner de eventuele schade die hij aanrichtte.

De commodore stond bij een podium waarop hij een stapeltje papieren had gelegd en een klein, in leer gebonden boek. Er waren in de gehoorzaal genoeg zitplaatsen voor alle leerlingen van de Academie, maar voor de les van die ochtend waren voor het podium zestien stoelen in een halve cirkel neergezet. In het midden waren nog twee stoelen leeg. Daar gingen Connor en Jacoby zitten. Jasmine Peacock, die een eindje verderop zat, stak groetend haar hand op. Connor knikte naar haar en glimlachte.

De rector ging voor het podium staan en liet zijn blik over zijn gehoor gaan. Zestien leergierige tieners keken hem aan. 'Vandaag gaan we het hebben over het begrip *zanshin*...' begon hij. 'Maar voordat we dat doen, wil ik diegenen van jullie die hem nog niet hebben ontmoet, voorstellen aan onze gast op de Academie: Connor Tempest.'

De senioren keerden zich naar Connor. Hij werd er verlegen van, alsof hij in de volle gloed van een reeks schijnwerpers was gezet.

'Connor en zijn zus Grace hebben drie maanden op de *Diablo* gevaren,' vervolgde Kuo, die blijkbaar niet in de gaten had hoe ongemakkelijk Connor zich voelde. 'Onder het commando van kapitein Molucco Wrathe.'

Overal om hem heen werd geknikt en hoorde Connor dat de leerlingen vol ontzag hun adem inhielden. Hij was duidelijk op slag gestegen in hun achting. Er verscheen een glimlach om zijn mond. Het onderwijzend personeel mocht dan zijn twijfels hebben over Molucco's manier van piraterij bedrijven, maar blijkbaar hadden ze hun leerlingen daar geen deelgenoot van gemaakt. Voor Connors leeftijdsgenoten was Molucco Wrathe eenvoudig een beroemde piraat, en zijn roem straalde nu ook op Connor af. De senioren waren minimaal twee jaar ouder dan hij, maar omdat hij het piratenleven al aan den lijve had ervaren, had Connor toch een belangrijke voorsprong op hen.

'En ik neem aan dat Connor in die drie maanden alle reden heeft gehad om zijn schermkunst te vervolmaken. Heb ik gelijk of niet, Connor?'

Die knikte, vurig hopend dat de rector hem niet zou vragen een demonstratie te geven.

'Mag ik je zwaard lenen?' vroeg de commodore.

Connor knikte verrast en stond op om zijn rapier te trekken. Zoals Cate hem had geleerd, pakte hij het zwaard bij de onderkant van het gevest en hield hij het de rector voor, zodat de punt van de kling naar hemzelf wees.

De commodore hief zijn rechterhand, en zijn vingers sloten zich boven die van Connor om het gevest. Toen Connor losliet, knikte de rector en legde hij ook zijn andere hand op het gevest.

Connor deed een stap naar achteren en ging weer zitten.

'Je hebt goed les gehad,' zei commodore Kuo met een glimlach. Connor knikte. Cate had hem veel van de rituelen geleerd die met het zwaard te maken hadden. Hij herinnerde zich dat ze had verteld dat het in sommige culturen als onbeleefd of bedreigend werd beschouwd wanneer je een zwaard met de rechterhand overhandigde. Daarom was het in alle gevallen verstandig – behalve bij de zeldzame gelegenheden wanneer je een ander je eigen zwaard gaf – om dat met je linkerhand te doen.

Commodore Kuo nam zijn linkerhand van het rapier, reikte in zijn zak en haalde een zijden lap tevoorschijn. Hij legde de kling op zijn linkerpalm, waarbij de zijden lap voorkwam dat hij het metaal rechtstreeks aanraakte. Dit was iets waar Connor Cate nooit over had gehoord, maar hij veronderstelde dat het onderdeel uitmaakte van de talloze – en buitengewoon fascinerende – rituelen die waren verbonden met het dragen van een zwaard.

'Er is een verschil tussen Mr. Tempest en jullie,' zei de commodore, opkijkend van de kling. 'En dat verschil is het volgende. We hebben jullie onderwezen in de techniek van het zwaardvechten vanaf jullie eerste dag op de Academie, toen we jullie die kleine bamboestokken hebben gegeven.'

Connor zag dat de leerlingen glimlachten bij de herinnering.

'Via de basisbegrippen van het schermen bereikten jullie uiteindelijk de dag waarop jullie voor de allereerste keer jullie eigen zwaard in handen hielden; een dag waarvan ik verwacht dat jullie je die allemaal nog herinneren, en dat jullie je die de rest van je leven zult blijven herinneren.'

Opnieuw zag Connor instemming en herkenning op de gezichten van de leerlingen. Hij herinnerde zich de opgewonden gezichten van de junioren de vorige dag, toen ze hun daisho voor het eerst in handen hadden gehouden.

'Jullie zijn het neusje van de zalm,' vervolgde de rector. 'Dit jaar is jullie laatste, en onze verwachtingen zijn hooggespannen. We hebben deze Academie gesticht om de piratenkapiteins van morgen te onderwijzen – de absolute top. En kijk nu eens naar jezelf! Over amper een paar maanden keren jullie de Academie de rug toe, om stage te gaan lopen op een echt piratenschip.'

'Reken maar!' Bij het vooruitzicht kon Jacoby zijn opwinding niet bedwingen.

'Inderdaad, Mr. Blunt.' De commodore keerde zich naar hem toe. 'En ik weet zeker dat je een uitstekende onderkapitein wordt. Sterker nog, het zal niet lang duren, of je bent kapitein!'

Connor dacht opnieuw aan het visioen dat hij had gehad – aan dat merkwaardig vertrouwde tafereel op het dek van een schip, waarin hij als kapitein door zijn bemanning bij een gewonde werd geroepen.

'Jullie hebben veel geleerd sinds jullie eerste dag op de Academie,' vervolgde de commodore. 'Maar de belangrijkste lessen liggen nog in het verschiet. En een van die lessen gaan jullie leren op de dag dat je het zwaard ter hand zult nemen – niet bij wijze van oefening, niet bij een les Vechttechnieken, maar serieus, om jezelf te verdedigen tegen een echte vijand.'

Het zonlicht viel naar binnen en werd door Connors kling weerkaatst zodat het op het gezicht van de commodore scheen.

Toen het licht Connors ogen bereikte, werd de stem van de commodore zwakker, en Connor stond opnieuw op het dek uit zijn visioen.

Hij zag zichzelf in het heetst van de strijd. Zwaarden beukten schallend tegen elkaar. Tuigage scheurde, kanonnen werden afgevuurd, en hij hoorde de kreten van piraten die het strijdgewoel in en uit renden. Toen hoorde hij opnieuw het vertrouwde roepen.

'Kapitein! Kapitein Tempest.'

Connor glimlachte toen hij zichzelf opnieuw met 'kapitein' aangesproken hoorde worden. Het klonk geweldig. Het klonk alsof het zo hoorde. Maar toen veranderde het visioen.

'Kom hier!' klonk het geschokt. 'Kapitein Tempest... Kom hier... Kapitein... Hij is gewond... We moeten hem...'

Het waren de woorden die hij al eerder had gehoord, maar deze keer was het visioen helderder. De vorige keer had hij gedacht dat het om een gewond bemanningslid ging. Nu besefte hij dat hij zélf de gewonde was.

Weer klonk de stem, haperend, bijna snikkend.

'Kapitein Tempest is gewond. Kom hier... alsjeblieft... kom hier... Hij heeft zo veel bloed verloren... Ik weet niet hoelang hij dit nog volhoudt...'

Connor had plotseling het gevoel alsof er ijswater door zijn aderen stroomde. Het visioen was zo helder, zo scherp. Was het een voorspelling van zijn dood? Dat kon hij niet geloven.

'Mr. Tempest. Connor... Connor!'

Connor keerde terug in de werkelijkheid en zag dat de rector hem aankeek.

'Neemt u me niet kwalijk.'

'Hebben we je nog?' vroeg de commodore glimlachend.

'Neemt u me niet kwalijk,' zei Connor nogmaals. 'Het licht viel in mijn ogen en...'

'Ik had je gevraagd,' viel de commodore hem in de rede, 'of je je zwaard de afgelopen drie maanden hebt moeten gebruiken om je te verdedigen?'

Terwijl hij het zei, reikte hij Connor zijn rapier aan, hun eerdere ritueel herhalend maar dan in omgekeerde volgorde.

'Ja.' Connors vingers sloten zich om het gevest, boven die van de commodore. 'Ja, ik heb het verschillende malen moeten gebruiken.' Zijn hand beefde, misschien als reactie op het visioen. Hij deed zijn uiterste best hem stil te houden. De commodore had het gezien, zag Connor. Dus hij legde zijn vrije hand op zijn arm, om een eind te maken aan het beven, en schoof het rapier weer in de schede. De commodore legde een hand op Connors schouder, en dat gebaar straalde zo veel kracht uit dat Connor er meteen rustig van werd.

'Voordat je weer gaat zitten, zou ik je willen vragen of je ons iets kunt vertellen over wat je voelt, op het moment dat het menens wordt.'

Connor dacht terug aan zijn eerste aanval met de piraten van de *Diablo*, tot die laatste, noodlottige overval op de *Albatros*.

'Dat is heel verschillend, er gaat van alles door je heen,' zei hij dan ook.

'Ga door,' moedigde de commodore hem aan.

234

'Het is opwindend. Na al het oefenen wil je het geleerde zo goed mogelijk in praktijk brengen. Dus het is een uitdaging, zoals elke sport.'

'Reken maar!' riep Jacoby opnieuw, wild gebarend en schermmanoeuvres imiterend.

'Maar...' Connor legde ook zijn andere hand op het gevest van zijn rapier. 'De allereerste keer dat je een zwaard hanteert, ben je je er meteen van bewust dat dit een sport is die met geen enkele andere te vergelijken valt. Een zwaard is geen speelgoed, maar een instrument van de dood. De macht en de verantwoordelijkheid die je daarmee in handen houdt, zijn ontzagwekkend. Je hebt de plicht zowel je zwaard als je tegenstanders te respecteren.'

'En dit denk je allemaal terwijl je midden in een aanval zit?' vroeg de commodore.

'Nee.' Connor schudde zijn hoofd. 'Daarvóór. Dit zijn de gedachten die van tevoren door mijn hoofd gaan. Sabel Cate – dat is onze wapenmeester op de *Diablo* – heeft ons geleerd om vóór de daadwerkelijke aanval ons hoofd leeg te maken.'

'Dat is uitstekend,' zei de commodore. 'Dank je wel, Connor. Je kunt weer gaan zitten.'

Dat liet Connor zich geen tweede keer zeggen, blij dat hij uit de belangstelling kon treden. Het visioen, de voorspelling of wat het ook was geweest, had hem diep geschokt. Maar misschien moest hij er geen voorspellende waarde aan hechten en betekende het helemaal niets.

Toen hij weer zat, boog Jacoby zich naar hem toe. 'Je zag er een beetje merkwaardig uit terwijl je daar stond,' fluisterde hij. 'Wat was er aan de hand? Keek Jasmine je soms stralend aan, met een oogverblindende glimlach?'

Connor schudde zijn hoofd. 'Nee hoor, niks aan de hand.' Hij deed zijn uiterste best het zelf te geloven, maar zijn handen beefden nog altijd licht.

Toen Connor weer opkeek, zag hij dat de commodore een enkel woord op het blauwe schoolbord had geschreven. Het was het vreemde woord dat hij al een paar keer had genoemd.

ZANSHIN.

Door de glazen van zijn bril liet de commodore zijn blik over de leerlingen gaan.

'Connor heeft ons zojuist verteld dat hij is getraind om, vóór het begin van een aanval, zijn hoofd leeg te maken. Dat is een manier om het concept *zanshin* te benaderen. Zoals jullie weten, baseren we ons hier op de Academie vaak op krijgerstradities die heel ver teruggaan, en het begrip *zanshin* dateert uit de bloeitijd van de Japanse vechtkunsten, of *bujutsu*, inmiddels eeuwen geleden.' In zijn keurige, duidelijk leesbare handschrift schreef hij BUJUTSU op het bord. 'Is er iemand die zich uit eerdere lessen nog het Japanse woord herinnert, waarmee het beginnen van een gevecht wordt aangeduid?'

Net als Connor liet hij zijn blik over de leerlingen gaan. Er werden verschillende vingers opgestoken.

De rector knikte. 'Aamir?'

'*Kamae*,' zei die met grote stelligheid.

'Inderdaad.' De commodore voegde KAMAE toe aan de woorden die hij op het bord had geschreven.

'*Zanshin* is de staat van geest die iedere succesvolle krijger moet zien te bereiken voordat hij aan de *kamae*, de strijd, begint. Daarmee wordt een uitzonderlijk hoge staat van alertheid aangeduid, waarin je er klaar voor bent om naar alle richtingen aan te vallen en te verdedigen, de volledige cirkel van driehonderdzestig graden. In een dergelijke staat ken je geen zwakke plekken.' Hij glimlachte vluchtig. 'Gecombineerd met je vechttechniek die in een dergelijke staat ook zijn hoogtepunt zal weten te bereiken, resulteert *zanshin* in een perfecte actie en uiteindelijk de overwinning.'

Hij keerde zich naar het bord om er nog een paar woorden op te schrijven.

'Wie kan ons iets vertellen...' Hij deed een stap opzij en tikte op het bord. '... over de zogeheten "overwinning met één stoot"?'

Connor wilde dat hij antwoord kon geven op de vraag, maar hoewel hij met de sensaties die de rector beschreef maar al te vertrouwd was, waren de termen die Kuo gebruikte, nieuw voor hem. De senioren hadden hun lessen goed geleerd, want ze staken zonder uitzondering hun hand op.

'Jasmine?' De commodore knikte haar toe.

'Dat is een concept dat ook dateert uit de bloeitijd van *bujutsu*,' zei Jasmine. 'Het behoort tot de techniek van de *iai-jutsu*, waarmee wordt bedoeld' – ze glimlachte naar Connor – 'het lopend of vanuit stand trekken van het zwaard.' Ze keerde zich weer naar de commodore. 'De ware kunst van *iai-jutsu* is dat je je tegenstander met één slag van je zwaard weet uit te schakelen. Elke verdere slag die je nodig hebt, doet afbreuk aan de ware kunst.'

Bij de woorden van Jasmine moest Connor onmiddellijk denken aan de manier waarop hij Cheng Li in het gevecht aan het werk had gezien. Het was hem meteen opgevallen hoe minimaal haar acties waren. Andere piraten, zoals Bart, schoten druk zwaaiend met hun zwaard over het dek heen en weer, maar je hoefde maar even met je ogen te knipperen of je had het moment gemist waarop Cheng Li haar katana's had gebruikt. Toch was ze, aldus Cate, een buitengewoon succesvol zwaardvechter. Het was duidelijk dat haar techniek het resultaat was van de keiharde training die Cheng Li hier op de Academie had ondergaan. Connor voelde zich een spons, gretig alles opzuigend wat hij hoorde, om nog meer kennis over deze technieken te vergaren. Hij had echter nog maar een paar dagen te gaan op de Academie. Dus hoe kon hij zelfs maar hopen de kennis te verzamelen die Cheng Li hier in tien jaar had opgedaan? Ondanks zijn praktische ervaring met de piraterij voelde hij zich plotseling een beginneling. Kon hij maar langer blijven!

'Heel goed, Jasmine,' zei de commodore. 'De overwinning met één slag was erg belangrijk bij onze voorouders en, als je die bekijkt vanuit het concept *zanshin*, begrijp je ook waarom. Dankzij *zanshin* bereik je een optimale staat van alertheid. In een dergelijke staat – je bewust van de volle cirkel van driehonderdzestig graden waar ik het eerder over had – zou je moeiteloos met één slag moeten kunnen triomferen. Lukt je dat niet, dan is er geen sprake van volmaakte *zanshin*. Met elke volgende slag doe je verder afbreuk aan je *zanshin*. En bovendien stel je jezelf bloot aan risico's en verminder je je kansen op overleving.'

Opnieuw herkende Connor de sensaties die de commodore beschreef. De vergelijking tussen zwaardvechten en sport ging mank. Hoe groot het uithoudingsvermogen ook was dat je wist te ontwikkelen – dat van Connor deed niet onder voor dat van anderen, wist hij – het zwaardvechten deed een beroep op je diepste reserves, in tegenstelling tot welke andere sport dan ook. Na een langdurig proces van geestelijke voorbereiding was het daadwerkelijke gevecht vaak heel snel voorbij. Soms waren er maar een paar seconden voor nodig. Het was de manier waarop je in die luttele seconden gebruikmaakte van je adrenaline – of je *zanshin* – die je lot bepaalde.

'Nu moeten jullie niet denken dat *zanshin* uitsluitend is bedoeld voor de daadwerkelijke strijd,' zei commodore Kuo. 'De succesvolle piraat handhaaft *zanshin* ook buiten het strijdperk, vierentwintig uur per dag, zeven dagen per week...'

Terwijl de commodore zijn college vervolgde, hing Connor aan zijn lippen, zich er meer dan ooit van bewust dat hij nog heel veel moest leren.

Connor was verbijsterd hoe snel het blokuur Zwaardvechten was omgevlogen. Pas toen commodore Kuo een eind maakte aan de discussie, keek hij op de klok, en hij zag dat er een uur en twintig minuten waren verstreken. Hij schudde zijn hoofd. Op de middelbare school in Crescent Moon Bay zou hij versuft en half in slaap zijn geweest na een dubbele dosis Natuur- of Aardrijkskunde. Maar hoe enerverend het college van de commodore ook was geweest, hij had nog wel een uur of langer naar hem kunnen luisteren.

'Je keek een beetje geschokt toen ik je naar voren riep.' Plotseling stond de commodore voor hem. 'Ik hoop niet dat ik je in verlegenheid heb gebracht?'

De leerlingen begonnen de gehoorzaal te verlaten, op weg naar de volgende les. Jacoby bleef bij Connor staan.

'Nee,' zei Connor. 'Maar er is nog zo veel wat ik moet leren. Dat is alles.'

'Maar je wist waar ik het over had,' zei de commodore. 'Dat kon ik duidelijk merken. Zullen we een eindje gaan lopen?'

Connor knikte, terwijl Jacoby zich bij hen voegde, aan de andere kant van de commodore. 'Ja, veel van wat u zei herkende ik. Maar alle termen zijn nieuw voor me. Niet alleen *zanshin*, maar ook *kamae* en *bujutsu* en *iai-jutsu*...'

'Dat begrijp ik,' zei de commodore, terwijl ze naar buiten liepen, de zonovergoten tuin in. 'Tenslotte heb je niet het voordeel van een Academische opleiding, zoals de rest van de leerlingen. Ze zijn misschien – wat zal het zijn – twee jaar ouder dan jij? Bovendien hebben ze bijna tien jaar studie achter de rug. Maar je weet meer dan je denkt – kijk maar eens naar de manier waarop je me je zwaard aanbood. Ook die is afkomstig van de Japanse krijgers in de oudheid.'

Connor keek hem verrast aan.

'Je leraar – Sabel Cate? – heeft je tijdens je korte verblijf aan boord van de *Diablo* al opmerkelijk veel weten te leren. Daar mag je best trots op zijn, Mr. Tempest.'

Connor bloosde van plezier.

'Hoe is het met je zus?'

De vraag verraste Connor. 'Goed, neem ik aan... Tenminste, daar ga ik van uit. Ze voelde zich niet zo lekker vanmorgen, maar...'

De commodore glimlachte. 'Ach, het is een prachtige dag. Ze knapt vast wel weer op. Zo, en nu moet ik naar de zesdejaars, voor een les Kapiteinsvaardigheden. Nog een prettige dag verder.'

Hij liep met grote stappen de heuvel op. Na een klein eindje te hebben gelopen, draaide hij zich weer om en schonk Connor een merkwaardige blik. Waar dacht hij aan, vroeg die zich af, enigszins geïntimideerd.

'Ik dacht zo...' begon de rector. 'Ik vroeg me af of we je misschien kunnen overhalen nog wat langer op de Academie te blijven. Volgens mij kunnen we je nog een heleboel leren over de piraterij. En ik denk dat jij ons ook veel zou kunnen leren. Je hebt een hoop te geven, Connor Tempest.'

'Dank u wel,' zei Connor, niet goed wetend wat hij anders moest zeggen.

'Het is misschien een wat drieste gedachte,' vervolgde de commodore. 'Tenslotte weet ik zeker dat Molucco je graag terug wil. Maar... wil je er op z'n minst over nadenken?'

Connor knikte. Op dit moment wilde hij niets liever dan blijven. Maar kon hij dat doen? Kon hij kapitein Wrathe en de *Diablo* in de steek laten, na alles wat er was gebeurd?

Hij moest opnieuw denken aan zijn visioen. Het verkilde hem tot op het bot. Maar hij zou zich er uit alle macht tegen verzetten. Als de dood hem inderdaad op de hielen zat, zou hij zich niet zonder slag of stoot gewonnen geven. Integendeel, hij zou er alles aan doen om de beste piraat te worden die hij kon zijn. En niet alleen de beste piraat, ook de beste krijger. En de beste kapitein. Ja, dacht hij, zelfs als ik op een dag – ergens in de verre toekomst – sneuvel op het dek van mijn eigen schip, zal ik sterven als een legendarische piratenkapitein.

Het zaad

'GRACE!'

  'Connor! Wat nou weer?'

  'Ik ben het.'

  'Cheng Li!'

Grace sprong van het bed en rukte de deur open. Daar stond Cheng Li, gekleed voor het gevecht, met een extra zwaard onder haar arm. Ze schonk Grace een glimlach en liep langs haar heen de kamer in.

'Ik dacht dat we wat vechttechnieken gingen oefenen vandaag,' zei ze. 'Maar we hebben je de hele dag niet gezien. Trouwens, je bent nog niet eens aangekleed! Het is bijna tijd voor het avondeten. Is er iets, Grace?'

'Ja,' flapte die eruit, niet in staat haar emoties te bedwingen. 'Er is iets! Iets heel ergs!'

Prompt liet Cheng Li het zwaard op het bed vallen en sloeg haar armen om Grace heen. Het was niets voor de stoere, nuchtere Cheng Li, maar het was wel precies wat Grace nodig had.

'Wat is er aan de hand?' vroeg Cheng Li terwijl ze Grace in haar armen hield. 'Voor de draad ermee. Je weet toch dat je me álles kunt vertellen?'

Grace vertelde Cheng Li het hele verdrietige verhaal over haar laatste, haar állerlaatste, bezoek aan het vampiratenschip. Opnieuw luisterde Cheng Li aandachtig tot Grace aan het eind van haar verhaal was gekomen.

'Ik weet niet wat ik moet doen,' zei Grace. 'Alles is ineens veranderd.'

Cheng Li schudde haar hoofd. 'Er is helemaal niets veranderd.'

Grace kon haar oren niet geloven. 'Natuurlijk wel! De kapitein heeft me met zo veel woorden gezegd dat ik niet meer terug mag komen. Dat ik weg moet blijven.'

'Oké,' zei Cheng Li. 'Maar je hebt vrienden aan boord. En je bent daar "nog niet klaar" zoals je zelf zegt. Wat de kapitein zegt, doet er niet meer toe. Waar het om gaat, is hoe jij gemoedsrust kunt vinden.'

Grace schudde haar hoofd. 'Ik kan niet tegen de wil van de kapitein in gaan. Dat kán gewoon niet.'

'En Lorcan dan?' vroeg Cheng Li. 'Hij heeft je nodig. De kapitein heeft hem min of meer opgegeven. Jij niet!'

'Maar als de kapitéin hem al niet kan redden, wat kan ik dan nog doen?'

'Dat weten we pas wanneer we je weer aan boord van dat schip weten te krijgen, Grace.'

Grace keek in de rookgrijze ogen van Cheng Li. Haar hart sloeg op hol. Zou het dan toch lukken?

'Luister eens,' zei Cheng Li. 'Darcy Flotsam is hier bij je geweest, om je om hulp te vragen, waar of niet?'

Grace knikte.

'En Lorcan heeft je de Claddagh-ring gegeven en je visioenen gestuurd waarin je hem hebt gezien...'

'Ja.' Grace knikte. 'Ja, dat klopt!'

'Visioenen die eigenlijk smeekbeden om hulp waren,' vervolgde Cheng Li. 'Grace, je bent inderdaad nog niet klaar op dat schip. Ik denk dat de kapitein volledig in beslag werd genomen door die kwestie met de rebelse vampiraten – Sidorio en de anderen. Volgens mij weet hij niet wat hij zegt. En die arme Lorcan is daar het eerste slachtoffer van. Je hebt gelijk. Als hij weigert bloed te nemen, wie weet hoe lang hij dan nog heeft? Tegen de tijd dat de kapitein zich eindelijk bewust wordt van zijn toestand, zou het wel eens te laat kunnen zijn.'

Zoals altijd had Cheng Li Grace een reddingsboei toegeworpen.

'Goed,' zei Grace, blozend van herwonnen vastberadenheid. 'Goed, ik ga terug naar het schip. Maar hoe dóé ik dat?'

'Vertel het me nou nog eens, Grace. Hoe ben je destijds op het vampiratenschip terechtgekomen?'

Grace zuchtte. Ze hadden het hier al zo vaak over gehad. 'Ik lag in het water, vechtend voor mijn leven, en ik was bezig het gevecht te verliezen. Eigenlijk net als Connor. Jij hebt hem gevonden. En op dezelfde manier moet Lorcan mij hebben gevonden.'

'Maar toen ik Connor uit zee viste, was het nog licht,' zei Cheng Li. 'De dag liep ten einde, maar het was nog licht. In het donker had ik hem nooit kunnen zien.'

'Dus Lorcan moet mij ook in het licht hebben gevonden.'

'Maar dat kan niet, of wel soms? We weten inmiddels dat Lorcan bij daglicht niet aan dek zou zijn geweest.'

'Nee, je hebt gelijk. Maar als de mist er was...'

'De mist die je omhulde bij aankomst op het schip...'

'Ja, dezelfde mist die neerdaalde toen Connor en ik op het dek werden herenigd.'

'Het lijkt wel of de vampiraten die mist zelf oproepen,' zei Cheng Li peinzend. 'Zou dat kunnen?'

'Ja!' Grace ging opgewonden rechtop zitten. 'Er schiet me ineens iets te binnen. Toen ik net op het schip was, zei de kapitein iets tegen Lorcan – dat hij me naar binnen moest brengen voordat de mist opkwam.'

'Het is geen keihard bewijs,' zei Cheng Li. 'Maar we hebben hier dan ook niet met harde feiten te maken. Ik ben ervan overtuigd dat de vampiraten die mist oproepen als een soort bescherming, om toch bij daglicht naar buiten te kunnen. Of misschien is alleen de kapitein daartoe in staat. Alleen, hij heeft geen controle over hoe lang de mist blijft hangen. Wacht eens even...'

'Wat is er?' vroeg Grace opgewonden.

Cheng Li lag met haar ogen dicht op bed. 'We zijn er bijna, Grace. Er is iets... en we hebben het bijna te pakken. Het ligt nog net buiten ons bereik.' Ze deed haar ogen weer open. 'Denk je dat het mogelijk is dat jíj het schip hebt gevonden, in plaats van andersom. Dat het schip jou niet heeft gered, maar dat het de bedoeling is dat jij het schip redt?'

'Maar het schip hééft me gevonden. Ik was bezig te verdrinken. Daar kunnen we niet omheen.'

'Jawel.' Cheng Li ging plotseling rechtop zitten. 'Het hangt er maar net van af hoe je de gebeurtenissen bekijkt. Je moet proberen niet volgens de geijkte patronen te denken.'

Zo gedreven, zo intens heb ik Cheng Li nog nooit meegemaakt, dacht Grace.

'Ga in gedachten terug naar Crescent Moon Bay, naar de tijd vóór het noodweer. Naar je kamer in de vuurtoren.'

Bij de woorden van Cheng Li sloot Grace haar ogen, en ze zag zichzelf weer in het lampenhuis, terwijl ze haar blik over de baai in de diepte liet gaan.

'Ja, en dan?' vroeg ze.

'Denk eens goed na,' zei Cheng Li. 'Je vader is gestorven. De vuurtoren is in beslag genomen door de bank. Je ziet geen mogelijkheden om in dat afschuwelijke stadje te blijven. En dus...'

'En dus?'

'En dus kijk je uit over zee en stuur je een signaal de nacht in, een noodkreet.'

'Wat voor signaal?'

'Dat weten we niet. Maar op de een of andere manier heb je een signaal gemaakt, een signaal dat door de vampiraten werd opgepikt.'

Grace hield geschokt haar adem in.

'Wat is er?' vroeg Cheng Li. 'Waar denk je aan?'

'Ik geloof dat we op het goede spoor zijn,' antwoordde Grace opgewonden. 'Ik herinner me ineens iets wat de kapitein ooit tegen me zei, toen ik hem voor het eerst ontmoette.'

'Wat zei hij dan?'

'Ik vroeg wat hij van me wilde. En hij zei... Hij zei...' Opnieuw hoorde ze die fluisterstem in haar hoofd... '"Wat ík van jou wil. Neem me niet kwalijk, Grace, maar jij bent toch naar míj toe gekomen?"'

Grace deed haar ogen weer open en zag dat Cheng Li haar doordringend opnam.

'Ik dacht dat hij het over die avond had. Dat hij bedoelde dat ik op het schip naar hem op zoek was gegaan. Maar misschien bedoelde hij wel méér. Misschien bedoelde hij dat ik het schip zelf had uitgekozen.'

Cheng Li knikte, even opgewonden als Grace door de ontdekking.

'Je hebt al die tijd de verkeerde vraag gesteld, Grace. En die fout is heel begrijpelijk. De vraag is niet hoe we je weer op dat schip krijgen... de vraag is wat je van het schip wilt. Waarop is de band tussen de vampiraten en jou gebaseerd?'

'Daar kom ik pas achter wanneer ik terug ben. En wat dat betreft zijn we nog geen stap verder dan een paar uur geleden.'

'Ja, dat zijn we wel,' zei Cheng Li stralend. Ze liet zich van het bed glijden, liep de kamer door en deed de openslaande deuren

open. De wind die naar binnen woei, nam de geur van jasmijn-
bloesem met zich mee.

'Het is maar een idee.' Cheng Li keek Grace glimlachend aan.
'Maar waarom wacht je niet gewoon op een volgend noodweer?
Wie weet, misschien herhaalt de geschiedenis zich wel als de om-
standigheden hetzelfde zijn.'

De bemanning

STUKELEYS SURFEN WORDT STEEDS BETER. Sterker nog, hij is er echt goed in. Nou ja, denkt hij terwijl hij door het water peddelt, hij heeft dan ook alle tijd gehad om te oefenen. De meeste nachten brengen de kapitein en hij ergens op een strand door. Daar zoeken ze een dag of twee beschutting, waarna ze weer verder trekken. Maar ze blijven altijd dicht bij de kust. De kapitein houdt vol dat hij een plan heeft, maar daar is Stukeley inmiddels niet meer zo zeker van. Met elke dag die verstrijkt, wordt de kapitein zwijgzamer – en hij praatte Stukeley al nooit de oren van het hoofd. Sidorio komt eigenlijk alleen tot leven wanneer de jacht is geopend. Dan is hij een ander mens, een ander wézen. Als de jacht achter de rug is, maakt hij morbide grappen en vertelt hij vreemde verhalen. Maar het duurt niet lang of de energie lijkt uit hem weg te sijpelen, als het tij dat zich terugtrekt over het geribbelde zand.

Soms voelt Stukeley zich eenzaam en denkt hij terug aan Bart en Connor en zijn andere oude maten. Maar hij kan niet bij zulke herinneringen blijven hangen, dat is te pijnlijk. Bovendien, met elke nieuwe dag zijn de herinneringen vager. Hij is bezig een vorig bestaan te beëindigen, maar zijn nieuwe gedaante is nog niet compleet. Verstrikt in een soort niemandsland grijpt hij zijn plank en holt hij het water in; dan kijkt hij naar de golven en hij wacht. Surfend, alleen op het water, kun je alles vergeten behalve de brekende golven en de complexe energie van de zee. Ook nu weer voelt hij dat het tij bezig is te keren, en hij werkt zich overeind tot een zittende houding op zijn plank, terwijl hij stuurt met zijn handen.

Hij is bezig te veranderen – subtiel en ingrijpend tegelijk. Elke nacht blijken zijn ogen scherper en is hij beter in staat de duisternis te doorboren. Inmiddels kan hij surfen met of zonder maan, en ongeacht de hoeveelheid licht kan hij de golven duidelijk onderscheiden, zelfs in de verte.

Het donkere water begint te rijzen, en opnieuw drukt hij zijn lichaam plat tegen de plank, in afwachting van het moment waarop de golf zal toeslaan.

Wanneer dat gebeurt, springt hij in een vloeiende beweging overeind en begint hij aan de reis terug naar de kust. Het is een goede golf. Hij heeft er precies op het juiste moment op ingespeeld. Zich bewust van de macht van het rijzende water laat hij zich meevoeren naar het strand. Het ligt er verlaten bij, op de eenzame gedaante in het midden na, die bezig is een vuur aan te leggen.

De golf brengt hem helemaal tot het ondiepe water vlak voor de kust. Daar springt hij uitgelaten in de branding en neemt de plank onder zijn arm. Gebukt onder het gewicht haast hij zich naar het vuur, nog altijd verward door de snelheid waarmee de lucht zijn huid en zijn kleren droogt.

'Zag je dat, kapitein? Zag je hoe ik werd voortgedragen door die volmaakte golf?'

Sidorio kijkt niet op van het vuur dat hij bezig is aan te leggen op het zand. 'Nee.'

De kapitein gooit opnieuw een stuk drijfhout in het hart van de vlammen. Stukeley zet zijn plank in het zand, laat zich op zijn hurken zakken en helpt het vuur op te poken.

'Nee,' zegt Sidorio opnieuw, en hij duwt Stukeleys hand ruw opzij.

'Wat is er, kapitein?'

'Er is niks.'

'Wil je niet ook even gaan surfen? De golven zijn werkelijk geweldig vannacht.'

Sidorio zegt niets en gaat door met hout op het vuur gooien.

Stukeley laat zijn blik weer over het water gaan, overwegend terug te gaan voor nóg een golf. Hij kijkt naar het verleidelijk rijzen en dalen van de golven. En terwijl hij dat doet, ontdekt hij plotseling een kleine boot, die wordt opgetild door het aanzwellende tij.

'Kapitein! Kijk!'

'Wat nou weer?' Nu slaat Sidorio zijn donkere ogen op. Zijn gezicht verraadt dat hij woedend is omdat Stukeley hem opnieuw stoort in zijn overpeinzingen, maar daar trekt die zich niets van aan. Dit is tenslotte belangrijk.

'Kijk eens daar! Een boot! Hij komt aan land!'

'Waar?'

Plotseling laait het kampvuur hoog op. Sidorio komt overeind en volgt Stukeleys blik naar zee. Inderdaad, de boot komt hun kant uit. Aan boord klampen de opvarenden zich wanhopig vast, terwijl het scheepje in een diepe trog achter een brekende golf duikt en naar het strand wordt meegevoerd.

Stukeley keert zich naar de kapitein, in afwachting van diens instructies. Er zal een besluit moeten worden genomen, en dat is het recht van de kapitein. Wanneer de boot en zijn opvarenden de kust bereiken, zijn er twee opties. Óf ze moeten zien dat ze de reizigers ontlopen, óf de jacht wordt geopend. Wat zal het worden?

Ze hebben hun behoefte die avond al bevredigd, maar dat sluit een nieuwe jacht niet uit, weet Stukeley.

'Onze behoeften zijn onverzadigbaar,' heeft Sidorio hem verteld. 'Dus neem zo veel als je wilt.'

Stukeley kijkt opnieuw naar de kapitein, in afwachting van een teken. Maar de kapitein staat als aan de grond genageld, met een lege blik in zijn ogen terwijl hij kijkt hoe de gedaanten uit de kleine boot klimmen en die door het ondiepe water naar het kiezelstrand slepen. Ten slotte krijgen ze Stukeley en de kapitein in de gaten, en een van hen steekt zijn hand op. Nu is er geen ontkomen meer aan. De reizigers hebben hen gezien.

'Wat doen we, kapitein?'

Hij krijgt nog altijd geen antwoord.

Wanneer de boot eenmaal veilig aan wal ligt, komen de drie gedaanten over het strand naar hen toe. Geleidelijk aan worden ze herkenbaar als twee mannen en een vrouw. Een van de mannen is lang en bijna net zo breedgeschouderd als de kapitein. Hij loopt met grote stappen, straalt eenzelfde doelbewustheid uit, en nu steekt hij opnieuw zijn hand op.

'Sidorio!' horen ze hem roepen. 'Hé, Sidorio!'

Het kan niet anders of zijn oren bedriegen hem, denkt Stukeley. Hij draait zich om. Op het gezicht van de kapitein is een glimlach verschenen. Stukeley keert zich weer naar de reizigers en ziet dat de lange man zijn pas versnelt en begint te rennen.

'Sidorio! Je bent het echt!'

'Lumar!'

De kapitein komt in beweging om de vreemdeling tegemoet te gaan. Stukeley volgt op enige afstand. Hij is geïntrigeerd, maar tegelijkertijd sceptisch. Terwijl de kapitein de eerste van de vreemdelingen omhelst, vraagt hij zich af of dit deel uitmaakt van diens plan.

Wanneer hij ziet hoe de kapitein ook de andere twee reizigers begroet, wordt Stukeley geleidelijk aan iets minder nerveus. Sidorio heeft immers altijd gezegd dat anderen zich bij hen zouden aansluiten. Bovendien is hij van nu af aan niet langer alleen met de kapitein en diens duistere stemmingen waarin hij amper een woord zegt. Dus alles bij elkaar genomen zou hij blij moeten zijn met deze ontwikkeling.

'Stukeley!' De kapitein roept hem, waarop de luitenant gretig komt aanrennen.

'Dit is Stukeley,' zegt de kapitein op een toon die Stukeley doet zwellen van trots. 'Mijn luitenant.'

Hij komt nog dichterbij.

'Dit is Lumar,' zegt Sidorio. 'Lumar is een oude vriend van me.'

De eerste van de drie vreemdelingen doet een stap naar voren en steekt zijn hand uit. Hij is net zo groot en breedgeschouderd als Sidorio, maar zijn huid is zwart en zijn zilvergrijze haar kortgeknipt; de stoppels glanzen in het maanlicht als de huid van een haai. Ook zijn kleren lijken op die van Sidorio; het is een uitmonstering die associaties oproept met de zee en het leger.

'Aangenaam kennis met je te maken, Stukeley.' Lumar schenkt hem een vluchtige grijns. Zijn stem heeft een zware, diepe klank als een oude kerkhofklok.

Hij geeft een stevige hand, maar net als bij Stukeley zelf voelt zijn huid ijskoud aan.

'En dit is Olin.'

De tweede man doet een stap naar voren en kijkt Stukeley niet zozeer aan, als wel dwars door hem heen. Ze schudden elkaar vluchtig de hand. Olin is lang en mager. Zijn lange cape heeft een kap, die zijn hoofd bedekt. De botten lijken bijna door de huid van zijn magere, hoekige gezicht te steken. Terwijl hij Stukeley de hand schudt, heeft die het gevoel alsof hij een natte vis tussen zijn vingers houdt. Stukeley is blij wanneer Olin een stap naar achteren doet en de derde reiziger de kans geeft te worden voorgesteld.

'En dit is Mistral,' zegt Sidorio.

Stukeley staat oog in oog met een vrouw. Net als Olin draagt ze een kap over haar hoofd, maar wanneer ze die naar achteren duwt, valt haar schitterende, blonde haar golvend langs haar gezicht. Stukeley staat als verlamd. Mistral is de mooiste vrouw die hij ooit heeft gezien – zo mooi dat haar aanblik op slag de herinnering aan alle meisjes uit zijn verleden uitwist. Ze schenkt hem een vriendelijke glimlach, en hij heeft het gevoel dat zijn hart een salto maakt wanneer ze een zachte, bleke hand naar hem uitsteekt. Zijn vingers sluiten zich eromheen, als om een tere, kwetsbare bloem, en hij buigt zijn hoofd om een kus op die hand te drukken. Zijn lippen strijken over het koele metaal van de ringen die ze draagt.

Wanneer hij opkijkt, ziet hij dat ze opnieuw glimlacht.

'Ach, wat charmant,' zegt ze, voordat ze een stap naar achteren doet, zodat ze weer naast haar reisgenoten staat.

Sidorio keert zich naar Stukeley. 'Ik heb je toch gezegd dat ze zouden komen! Waar of niet? Heb ik dat gezegd of niet?' Zijn ogen schitteren koortsachtig.

'We moesten weg,' zegt Lumar tegen de kapitein. 'Want we hadden aan boord van het schip niets meer te zoeken.'

'Het komt door de regels,' sist Olin. 'Daar kunnen we ons niet langer in vinden.'

'De werkwijze van de kapitein heeft zijn tijd gehad.' Mistral legt haar handen op haar borst, misschien omdat ze het koud heeft. 'We moeten op zoek naar een nieuwe aanpak.'

'We hebben het van meet af aan geweten!' zegt Lumar met bulderende stem. 'We hebben van meet af aan geweten dat jij ons een nieuwe weg zou wijzen, Sidorio.'

Die knikt. Hij lijkt vervuld van nieuwe energie, denkt Stukeley. Misschien kon hij gewoon niet tegen het lange wachten. Nu zich nog meer leden van de bemanning bij hen hebben gevoegd, kan zijn echte werk – wat dat ook mag zijn – misschien eindelijk beginnen.

'Ik heb grootse plannen,' kondigt Sidorio aan. De anderen glimlachen en knikken instemmend. 'Maar jullie zullen wel moe zijn van je reis. Kom mee, dan kun je je warmen aan mijn vuur.'

Hij wenkt, en ze beginnen naar het vuur te lopen, dat nu zo'n stralende gloed verspreidt, dat het lijkt of Sidorio de maan van de hemel heeft geplukt en onder het kiezelstrand heeft begraven.

Stukeley kijkt oplettend toe terwijl Lumar zijn hand op Sidorio's schouder legt.

'Het is goed je weer te zien,' zegt hij.

'Inderdaad,' valt Sidorio hem bij. 'Maar hoe heb je me gevonden?'

'Ach, soort zoekt soort, en vindt het ook,' zegt Lumar met een onheilspellende glimlach. 'En er komen er nog meer,' voegt hij er dan aan toe. 'Dit is nog maar het begin.'

Een roemrijke toekomst

'VERTEL OP, WAT ZIT ons piratenwonderkind dwars?' vroeg Jacoby, terwijl ze op het zonovergoten terras aan het ontbijt zaten.

Connor zuchtte. 'Valt het zo op dan?'

'Ik vrees van wel,' zei Jacoby. 'Tijdens het rennen had je het uitstekend naar je zin, maar sindsdien heb je amper een woord gezegd. En je zit voortdurend onder de tafel met je knieën te wiebelen, zenuwpees. Dus vertel op, wat is er aan de hand?'

'Ik heb nagedacht.'

'O jee.' Jacoby prikte een plak bacon aan zijn vork. 'Nadenken is gevaarlijk!' Hij knabbelde op de knapperige bacon.

Connor schoof zijn bord weg, hoewel het nog halfvol was.

'Nu begin ik me pas écht zorgen te maken,' zei Jacoby. 'Normaal eet je je bord zo schoon leeg, dat het lijkt of het niet is gebruikt! Dus kom op, Connor Tempest. Maak van je hart geen moordkuil. Wat zit je dwars?'

'Je weet toch dat ik hier maar een week ben, hè?'

'O. Ja, natuurlijk weet ik dat.'

'Nou, dit is al de vijfde dag. Ik heb nog maar twee dagen te gaan.'

'Ja, de tijd is omgevlogen!' Jacoby glimlachte. 'Maar soms voelt het alsof je hier altijd al bent geweest!'

Connors gezicht stond somber.

'Dat bedoel ik positief,' voegde Jacoby eraan toe.

Connor knikte. 'Het probleem is... dat ik zondag nog niet klaar ben om te vertrekken. Tenminste, dat denk ik.'

Jacoby verkruimelde nog een plak bacon. 'Dan blijf je toch gewoon.'

'Was het maar zo simpel. Ik heb een contract getekend bij kapitein Wrathe. Dus ik móét terug naar de *Diablo*.'

'Natuurlijk,' zei Jacoby. 'Uitéíndelijk moet je terug. Maar kapitein Wrathe redt zich vast nog wel een week zonder zijn wonderkind. En ik weet zeker dat de commodore blij is als je langer blijft.'

'Ja, de commodore zou het prima vinden,' zei Connor. 'Maar van kapitein Wrathe weet ik dat nog niet zo zeker. Hij heeft niet veel op met de Academie.'

'O nee?' Jacoby brak een bosbessenmuffin doormidden. 'Waarom niet?'

'O, om een heleboel redenen. Om te beginnen vindt hij dat je niet tot piraat kunt worden opgeleid. Dat zit in je bloed of niet, zegt hij.'

Jacoby haalde zijn schouders op. 'Ach, daar zit misschien wel een kern van waarheid in.'

'Misschien,' zei Connor. 'Maar ik heb hier nu al ontzettend veel geleerd. En als ik zou kunnen blijven, zou ik nog veel meer leren.' Hij was verrast door de verlangende klank in zijn stem.

'Ga dan met Kuo praten,' zei Jacoby. 'En laat hem het regelen met Wrathe.'

Connor fronste zijn wenkbrauwen. Hij kon zich niet voorstellen dat de twee kapiteins de koppen bij elkaar zouden steken om de kwestie vriendschappelijk te bespreken.

Jacoby grijnsde plotseling. 'Ik heb een idee. Jij blijft hier en ik ga in jouw plaats naar de *Diablo*. Het lijkt me geweldig om een tijdje op een echt schip te kunnen zijn.'

'Dat ís ook geweldig.' Connor dacht aan het gevoel van vrijheid dat bezit van hem nam wanneer de *Diablo* open zee tegemoet voer. Plotseling werd hij overstroomd door dierbare herinneringen aan het schip en de bemanning, zijn makkers. 'Ik wil ook echt terug,' zei hij. 'Maar nu nog niet.'

'Drink je granaatappelsap dan op en ga met Kuo praten,' zei Jacoby.

'Met Kuo praten? Waarover?'

Toen Jacoby en Connor opkeken, zagen ze dat Cheng Li achter hen stond. Ze hadden haar niet horen aankomen, dus ze wisten niet hoe lang ze daar al stond.

'Ach, ik zei alleen...' begon Connor. 'Ik... ik vroeg me gewoon af...'

Cheng Li schonk hem een geamuseerde, zijdelingse blik, met haar wenkbrauwen opgetrokken.

'Hij wil weten of hij nog wat langer kan blijven,' zei Jacoby met een brede grijns.

'Aha.' Cheng Li knikte.

'Hij maakt zich zorgen over de reactie van kapitein Wrathe,' vervolgde Jacoby. 'Maar volgens mij kan de commodore hem wel aan.'

'Denk je?' Cheng Li keek nadrukkelijk naar de klok van de Academie. 'Zeg Jacoby, wordt het niet eens tijd dat je opstapt? Je hebt het eerste uur toch Mariene biologie?'

Jacoby volgde haar ogen naar de wijzerplaat boven het terras, omgeven door bougainville.

'Ja, dat klopt. Kom op, Connor. Anders zijn we te laat voor de les.'

'Dat zit wel goed,' zei Cheng Li. 'Ga jij maar alvast en zeg tegen kapitein Solomos dat ik Mr. Tempest even heb geleend, om belangrijke Academiezaken met hem te bespreken.'

'Wat wreed om me buiten te sluiten, net nu het allemaal zo

spannend wordt.' Jacoby grijnsde. 'Maar oké, ik schik me in mijn lot. Als de zaak van ons wonderkind ermee is gediend, wie ben ik dan om te klagen?'

Hij sprong overeind en gaf Connor een knipoog. 'Ik zie je straks, maat.' Ze tikten hun knokkels tegen elkaar, en ondertussen ging Cheng Li op de stoel zitten die Jacoby had vrijgemaakt.

'Nou, ik moet zeggen,' begon ze, terwijl Jacoby de heuvel af draafde, in de richting van het biologisch laboratorium, 'je hebt hier nog sneller je draai gevonden dan ik had verwacht.'

Connor haalde zijn schouders op. 'Ik wou alleen dat ik me niet zo heen en weer geslingerd voelde. Ik weet dat mijn plaats bij kapitein Wrathe en mijn makkers op de *Diablo* is. Maar ik heb het hier echt erg naar mijn zin. En ik leer zo veel.'

Cheng Li straalde. 'Dat wist ik wel. Jij en ik zijn uit hetzelfde hout gesneden. Hoeveel talent we van nature ook bezitten, we blijven snakken naar nog meer kennis.'

Connor was zo gewend aan Cheng Li's arrogantie dat die hem nauwelijks opviel. Toch vroeg hij zich af of ze hem niet overschatte. Hij had nooit eerder naar kennis gesnakt. Zeker niet het soort kennis dat hem op de middelbare school in Crescent Moon Bay door de strot was geduwd. Maar inderdaad, wanneer het om de piraterij ging, wilde hij alles weten. Zijn ambities groeiden met elke dag die verstreek.

'Waar denk je aan?' vroeg ze.

'O, aan iets wat totaal geen zin heeft,' zei hij. 'Ik hoopte alleen dat de commodore me misschien nog een week zou willen laten blijven. Maar wat voor verschil zou dat maken? Jij bent hier tien jaar geweest. En Jacoby ook al bijna. Dat haal ik nooit in.'

'Nee, niet in één week. Natuurlijk niet. Maar met het risico dat je naast je schoenen gaat lopen, je bent buitengewoon getalenteerd, Connor. Behalve Jacoby is er op de Academie geen leerling die zich bij het zwaardvechten met je kan meten. En ik weet dat ik namens alle leraren spreek, wanneer ik zeg hoezeer we onder de indruk zijn van je vermogen om je staande te houden in de lessen – vaak met leerlingen die ouder zijn dan jij.'

Connor bloosde. Geprezen worden door een leraar was een geheel nieuwe ervaring voor hem.

'Wat kan het vreemd gaan in het leven,' zei hij peinzend. 'Een paar maanden geleden zat ik nog in dat godverlaten oord, waar we jaren hebben gewoond. En toen ging mijn vader dood, en ik was hem bijna achternagegaan. Maar ik heb het overleefd, jij hebt me gered en... Nou ja, het lijkt wel of ik al die tijd op dat moment had gewacht. Al die jaren. Alsof ik had gewacht tot de wereld van de piraterij zich voor me zou openen. Alsof die mijn bestemming was; alsof de piraterij me van meet af aan in het bloed heeft gezeten.'

Cheng Li knikte heftig. 'Precies. Dat gevoel heb ik ook. Je mag dan de zoon zijn van een vuurtorenwachter, maar je bent een geboren piraat.'

'En een geboren kapitein?' Connor moest opnieuw denken aan het visioen.

'Dat niet alleen. Nog veel meer. Misschien word je uiteindelijk wel commodore, de kapitein der kapiteins. Er ligt een roemrijke toekomst voor je in het verschiet.' Cheng Li glimlachte. Toen veranderde de uitdrukking op haar gezicht, alsof er plotseling een kille wind over het terras blies. 'Maar er zijn een paar vervelende bijkomstigheden waar we iets aan moeten doen.'

Connor keek haar nieuwsgierig aan.

'We moeten zien dat we je losweken van het contract dat je bij kapitein Wrathe hebt getekend,' legde ze uit.

'Maar het contract is bindend... voor het leven. Ik heb met bloed mijn handtekening gezet.'

Cheng Li glimlachte opnieuw. 'Onzin! Er zijn altijd manieren om ergens onderuit te komen. Zeker bij een man als Wrathe. Het gaat er alleen om wat hij vraagt in ruil voor je vrijheid. Je weet hoe hij is. Dat bedoel ik niet kwetsend, maar ik denk dat je je vrijheid zou kunnen terugkopen voor een fraaie snuisterij, iets met een saffier.'

Connors gezicht betrok weer. Zou Molucco hem echt zo gemakkelijk inruilen? En zelfs als dat zo was, hoe kwam hij aan een saffier? Hij bezat zo goed als niets, op de kleine hoeveelheid buit na die hij bij de diverse overvallen had weten te verwerven. Daar zat beslist niets bij wat een onvoorstelbaar rijk man als Molucco in verleiding zou kunnen brengen.

'Ach, arme jongen!' Cheng Li leunde naar achteren in haar stoel. 'Je denkt toch niet dat ik bedoel dat je je vrijheid moet kópen? Natuurlijk niet! Je staat er niet langer alleen voor, Connor. Er zijn inmiddels machtige en invloedrijke mensen die je steunen. John Kuo is niet alleen rector van de Academie, hij is ook een van de machtigste figuren binnen de Piratenfederatie.'

'Wat ís de Piratenfederatie precies?' vroeg Connor.

'Volgens mij kun je dat het best aan de commodore vragen. Ik zal een gesprek voor je regelen. Als jij nu gewoon naar les gaat, ga ik even met de rector praten.'

Connor stond op van tafel en slingerde zijn tas over zijn schouder. 'Dank je wel,' zei hij. 'Voor alles.'

'Daar zou ik nog maar even mee wachten,' zei ze. 'Maar vergeet niet dat je bij me in het krijt staat... en dat ik je ooit kom vragen om die schuld in te lossen.' Ze glimlachte, maar Connor voelde dat hij werd bekropen door een merkwaardige kilte. Hij twijfelde er niet aan of ze bedoelde het serieus.

Terwijl hij wegliep, tolde zijn hoofd van de sombere gedachten die hem bestookten. Plotseling bleef hij staan en hij draaide zich om. Cheng Li was ook opgestaan en liep in tegenovergestelde richting het terras over. Hij moest rennen om haar in te halen. Toen ze zijn voetstappen hoorde, draaide ze zich om.

'Wat is er?'

'Ik wil kapitein Wrathe niet verraden. Hij heeft zo veel voor me gedaan.'

Cheng Li knikte en legde een hand op zijn schouder. 'Dat begrijp ik, Connor.' Ze zuchtte. 'Maar het was wel erg overhaast van je om je voor de rest van je leven aan hem te verplichten. Er liggen nog zo veel meer, zo veel betere kansen voor je in het verschiet. En denk maar niet dat hij dat niet weet. Natuurlijk weet hij dat! Net zoals hij wist wat hij deed toen hij je dat contract liet tekenen.'

Ze glipte naar binnen, en Connor bleef buiten achter, nadenkend over haar laatste woorden. Was het waar wat ze had gezegd? Had Molucco misbruik gemaakt van zijn naïviteit door hem aan zich te binden, voordat hij besefte welke andere opties hij had? Dat was een harde beschuldiging. Maar als Cheng Li inderdaad gelijk had, als Molucco een vuile streek met hem had uitgehaald, dan was dít misschien het moment om zich los te maken. Ongeacht de prijs.

Terwijl hij zigzaggend de heuvel afrende, keek hij over zijn schouder naar het raam van Grace. De luiken waren nog altijd gesloten. Het was inmiddels over tienen, maar er was geen spoor van leven te ontdekken. Had hij maar aan Cheng Li gevraagd hoe het met zijn zusje was. Daarvoor was hij echter te zeer in beslag genomen geweest door zijn eigen problemen. Nou ja, in de pauze zou hij even bij Grace langsgaan, of anders tijdens de lunch. Tenslotte hoefde hij niet bang te zijn dat ze de benen nam.

Donkere wolken pakken zich samen

UITEINDELIJK KWAM CONNOR ER niet aan toe in de pauze bij Grace langs te gaan. In plaats daarvan zocht hij met Jacoby en Jasmine beschutting tegen de zon onder de granaatappelbomen, waar ze zich te goed deden aan het rijpe fruit en maar wat voor het vaderland weg kletsten, tot het tijd was voor de les Zwaardvechten, gegeven door kapitein Larsen. Het was een blokuur, waarbij de indrukwekkende Deense kapitein een stevig tempo aanhield.

Daarna stond er een lesuur Kapiteinsvaardigheden op het rooster, waarbij ook het aanwerven van bemanningsleden een belangrijke plaats innam. Het was de bedoeling dat Cheng Li de les zou geven, maar tot verrassing van de leerlingen was het de commodore die het bewuste lokaal binnenkwam.

'Ik weet dat jullie meesteres Li verwachtten, maar ik ben bang dat jullie vandaag aan het kortste eind trekken,' zei hij glimlachend.

Er was niemand die protesteerde. De rector was een van de populairste leraren op de Academie, en de leerlingen beschouwden alle extra momenten die ze met hem doorbrachten niet als een opgave, maar als een bonus. Kapiteinsvaardigheden was al snel een van Connors lievelingsvakken geworden, en de manier waarop de commodore het gaf, bleek aanzienlijk minder theoretisch dan die van Cheng Li. In plaats van zijn leerlingen te vertellen hoe ze bepaalde zaken moesten aanpakken, schilderde hij een scenario en nodigde hij de leerlingen uit suggesties te doen.

'Wanneer je eenmaal de rang van kapitein hebt bereikt, moet je goed beseffen dat er bij de meeste beslissingen geen sprake is van goed of fout,' begon hij. 'Er is bijna altijd een reeks van oplossingen denkbaar, en het is jouw verantwoordelijkheid om te doen wat voor jou en je bemanning het juiste is.'

De veertig minuten van de les vlogen om, terwijl Jacoby en Jasmine het hevig oneens waren over de aanpak van een conflict tussen bemanningsleden, en Connor en een gepassioneerde leerling die Aamir heette, probeerden te bedenken wat ze zouden doen wanneer ze midden op zee ineens te maken kregen met een voedseltekort. De rector moedigde de leerlingen aan een pleidooi te houden voor de door hen gekozen oplossing en weigerde zijn voorkeur uit te spreken. In plaats daarvan nodigde hij de rest van de leerlingen uit hun mening te geven. Jasmine kreeg in de klas brede steun voor haar meer doordachte benadering om het conflict op te lossen, en de leerlingen leken onder de indruk van Connors pragmatische ideeën over het instellen van een rantsoenering *in extremis*.

Toen de bel ging voor de lunch, waren de leerlingen nog altijd in een geanimeerde discussie verwikkeld. Uiteindelijk moest de commodore hen het lokaal uit sturen, de zon in.

'Mr. Tempest,' zei hij op gedempte toon terwijl Connor zijn papieren bij elkaar raapte. 'Kan ik je even spreken?'

Connor draaide zich om. Zijn hart sloeg op hol. Het was duidelijk dat de commodore op de hoogte was van zijn verzoek. Het vonnis was geveld. Wat hij nu te horen kreeg, zou beslissend zijn voor zijn toekomst.

'Laten we een eindje gaan lopen.' De rector gebaarde Connor vóór te gaan. Ze beklommen de heuvel naar het terras, waar ze buiten gehoorsafstand waren van luisterende oren.

'Meesteres Li heeft me verteld over jullie gesprek,' begon de rector. 'Natuurlijk vind ik het geweldig dat je graag langer wilt blijven.' Hij zweeg even. 'Aan welke periode denk je dan?'

Connor schraapte zijn keel en raapte al zijn moed bij elkaar. 'Ach, misschien... misschien nog een week?'

'Een week? Niet langer?' De commodore nam hem geamuseerd op. 'Denk je dat je met nóg een week tevreden bent? Dat je je dan alle kennis hebt eigen gemaakt die we je te bieden hebben?'

'Nee. Nee, natuurlijk niet.' Connor voelde zich volmaakt belachelijk. 'Maar ik heb tenslotte mijn verplichtingen...'

'Daar ben ik me van bewust. Je hebt je verplichtingen tegenover kapitein Wrathe en zijn bemanning. Het is erg nobel van je om zo te denken. Maar laten we er nu eens van uitgaan dat ik een toverstaf had en dat ik kon regelen dat je hier net zo lang kon blijven als je zou willen, ongeacht je huidige verplichtingen. Zou je dan ook maar een week willen blijven?'

'Nee, dan zou ik...'

'Een maand?'

'Ach, misschien...'

'Tot het eind van het jaar?'

Opwinding maakte zich van Connor meester. Het pad liep steil heuvelopwaarts. Aan zijn rechterhand zag hij het glinsterende water van de haven.

De zon op het water werd weerkaatst door de donkere ogen van de commodore.

'Stel dat ik kan regelen dat je het volledige studieprogramma kunt volgen... Stel dat we het leerplan zouden aanpassen, met behalve groepslessen ook privéonderwijs, om te zorgen dat je helemaal bij bent... Hoe zou je dat vinden?'

Connor slaakte een zucht van verlangen. 'Dat zou ontzettend gaaf zijn. Echt ontzettend gaaf.'

'Dus dat is wat je zou willen? Nou, in dat geval moeten we de koppen maar eens bij elkaar steken om te zien wat de mogelijkheden zijn. Laat het maar aan mij over, Connor.' Hij tikte op zijn slaap. 'Geef deze oude grijze cellen even de tijd om na te denken.' Hij glimlachte. 'Ik kom later bij je terug. Geniet ondertussen van je lunch.'

Met een schouderklopje liet hij Connor achter op het terras. Terwijl de rector wegliep, zag Connor dat Jacoby hem wenkte. Hij zat aan een tafel met Jasmine, Aamir en diverse anderen uit zijn groep. Ze hadden een plekje voor hem vrijgehouden. Glimlachend liep hij naar hen toe.

Tijdens het driedubbele uur Nautische aanvalstactieken opende de hemel zich. In het lokaal aan het eind van een van de kronkelende tentakels van de Octopus onderbraken kapitein Solomos en zijn leerlingen de les om naar buiten te kijken, naar de hemel die steeds donkerder werd en naar de enorme wolken waaruit de regen in stromen neerdaalde op het terrein van de Academie. Toen ze hun debat ten slotte hervatten, werden ze regelmatig onderbroken door de knallende zweepslagen van de donder.

'We krijgen noodweer.' De ogen van kapitein Solomos lichtten op, want hij hield wel van een beetje drama. 'Het is alweer even geleden sinds we zo'n krachtig noodweer hebben gehad.' Hij klapte zijn boek dicht. 'We stoppen met het onderwerp dat we bij de kop hadden. In plaats daarvan wil ik van jullie horen hoe we van een dergelijk noodweer gebruik kunnen maken om een spontane, onverwachte aanval te lanceren.'

Terwijl Connor aan het eind van de les zijn spullen pakte, riep kapitein Solomos hem bij zich. 'De commodore vraagt of je naar zijn kamer komt,' zei hij glimlachend. 'Om jullie eerdere gesprek voort te zetten.'

Connor knikte en liep de kronkelende gang door naar de kamer van de rector. Daar aangekomen klopte hij op de deur.

'Binnen!' riep de commodore.

Connor betrad het met hout betimmerde vertrek. De rector zat achter zijn onberispelijk geordende bureau, verdiept in wat paperassen.

'Aha, Mr. Tempest. Ga zitten. Wil je een kop thee?'

Connor pakte de kleine kom aan waaruit een heerlijke geur opsteeg.

'Ik heb nagedacht over ons gesprek,' zei de rector. 'En ik doe je een voorstel.'

Connor knikte. Hij nam een grote slok thee.

'Wat weet je van de Piratenfederatie?' vroeg de commodore.

'Zo goed als niets,' moest Connor toegeven.

'Uitstekend,' zei de rector met een twinkeling in zijn ogen. 'En dat willen we graag zo houden met iedereen die buiten de Federatie staat. Iets anders is het wanneer we het hebben over mensen die er deel van uitmaken.'

Connor boog zich naar voren, een en al aandacht.

'Je bent je er ongetwijfeld van bewust dat de piraterij op dit moment in hoog tempo ingrijpende veranderingen doormaakt,' vervolgde de commodore. 'Dit is te danken aan de wereldwijde inspanningen van de Federatie.' Hij stond op van achter zijn bureau en wees op een glazen globe die naast Connor stond. 'Draai er eens aan,' zei hij.

Connor deed wat hem werd opgedragen. Terwijl de glazen bol in het rond draaide, werd het oppervlak zwart en begonnen er honderden lichtjes te twinkelen, als sterren aan de nachtelijke hemel.

'Zie je die lichtjes?' vroeg de commodore. 'Ze vertegenwoordigen stuk voor stuk een afdeling van de Piratenfederatie, verspreid over de hele wereld. En er komen er voortdurend meer bij.'

Connor was onder de indruk.

'Er gaapt een enorme en steeds breder wordende kloof tussen

266

de piraten die binnen de Federatie opereren, en zij die daarbuiten actief zijn, zoals Molucco Wrathe,' legde de commodore uit. 'De ingewijden zijn druk bezig allianties te vormen, niet alleen op de oceanen, maar ook aan wal. Het zal niet lang meer duren of onze invloed is onstuitbaar. En in plaats van te opereren als op zichzelf staande bemanningen, die verschillen in kracht en grootte en die regelmatig met elkaar in conflict komen, zul je de formatie zien van enorme vloten van piratenschepen met één gemeenschappelijk doel.'

Connor was overweldigd door het idee. De commodore liep naar de voorkant van zijn bureau en ging erop zitten, zodat hij Connor recht aan kon kijken.

'Een dergelijke organisatie heeft leiders nodig, en een van mijn taken binnen de Federatie is het rekruteren van toekomstige leiders.'

Hij keek Connor doordringend aan. Die moest opnieuw denken aan het visioen, waarin hij zichzelf als piratenkapitein had gezien. Betekende dit dat hij kapitein zou worden binnen de Federatie? Was dat de kans die hem werd geboden?

'Ik ga je iets vertellen wat binnen deze vier muren moet blijven, Connor. Is dat duidelijk?'

Connor knikte. 'Absoluut.'

'Heel goed. Wil je nog thee?'

Connor schudde zijn hoofd. Hij was te geïntrigeerd om ook maar enige vorm van afleiding te kunnen verdragen. De rector legde in een peinzend gebaar zijn handpalmen tegen elkaar.

'Ik heb destijds meesteres Li voor de Federatie gerekruteerd. Tenslotte wist ik dankzij haar studie aan de Academie dat ze een waardevolle aanwinst zou zijn – en ze heeft ons niet teleurgesteld.'

Buiten klonk het geknetter van een bliksemschicht. De rector keek achterom. 'Ik ben dol op onweer,' zei hij. 'Vind jij het ook niet geweldig?'

'Eerlijk gezegd, niet zo,' zei Connor. Onweer herinnerde hem aan een van de ergste momenten in zijn leven.

'O, natuurlijk! Neem me niet kwalijk. Hoe kon ik zo tactloos zijn?'

'Ik heb een vraag.' Connor weigerde zich door het noodweer te laten afleiden.

'Zeg het maar.'

'Heeft meesteres Li kapitein Wrathe bespioneerd? Volgens kapitein Drakoulis was dat de reden van haar aanwezigheid op de *Diablo*. Ze zou zijn gestuurd door de Federatie.'

Het gezicht van de commodore veranderde in een masker. Hij leunde naar achteren en schonk zichzelf kalm nog wat thee in. Toen nam hij een slok, en hij legde zijn handen om de kom. 'Je zult ongetwijfeld begrijpen dat bepaalde zaken van de Federatie vertrouwelijk zijn en dat ook moeten blijven. Maar de voornaamste reden waarom meesteres Li aan boord was van de *Diablo*, was dat ze haar leerlingentijd als onderkapitein moest afronden. Het is ons beleid om onze rekruten zo snel mogelijk tot kapitein te promoveren.'

Opnieuw keek de rector Connor doordringend aan. Ondanks zijn diplomatieke woordkeuze meende Connor dit als een bevestigend antwoord te kunnen zien. Cheng Li had inderdaad de opdracht gehad om Molucco te bespioneren. Hij wist niet goed wat hij daarvan moest denken.

'Maar als kapitein Wrathe niet binnen de Federatie opereert, waarom zou meesteres Li haar leerlingentijd dan bij hem uitdienen?'

'Dat is een goede vraag,' zei de commodore. 'Maar het komt erop neer dat geen schip werkelijk buiten de regels van de Federatie valt. Alleen, sommige kapiteins weigeren die regels te accepteren.'

Vormde kapitein Wrathe dan zo'n groot risico voor de Federatie? Commodore Kuo had het over de mácht waar de Federatie naar streefde. Maar wat waren precies de doelstellingen? En waren die zo anders dan die van Molucco?

'Er is een groot verschil tussen direct profijt en de uitgestelde beloning die daardoor wint aan vruchtbaarheid,' zei de rector, alsof hij Connors gedachten had geraden. 'De resultaten van een snelle plundering zijn niet te vergelijken met de werkelijke schat die macht – geconsolidéérde macht – op de lange termijn vormt. Een dergelijke doelstelling is het waard om geduld in acht te nemen, om een zorgvuldige strategie te bepalen. Of ben je dat niet met me eens?'

Connor wist niet goed wat hij hierop moest zeggen. Hij had echter nog een vraag, een heel belangrijke vraag.

'Maakt kapitein Narcisos Drakoulis deel uit van de Federatie?' Hij haalde diep adem. 'Was zijn aanval op de *Diablo* het idee van de Federatie?' Er was een derde vraag die hij wel wilde, maar niet durfde stellen. Namelijk of de Federatie verantwoordelijk was voor de dood van Jez Stukeley. Terwijl hij het antwoord van de commodore afwachtte, nam hij een besluit. Als het antwoord ja was, zou hij weigeren voor de Federatie te gaan werken, in welke capaciteit dan ook.

'Zoals ik al eerder heb gezegd, moeten sommige zaken van de Federatie geheim blijven,' antwoordde Kuo.

Connor had het gevoel alsof het bloed bevroor in zijn aderen. Hij kon zijn oren niet geloven. De commodore had net zo goed rechtstreeks zijn verantwoordelijkheid kunnen toegeven.

'... maar ik kan je wél vertellen dat Drakoulis net zo'n ongeleid projectiel is als Wrathe – misschien zelfs nog erger. Als het om het uitvoeren van het beleid van de Federatie gaat, zijn ze geen van beiden te vertrouwen.'

Dus nu ontkende hij zijn verantwoordelijkheid. Maar het was bepaald geen glasharde ontkenning. Connor worstelde nog altijd met de vraag voor wie hij moest kiezen. Hij had het gevoel alsof hij op drift was geraakt op zee, niet wetend wie aan zijn kant stond en wie zijn vijand was. Beelden van kapitein Wrathe en Narcisos Drakoulis schoten door zijn hoofd. Toen verbleekten ze, en hij keek weer recht in de ogen van commodore Kuo. Het waren vriendelijke ogen, betrouwbare ogen. Niet de ogen van iemand die een jonge piraat als Jez Stukeley bewust de dood in zou jagen.

'Je vindt het misschien ongebruikelijk om iemand al op zo'n jonge leeftijd te rekruteren,' vervolgde de commodore met een glimlach. 'Maar je moet goed begrijpen dat ik probeer de Federatie tot in de verre toekomst te versterken. Hoe jonger mijn rekruten, des te groter de kracht van de Federatie.' Hij zweeg even. 'Zo kan ik je vertellen dat diverse van je medeleerlingen hier op de Academie al voor ons werken.'

Connor dacht na over die laatste woorden. Jacoby! Hij was een leerling die uitblonk in alle vakken. Het kon niet anders of Jacoby was een van de leerlingen op wie hij doelde. De volgende keer dat hij hem zag, zou hij zijn vriend ernaar vragen.

'Nogmaals, alles wat hier besproken wordt, blijft binnen deze vier muren,' zei de rector. 'Bovendien zijn alle leden van de Federatie verplicht tot geheimhouding... op straffe van de dood.'

Ai, dacht Connor. Misschien moest hij het Jacoby toch maar níét vragen.

'Ter zake,' zei de commodore. 'We hebben je vorderingen en prestaties nauwlettend gevolgd, Connor, de andere leraren en ik. Niet alleen tijdens je week hier, op de Academie, maar ook al daarvoor. En we zijn unaniem tot de conclusie gekomen dat we graag zouden zien dat je je aansloot bij de Federatie. We verwachten dat je een van onze allerbeste rekruten zult zijn. En zonder overspannen verwachtingen te willen wekken, denk ik dat we je een scala van mogelijkheden kunnen bieden; mogelijkheden waarvan je anders alleen maar zou kunnen dromen.'

Connor was opgewonden en geïntrigeerd door het aanbod. Het was vleiend te weten dat ze zo'n hoge dunk van hem hadden, maar ook een beetje ontmoedigend dat hij in de gaten was gehouden. Het werd hem snel duidelijk dat de Federatie overal oren en ogen had.

'Je hoeft natuurlijk niet meteen te beslissen,' zei de commodore. 'Maar het zou prettig zijn als we je antwoord hadden vóór het weekend, wanneer kapitein Wrathe je komt halen. Ik moet het nodige voorwerk verrichten, om het zo maar te zeggen. En het spreekt natuurlijk voor zich dat je eerst je studie op de Academie moet afronden, voordat je je bij de Federatie kunt aansluiten.'

Connor knikte. Het duizelde hem door alles wat hij zojuist had gehoord.

'Wat is je eerste gedachte?' vroeg de rector.

Connor schraapte zijn keel. 'Mijn eerste gedachte...' Hij haalde diep adem, met het gevoel alsof hij op het punt stond van een duizelingwekkende hoogte naar beneden te duiken. 'Mijn eerste gedachte is dat ik me graag zou willen aansluiten bij de Federatie.'

'Dat is geweldig nieuws.'

'Alleen... Ik weet niet hoe ik dat moet doen zonder kapitein Wrathe op zijn ziel te trappen. Tenslotte is hij heel erg goed voor me geweest.'

'Ik begrijp je probleem.' De rector stond op en liep naar een portret van zichzelf in zijn jongere jaren. 'En dat siert je.' Hij schoof de foto opzij. Erachter bevond zich de knop van een kluis, die Kuo heen en weer begon te draaien. Ten slotte zwaaide de deur open, de commodore stak zijn hand in de kluis en haalde er een fluwelen zakje uit. Daarmee liep hij terug naar zijn bureau, waar hij de sluiting van het zakje begon los te maken.

'Het enige wat we moeten doen, is Molucco aanspreken in de taal die hij het liefst spreekt,' zei de rector glimlachend. Hij schudde de inhoud van het zakje op het bureau en een ware stortvloed aan saffieren stroomde uit over de tafel.

Connor hield zijn adem in.

De rector glimlachte opnieuw en reikte naar de edelstenen. 'Hoeveel denk je dat er nodig is om Molucco te paaien?' vroeg hij. 'Een of twee saffieren?'

Grace stond op het balkon en keek naar het onweer. Daardoor hoorde ze niet dat er op haar deur werd geklopt.

Toen ze zich omdraaide, zag ze tot haar verrassing Cheng Li de kamer binnenkomen, gewapend met een blad.

'Ik kom je je diner brengen.' Ze zette het blad op de tafel. 'Want ik dacht dat je liever alleen op je kamer wilde eten.'

Grace knikte, maar ze was zo geboeid door het onweer dat ze zich meteen weer omdraaide naar de tuin. Cheng Li liep naar buiten en kwam bij haar op het balkon staan.

'Het wordt behoorlijk noodweer,' zei Cheng Li.

'Ja,' zei Grace. 'Dat roept allerlei herinneringen op.'

Cheng Li wilde iets zeggen, maar ze aarzelde.

Grace knikte. 'Ik denk dat het moment is aangebroken.'

'Weet je het zeker?' vroeg Cheng Li. 'Misschien hebben we het mis. Misschien is het wel een krankzinnig plan dat we hebben bedacht!'

Grace haalde haar schouders op. 'Een noodweer als dit komt maar eens in de zoveel tijd voor. Het zou zonde zijn er geen gebruik van te maken.'

'In dat geval moet je binnenkomen en iets eten,' zei Cheng Li. 'Je gaat je vanavond aan een enorme beproeving blootstellen. Dus je moet zorgen dat je fit bent.'

Nu zijn we al met ons vijven

SINDS 'DE ANDEREN' ZIJN gearriveerd, heeft Sidorio elke belangstelling voor het surfen verloren. Alleen Stukeley gaat nog met zijn plank het water op, terwijl de kapitein diep in gesprek is met zijn bemanning. Elke avond maken ze een vuur en gaan ze er gevieren omheen zitten, als oude heksen. Dan praten ze gedempt, op samenzweerderige toon. En Stukeley surft alleen. Ik ben te jong om al mijn tijd te besteden aan samenzweren rond een vuur, denkt hij. Maar eigenlijk weet hij niet meer of hij jong of oud is. Leeftijd heeft elke betekenis verloren.

Sinds de komst van de bemanning heeft Sidorio amper twee woorden tegen Stukeley gezegd – tegen zijn luitenant, nota bene! Stukeley raakt erdoor gedesoriënteerd. Hoe merkwaardig hij ook is, Sidorio is het middelpunt van Stukeleys wereld geworden. Hij is degene die hem heeft teruggehaald. Dat zal Stukeley nooit vergeten. Sidorio is zijn kapitein en zijn vader. De band tussen hen is onverbrekelijk, maar Sidorio negeert hem.

Gedurende enige tijd geeft hij zich volledig over aan de branding. Er is storm op komst, en de golven zijn enorm – hij geniet van hun kracht. Regen plenst op hem neer, om hem heen knetteren bliksemschichten, maar dat maakt de pret alleen maar groter. Hij kan inmiddels verbazingwekkend goed surfen, en hij is gelukkig als een kind, terwijl de 'volwassenen' zitten te praten op het zand. Hij is blij dat hij er niet bij hoeft te zitten. De man die zich Lumar noemt, is onafgebroken aan het woord, alsof híj de kapitein is. Stukeley begrijpt niet waarom Sidorio hem zijn plaats niet wijst. Olin zegt weinig, maar de manier waarop hij naar je kijkt, is ontmoedigend, vindt Stukeley. Die ogen van hem laten je niet meer los. Wanneer je zijn blik ontmoet, beginnen je eigen ogen te branden door de intensiteit van zijn blik.

De enige die Stukeley mag, is het meisje, Mistral. Ze glimlacht altijd naar hem en maakt een plaatsje voor hem vrij bij het vuur. Hij wenst dat ze alleen was gekomen, zonder de andere twee. Zíj is een welkome toevoeging aan de bemanning. Wat zou het heerlijk zijn als de anderen hun eigen weg gingen! Maar ze hangen als klitten aan de kapitein.

Uiteindelijk heeft Stukeley genoeg van het surfen en hij laat zich voor het laatst meevoeren door een golf. Zijn voeten raken het zand, en zoals gebruikelijk is hij meteen droog, ondanks de jagende regen. Door het onweer rent hij naar het vuur. Hij vraagt zich af hoe ze het brandend weten te houden te midden van het noodweer, en hoe ze zichzelf kunnen verstaan boven het gebulder van de donder en het gebeuk van de golven tegen de kliffen uit. Maar eenmaal bij het vuur gekomen, merkt hij dat het lawaai van de storm naar de achtergrond verdwijnt. Bovendien is het zand hier volmaakt droog. Het lijkt wel of ze door een onzichtbare bol tegen het noodweer worden beschermd.

Mistral draait zich om en schenkt hem een glimlach. De gloed in haar ogen is stralender dan die van het vuur.

Hij gooit de surfplank op het zand en gaat in de kring zitten. 'En,' begint hij, in een poging vriendelijk te klinken, 'waar hebben jullie het over?'

'Aha, luitenant Stukeley.' Lumar kijkt op en glimlacht zonder een zweem van warmte. 'We hebben het over heel veel dingen.'

274

'Heel veel dingen, luitenant Stukeley,' echoot Sidorio.

Stukeley voelt de hongerige ogen van Olin op zich gericht. Hij weigert zijn blik te beantwoorden en kijkt in plaats daarvan in het vuur. Terwijl hij dat doet, voelt hij een zachte hand op zijn schouder.

'We zijn bezig plannen te maken,' zegt Mistral.

Hij keert zich naar haar toe. Ze strekt een hand uit en strijkt met een vinger een verdwaalde lok van zijn voorhoofd. Hij beeft onder haar aanraking. Ze glimlacht opnieuw.

'De boot waarmee we zijn gekomen, is te klein voor ons allemaal,' zegt Lumar. Soms is zijn stem zo zacht dat Stukeley hem amper kan verstaan. Maar Lumar zit altijd naast Sidorio en de kapitein hoort alles wat hij zegt, alsof de woorden als vloeibare honing in zijn oren worden gegoten.

'De veerboot is ook te klein,' verklaart Sidorio.

Vijf paar ogen keren zich naar de twee kleine boten, die vlakbij liggen afgemeerd. Ze dansen op het ruwe water – de oceaan is als een paard dat probeert zijn ruiters af te werpen, maar de kleine boten weten zich te handhaven. Stukeley kijkt liefdevol naar de veerboot. Die heeft hen maar al te goed gediend, toen de kapitein en hij nog samen waren, met niets anders dan hun surfplanken. Hoe lang is dat geleden? Het voelt als een eeuwigheid.

'We hebben een schip nodig,' zegt Lumar zacht.

'We hebben een schip nodig,' buldert Sidorio.

'Ja.' Lumar knikt alsof het idee nieuw voor hem is. 'Ja, we hebben een schip nodig.'

'Een schip.' Het is voor het eerst dat Olin iets zegt in Stukeleys aanwezigheid.

'Dat is het plan.' Mistral kijkt Stukeley glimlachend aan. Hij is bereid akkoord te gaan met élk plan, wat ze ook voorstelt.

Sidorio staat op en torent hoog boven hen uit. Zonder iets te zeggen keert hij de kring de rug toe en loopt hij naar de boten.

'Kom mee,' zegt Lumar tegen de anderen. 'We varen vannacht de kust langs, om te zien welke schepen er op zee zijn. Dan denken we er verder over na.'

'Is dat nou wel zo'n goed idee?' Even vergeet Stukeley dat hij Lumar haat. 'Komen we niet in problemen door het noodweer?'

Lumar glimlacht. Deze keer is het een echte, brede glimlach, maar ook de kwaadaardigste die Stukeley ooit heeft gezien. 'Over het weer hoef je je geen zorgen meer te maken, luitenant. Er is geen noodweer dat ons nog iets kan maken.'

Lumar blijkt gelijk te hebben. Hoe woest het noodweer ook tekeergaat, op de een of andere manier beweegt de kleine veerboot zich gestaag door het water, als over een rustige zee. En ook de regen slaagt er niet in de vijf passagiers te doorweken. Opnieuw stelt Stukeley zich voor dat ze worden beschermd door een onzichtbare bol.

De veerboot is inderdaad te klein, denkt hij, ook al is hij groter dan de boot waarmee de anderen zijn gekomen. Ze zouden een schip moeten hebben. Op een echt schip zou hij Lumar en Olin uit de weg kunnen gaan. Als luitenant zou hij zijn eigen hut hebben. En op een schip zou hij alleen kunnen zijn met Mistral. Hoe langer hij erover nadenkt, hoe meer mogelijkheden hij ziet. Hij wil een schip. En hij wil het nu. Zo werkt het tegenwoordig met zijn verlangens.

Maar terwijl de kleine veerboot dicht langs de kust vaart, passeren ze geen andere schepen. De zee is verlaten. Welk schip zou het ook willen opnemen tegen zulk weer?

'Geduld!' zegt Lumar, en hij grijnst opnieuw. 'We moeten geduld hebben. Al onze verlangens zullen worden bevredigd. Zo niet vannacht, dan toch spoedig.'

Stukeley is vervuld van weerzin door de manier waarop Lumar praat. Door zijn grote woorden. Grote woorden die niets zeggen.

Hij schijnt de behoefte te voelen elke leegte te vullen met geluid. Maar het is beter om te zwijgen. Zoals de kapitein. De kapitein die hem heeft teruggehaald uit die andere wereld.

Ze varen door, nog altijd langs de kust, die een bocht maakt. Stukeley kijkt naar de regen die de donkere kliffen geselt, de druppels verlicht door de zachte gloed van de maan. Verdwaalde struiken lijken zich vast te klampen aan de rotswanden. Sommige zijn door de wind losgerukt en tuimelen in het zwarte water. De veerboot vaart onbekommerd door. Als ze om de hoek van een klif komen, zien ze lichten in de verte. Op een heuvel.

'Wat is dat?' vraagt Lumar.

Ze kijken alle vijf op wanneer er een reusachtige boog in zicht komt.

De lichten en de boog beroeren vaag een snaar in Stukeleys geheugen.

'Ligt daar een haven?' vraagt Mistral.

'Achter die boog?' vraagt Lumar. 'Ja, ik geloof het wel!'

'Zullen we een kijkje gaan nemen?' vraagt ze.

Lumar draait zich om. 'Wat vind je, kapitein?'

Ze kijken allemaal naar Sidorio.

Hij is gaan staan, kijkt omhoog naar de boog, naar wat erachter ligt, met een merkwaardige uitdrukking op zijn gezicht.

'Je kijkt verontrust, kapitein,' zegt Lumar. 'Wat is er aan de hand?'

Sidorio geeft niet meteen antwoord. Zijn blik schiet onder de boog door over het water, naar de kade daarachter, en ten slotte de heuvel op. 'Het meisje,' zegt hij ten slotte.

'Het meisje?' herhaalt Lumar.

'Welk meisje?' vraagt Mistral.

Sidorio schudt langzaam zijn hoofd. 'Het meisje met het boek.' Hij praat net zo goed tegen zichzelf als tegen de anderen.

'Ik ben bang dat ik het niet begrijp, kapitein,' zegt Lumar, duidelijk gefrustreerd.

De veerboot heeft de boog bereikt, waardoor de boog, net als de boot, als door een onzichtbare bol wordt beschermd tegen de vallende regen en de verwoestende bliksem. Sidorio staat nog altijd rechtop en staart in de verte. Stukeley gaat naast hem staan.

'Voorzichtig, idioot!' zegt Lumar. 'Je brengt de boot uit balans.'

'Die laat zich toch zeker niet uit balans brengen?' zegt Stukeley met een glimlach.

Lumar kijkt hem woedend aan.

'Kijk!' Mistral wijst naar de inscriptie in de boog. 'Het is een Academie.'

Academie. Het woord beroert een snaar, ergens diep in Stukeleys geest. En hetzelfde geldt voor de boog en de lichten op de heuvel. Ineens weet hij zeker dat hij hier eerder is geweest.

'Zullen we onder de boog door varen?' vraagt hij aan Sidorio.

'Het meisje en het boek,' herhaalt die. 'Ze kent mijn verhaal.'

Stukeley knikt bemoedigend. 'Wil je dat we onder de boog door varen, kapitein?'

Maar hij krijgt geen antwoord. Sidorio's ogen zijn leeg. Ze zien het allemaal. Zijn ogen zijn veranderd in poelen van vuur. De honger heeft hem in de greep. En dat is besmettelijk. Ze worden zich allemaal bewust van een knagende honger die bezit van hen neemt. Ten slotte staan vijf paar ogen in vuur en vlam, als bakens in de donkere nacht.

Het vuur in

GRACE DUWDE DE LUIKEN van haar slaapkamer open en liep het balkon op. Hoewel het regende, was de avond warm en zwoel. Daar kon al het water dat uit de hemel viel, niets aan veranderen. Als water en vuur te combineren waren, dan was dit hoe het zou voelen.

Het noodweer had de Academie al lang in zijn greep en woedde als een kudde wilde beesten door de tuinen. De bomen werden door onzichtbare handen heen en weer getrokken, bogen zich als reusachtige vorkbenen, leken elk moment te kunnen knappen. De anders zo vreedzame kanalen van glas waren woest als stroomversnellingen en het water joeg in razende vaart van het terras naar de kade. Nog verder naar beneden, in de haven, werden de boten van de Academie gewelddadig heen en weer geschud door het duistere, rusteloze water, beroofd van hun gebruikelijke, vredige sluimer.

Grace keek toe, terwijl de regen haar kleren doorweekte tot op haar huid. Ze keek toe en dacht aan die nacht, inmiddels drie maanden geleden, toen ze voor het laatst getuige was geweest van een dergelijk noodweer – niet vanaf de betrekkelijke veiligheid van een balkon, maar ver uit de kust, in het donkere water. Ze keek toe en dacht aan de vampiraten. Dit was het volmaakte weer voor hun hereniging.

Ze voelde een schouder langs de hare strijken. Toen ze zich om-draaide, zag ze dat Cheng Li naast haar was komen staan. Grace glimlachte vastberaden.

'Weet je echt zeker dat je dit wilt?' vroeg Cheng Li.

Grace knikte. 'Ik weet het zeker.'

Cheng Li legde vluchtig haar hand op de schouder van Grace, terwijl ze samen naar de vernietigende storm keken.

'Je bent je bewust van het risico?'

Haar woorden gingen bijna ten onder in het plotselinge gebul-der van de donder.

Grace wachtte tot het wegstierf, voordat ze antwoord gaf. 'Het is het risico waard.' Ze dacht aan Lorcan en voelde de adrenaline door haar lichaam stromen. 'Kom mee, laten we gaan, voordat ik niet meer durf.'

Ze liep weer naar binnen. Cheng Li volgde en trok de luiken achter hen dicht. 'Je zou Connor een briefje moeten schrijven,' zei ze.

'Ik dacht dat jij het hem wel kon vertellen.'

Cheng Li dacht even na. 'Nee, ik denk dat een briefje beter is.'

'Oké,' zei Grace haastig. Ze wilde niet meer tijd verspillen dan nodig was. Net zomin als ze dit noodweer wilde verspillen. Maar dat zou de hele nacht doorwoeden. Een paar minuten meer of minder zou niet uitmaken.

Grace deed zorgvuldig het sieradenkistje open dat ze van Darcy had gekregen, en haalde er een pen uit en een van de notitieboe-ken. De boeken hadden inmiddels een speciale betekenis voor haar, dus ze haalde heel voorzichtig een dubbele bladzijde uit het midden. Het lukte zonder het boek te beschadigen. Toen streek ze het vel papier glad, zich afvragend wat ze zou schrijven. Daar hoefde ze niet lang over na te denken. Haastig krabbelde ze haar boodschap, toen blies ze op de inkt, zodat die sneller droog was. Terwijl ze dat deed, vielen er een paar regendruppels uit haar

haar. Het water voegde zich bij de nog niet geheel droge inkt en vertroebelde haar handschrift. Het zag er vlekkerig uit, maar nog wel leesbaar, en ze wilde geen tijd verspillen aan het schrijven van een nieuwe brief.

Dus ze wachtte even, toen vouwde ze het vel papier dubbel en terwijl ze haar natte haar naar achteren schudde, schreef ze een 'C' op de buitenkant. Toen legde ze de brief op het nachtkastje.

Ze deed de pen en het notitieboek terug in het kistje en sloot het af. Het liefst had ze het meegenomen. Ze vond het akelig het te moeten achterlaten, maar ze kon in elk geval de sleutel bij zich steken, zodat niemand het kistje tijdens haar afwezigheid kon openmaken. Wat een onzin, dacht ze, al dat gedoe om een paar geheime notitieboeken. Maar veel meer dan haar geheimen bezat ze tegenwoordig niet.

'Klaar?' Cheng Li had met haar rug naar Grace toe gestaan, kijkend naar het noodweer.

Grace knikte. 'Ja, laten we gaan.'

Cheng Li hield de deur voor haar open, en ze liepen de donkere gang in. Haastig en geruisloos slopen ze langs de gesloten deuren, de trap af, de tuinen van de Academie in.

'Voorzichtig!' riep Cheng Li boven het gehuil van de wind uit toen ze het door de regen gegeselde grasveld bereikten. 'Pas op dat je niet uitglijdt!'

Grace knikte. Ze zou er wel voor zorgen dat ze niet uitgleed. Niets kon haar nu nog afhouden van het uitvoeren van haar opdracht. Ze was overtuigder dan ooit dat dít was wat haar te doen stond.

De lauwe regen doorweekte hen terwijl ze de helling afdaalden. Ze waren de enigen die zich buiten hadden gewaagd, en toen ze achteromkeek zag Grace dat alle luiken voor de ramen potdicht zaten. Er was niemand die hen zag.

Ten slotte bereikten ze het havengebied. Grace bleef even staan om op adem te komen. Het water van de haven zag eruit als soep die te lang heeft doorgekookt; de dikke, deinende vloeistof klotste pruttelend over de stenen randen. Grace was dankbaar voor het licht van de maan – en van de onregelmatig flitsende bliksemschichten – waardoor de zwoele avond iets minder donker werd.

Cheng Li zei iets, maar haar woorden werden overstemd door een donderslag. Grace zag dat de jacaranda zo heftig heen en weer werd geschud dat de bank daaronder en het pad naar de haven bezaaid lagen met blauwe bloemen. In de nasleep van het noodweer zou de eens zo prachtige boom zo goed als kaal zijn. Het was een triest gezicht, maar Grace kon het zich niet veroorloven erbij te blijven stilstaan.

Cheng Li boog zich naar haar toe. 'Laten we helemaal naar het puntje van de havenmuur lopen.'

Grace keek op. Vóór haar slingerde de pier zich naar het water. De golven die er aan weerskanten tegenaan sloegen, lieten een spoor van schuim achter op de gladde stenen. Het zou een uitdaging zijn om bij de punt te komen. Maar Cheng Li had gelijk. Hoe verder ze uit de kust waren, des te groter de kans dat het vampiratenschip haar zou oppikken voordat het duistere water haar naar de diepte trok, waar zelfs een vampier haar niet meer zou kunnen bereiken.

Terwijl haar natte kleren nu al als een soort onderstroom aan haar trokken, beklom Grace de treden naar de bovenkant van de pier, gevolgd door Cheng Li. Steun zoekend bij elkaar liepen ze over de glibberige stenen. Het water aan weerskanten was onvoorspelbaar en in hevige beroering. Ze werden gedwongen even te blijven staan toen een uitzonderlijk hoge golf over de pier sloeg. Toen het water was verdwenen, ploeterden ze verder. Grace was tot op het bot verkild, ondanks de warme regen.

Ten slotte hadden ze het eind van de golfbreker bereikt, waar de stenen loodrecht in het donkere, kolkende water verdwenen. Ze stonden naast elkaar op de punt – bondgenoten tegen de storm. Toen deed Grace een stap naar voren, en Cheng Li trok zich terug. Verder dan dit punt konden ze samen niet komen. Vanaf hier stond Grace er alleen voor. Ze keek over het water naar de boog, die de grens tussen de muren van de Academie en de oceaan daarachter markeerde. Een rokerige mist onttrok de horizon aan het gezicht. Was het mogelijk dat het schip er al was – lag het aan de andere kant van de boog op haar te wachten, omhuld door mist? Haar hart brak bijna van verlangen. O, laat het er zijn, wenste ze vurig. Laat het er zijn.

Toen ze zich omdraaide, zag ze dat Cheng Li stond te bibberen. 'Ga naar binnen,' zei ze. 'Ik red me wel.'

'Maar als ze nou niet komen?' vroeg Cheng Li. Ze moesten allebei schreeuwen om zich boven het noodweer uit verstaanbaar te maken.

'Ze komen wel,' riep Grace.

'Ja maar...' Cheng Li stond als aan de grond genageld.

Grace schudde haar hoofd. 'Dit is geen spelletje, Cheng Li. Ze moeten denken dat ik echt in gevaar ben. Sterker nog, ik moet echt in gevaar zíjn! Daarom hebben ze me die eerste keer uit het water gevist. Als ze weten dat jij hier bent, komen ze misschien niet. Dus ik moet dit alleen doen.' Het was haar ineens allemaal volkomen duidelijk.

Cheng Li keek haar aan, en haar blik leek Grace te doorboren. Toen deed ze een stap naar voren, alsof ze haar wilde omhelzen, maar ze bedacht zich.

'Ik heb altijd geweten dat je bijzonder was,' zei ze. 'Ik wens je veel geluk, Grace!'

Met die woorden draaide ze zich om, en ze begon wankelend aan de terugtocht over de golfbreker. Grace keek haar na en dacht onwillekeurig hoe klein en kwetsbaar meesteres Li plotseling leek, omlijst door de macht en de kracht van de storm. Zelfs de twee katana's op haar rug leken nutteloos – weinig meer dan breinaalden in het aangezicht van de elementen.

Terwijl Cheng Li werd opgeslokt door de duisternis, keerde Grace zich weer naar het water. Achter de boog begon de donkere mist dichter te worden, maar boven haar kwam de maan tevoorschijn van achter het wolkendek, en het zilveren licht viel op haar gezicht. Plotseling daalde er een gevoel van kalmte over haar neer. Dit was háár moment. Ze liep naar de uiterste punt, alsof ze op de duikplank stond in het gemeentezwembad van Crescent Moon Bay; alsof dit een gewone zwemles op vrijdagmiddag was.

'Van de regen in de drup,' riep ze. Toen sprong ze van de golfbreker in het water.

Het was verrassend koud. Ze zonk tot ver onder het oppervlak. Plotseling was ze afgesloten van de storm die hoog boven haar woedde. Hier beneden was het kalm en aardedonker. Ze hield haar adem in, strekte haar armen en benen en liet zich even drijven. Toen de lucht in haar longen begon op te raken, sloeg ze haar armen uit en zwom ze terug naar het oppervlak. Toen ze bovenkwam, was ze geschokt door de kille avondlucht en het geraas van de storm. Het leek wel of het lawaai erger was geworden – maar ze wist niet of dat kwam door het contrast met de kalmte onder water of omdat het noodweer was verhevigd.

Ze keek om zich heen, in de hoop een teken van het schip te zien. Ze zag echter niets. Maar dat kon ook nog niet. Daarvoor was het te vroeg. Ze keek achterom naar de haven. Cheng Li was verdwenen, precies zoals ze haar had opgedragen. Even dreigde Grace in paniek te raken. Wat had haar bezield, om zich in het geweld van een storm in het kolkende water te gooien? Het was krankzinnig! Plotseling kreeg ze een visioen van haar vader. Hij stond op de golfbreker en keek glimlachend op haar neer.

'*Soms schuilt er wijsheid in de grootste waanzin, Gracie.*'

Ze beantwoordde zijn glimlach. Toen sloeg er een golf over de pier, en hij was verdwenen. Om haar heen rees het water hoog op, en ze wist dat ze alleen was – helemaal, moederziel alleen.

Ze begon dapper te watertrappelen, terwijl ze voelde dat ze steeds verder van de golfbreker werd meegevoerd, in de richting van de boog. Het water was hier nog kouder, en haar energie begon op te raken. Het schip zou nu toch wel door de boog komen? Ze zouden haar toch niet nog langer laten worstelen?

Ze verloor elk besef van tijd. Misschien lag ze al een uur in het water, maar misschien waren het slechts enkele seconden. Beelden flitsten door haar hoofd, als een film met taferelen uit haar leven. Ze was weer in Crescent Moon Bay, op de begrafenis van haar vader; Connor en zij die met de boot vertrokken; het wakker worden op het vampiratenschip; haar sluipende gang naar de hut van de kapitein; de confrontatie met Sidorio; het Feestmaal... De taferelen werden steeds trager, alsof de film in de war was geraakt, of gebroken. Ten slotte stopten de beelden helemaal. Wat bleef was inktzwarte duisternis, die haar hoofd, haar handen, haar voeten leek te doordrenken. Het einde naderde. Als ze haar nu niet kwamen halen, was het met haar gedaan.

Ze dook weer onder het oppervlak en voelde hoe ze werd verzwolgen door de golven. Als een steen begon ze door het water naar beneden te zakken, laag voor laag. Toch voelde ze zich merkwaardig kalm. Ze had alles geriskeerd, en ze had het mis gehad. Wat was het lot dat haar wachtte?

Even was er helemaal niets. Het duurde slechts een moment, maar misschien was dat moment er een van vele momenten die nog zouden komen.

Toen voelde ze twee handen die haar bij de schouders grepen en omhoogtrokken. Uit het donkere water. Lorcan. Het moest

Lorcan zijn! Hij had lang op zich laten wachten, maar hij was gekomen, precies zoals ze had geweten dat hij zou doen. Er verscheen een glimlach om haar mond, toen werd haar lichaam slap.

Eind goed, al goed

'Lorcan, Lorcan, daar ben je dan eindelijk! Ik wist dat je zou komen!'

Opnieuw keek ze in zijn blauwe ogen. Zijn verwondingen waren genezen. Er was niets meer van te zien. Het was alsof hij door haar te redden ook zichzelf had gered. Natuurlijk! Had ze nog meer bewijzen nodig dat hun beider lot met elkaar was verbonden?

'Grace!'

Ze keek glimlachend naar hem op, in extase, verloor zich opnieuw in het stralende blauw van zijn ogen.

'Grace!'

Haar ogen raakten vertroebeld. Ze raakte het beeld van hem kwijt. Plotseling dreigde paniek haar te overweldigen.

'Grace!'

Dat was niet de stem van Lorcan. Dat was...

'Connor!'

Met een ruk deed ze haar ogen open, en ze keek recht in de ogen van haar broer. Ze begreep het niet. Het was alsof iemand Lorcans gezicht had weggetrokken en alsof daaronder het gezicht van haar broer tevoorschijn was gekomen. Connor slaakte een zucht van verlichting, maar ze las ook verdriet en een gruwelijke woede in zijn groene ogen.

'Waar is Lorcan?' vroeg ze.

Hij schudde zijn hoofd.

Ze lag met haar hoofd op een kussen. Toen ze langs Connor heen keek, zag ze dat ze in bed lag. In een grote, schemerig verlichte ruimte, waar nog meer bedden stonden. Lege bedden. Waar was ze? Ze was hier nooit eerder geweest.

'Waar ben ik?'

'In de ziekenboeg, Grace.'

Connor had zijn lippen niet bewogen.

Grace draaide haar hoofd opzij.

Naast het bed stond een vrouw die op haar neerkeek. De uitdrukking op haar gezicht verried eerder nieuwsgierigheid dan medelijden.

'Ik ben zuster Carmichael,' zei ze. 'En ik heb de leiding over de ziekenboeg hier op de Academie. Dus je bent aan mijn zorgen toevertrouwd, juffie.'

Grace voelde dat er een huivering door haar heen trok. Haar missie was mislukt. Het vampiratenschip was haar niet komen halen. Lorcan had haar niet gered.

Maar wie dan wel?

Er viel een druppel water op haar voorhoofd. Ze keek op. Connors haar was nat. Net als zijn gezicht en zijn nek. En voor zover ze kon zien, waren ook zijn kleren doorweekt.

'Het is een wonder dat je op tijd bij haar was,' hoorde ze zuster Carmichael zeggen. De ironie wilde dat haar accent niet veel verschilde van dat van Lorcan.

'Ik zag het gebeuren, door het raam van haar kamer,' vertelde Connor, nog altijd enigszins buiten adem. 'De maan kwam van achter de wolken tevoorschijn, en toen zag ik haar op de golfbreker staan. En ik zag dat ze sprong. Dus ik ben naar buiten gerend... Ik heb in mijn hele leven nog nooit zo hard gelopen!'

Grace keek weer op naar Connor. Het was niet alleen zout water dat ze in zijn ogen zag. Hij huilde, en het kostte hem de grootste moeite zijn stem in bedwang te houden.

'Waarom heb je het gedaan, Grace?'

'Omdat ik naar de vampiraten wilde.' Dat was toch duidelijk?

'En dat dacht je te bereiken door... door zelfmoord te plegen?'

'Nee.' Ze schudde haar hoofd. 'Nee, natuurlijk niet...'

Ze werd onderbroken door zuster Carmichael. 'Als je het mij vraagt, is je zus erg in de war.'

Erg in de war? Waar had ze het over?

'Ik heb je briefje gevonden,' zei Connor.

Ze keek op. In zijn handen hield hij het briefje dat ze hem in haast had geschreven. Hij had het opengevouwen, en ze kon duidelijk de woorden lezen, ondanks de vlekken.

Connor,
Wees alsjeblieft niet boos.
Ik moest het doen.
Jij hebt jouw reis en ik de mijne.
Het zal niet lang duren of we zijn weer samen.
Tot dan.
Veel liefs, Grace

'Wat verschrikkelijk om als broer zo'n briefje te vinden,' zei zuster Carmichael. 'Wat verschrikkelijk om zo afscheid te nemen.'

Waar had ze het over? Het was geen afscheidsbrief. Althans, niet dát soort afscheidsbrief. Ze begrijpen het helemaal verkeerd, dacht ze gefrustreerd, want ondanks alle gedachten die haar bestookten, merkte ze dat ze haar spraak niet onder controle had. Alsof ze nog altijd diep onder het wateroppervlak dreef. Ze probeerde uit alle macht iets te zeggen, terwijl ze hoorde dat Connor en zuster Carmichael druk met elkaar praatten.

'Vraag het aan Cheng Li,' wist ze ten slotte uit te brengen.

'Wat?' vroeg Connor.

'Vraag het aan Cheng Li. Die kan je... alles vertellen. Ze wist... van het plan.' Grace haalde diep adem, blies uit, ademde weer in. 'Ze heeft me geholpen.'

'Onzin!' zei zuster Carmichael. 'Wat schandalig om zoiets te zeggen. Meesteres Li ligt te slapen. Ik vrees dat hier opnieuw de waanzin aan het woord is.'

Waanzin. Het woord nam bezit van haar hoofd. Opnieuw zag ze haar vader staan op de punt van de golfbreker.

'Soms schuilt er wijsheid in de grootste waanzin, Gracie.'

'Je kunt maar het beste gaan slapen, jongeman,' zei zuster Carmichael.

'Moet ik niet bij haar blijven?' Grace hoorde de bezorgdheid in Connors stem. Hoe kon ze hem geruststellen en duidelijk maken dat alles goed met haar was? Haar plan mocht dan zijn mislukt, maar het was een ander plan dan hij dacht.

'Nee, dat heeft geen zin,' zei de verpleegster. 'Ik geef haar iets om te slapen. Dan is ze zo weg. Dat is het beste voor haar.'

Iets om te slapen? Wat voor iets? Grace tilde haar hand op en probeerde die van Connor te pakken, want ineens meende ze het te begrijpen.

Te laat. De naald ging niet dieper dan een muggensteek, maar ze was in een oogwenk verdoofd en zakte opnieuw weg in het niets.

Het laatste wat ze hoorde was de stem van de verpleegster, haar accent een boosaardige vervorming van dat van Lorcan.

'Ziezo. Eind goed, al goed.'

Het plan

HET PLAN IS SIMPEL: ze gaan een schip kapen. Wat voor schip doet er niet toe. En wat het wannéér betreft, hoe eerder hoe beter. Maar als het vannacht niet lukt, dan moet het de volgende nacht gebeuren of de nacht daarna. Dit zijn dingen om in gedachten te houden, gezien het beslissende karakter dat de gebeurtenissen van die nacht zullen blijken te hebben.

Het kapen van een schip is het begin van een nieuwe fase. Ze zijn nu met z'n vijven, en als Sidorio en Lumar gelijk krijgen, zullen ze spoedig met nog meer zijn – met nog veel meer. Ze kunnen niet, als zigeuners op zee, in een verzameling roeiboten van de ene baai naar de andere zwerven. Geen denken aan! Ze moeten een schip hebben, en dat ene schip is nog maar het begin! Ze moeten een strategie ontwikkelen om er meer te bemachtigen. Dat is niet alleen praktisch, het geeft ook een niet mis te verstane boodschap af. Ze zijn een macht waarmee rekening moet worden gehouden!

Het is afgelopen met het doelloze zwerven, beseft Stukeley met een zweem van weemoed – van nu af aan varen ze niet elke avond een nieuwe kreek binnen, om daar hun kamp op te slaan. Alles is anders geworden vanaf het moment dat de drie vreemden voet aan wal zetten. Sidorio is opgebloeid. Vooral Lumar schijnt hem aan te zetten tot actie en het ontwikkelen van nieuwe plannen.

Zijn aanwezigheid heeft een soort alchemistische uitwerking op Sidorio – een uitwerking waardoor het simpele metaal van zijn primaire, verwarde ideeën wordt omgesmeed in glimmend, onverwoestbaar staal. Aanvankelijk had Stukeley verwacht dat Lumar eenvoudig de controle zou overnemen, maar hij wekt de indruk heel tevreden te zijn onder Sidorio als kapitein. Althans, voorlopig. Want Lumar heeft iets waardoor Stukeley hem niet mag, en niet vertrouwt.

Het plan om een schip te kapen heeft ertoe geleid dat ze de afgelopen nachten de zee hebben afgespeurd vanuit een verlaten vuurtoren, waarin ze een provisorisch kamp hebben opgeslagen. Zoals bijna alles in het vervallen gebouw is ook de lamp kapot, maar Lumar en Olin hebben hem weten te repareren. Inmiddels functioneert de vuurtoren weer en laat zijn licht schijnen over het donkere water van de met rotsen bezaaide baai. De mannen in het lichthuis hebben de lamp niet nodig om de schepen te zien die door de baai komen langsvaren. Daar is het hun niet om te doen. Ze hopen met de lamp een schip naar de rotsachtige kust te lokken, waar het zal vastlopen – als een vlieg die verstrikt raakt in een web dat druipt van de honing, wanhopig spartelend om los te komen.

In de nacht van de storm hebben ze zich alle vijf verzameld in het lichthuis. Stukeley vindt het er afschuwelijk. Er is nauwelijks ruimte voor hen allemaal, en de gedwongen intimiteit maakt hem er alleen maar extra van bewust dat hij de buitenstaander is, terwijl de rest elkaar al jaren kent. In de benauwde, kleine ruimte is de hitte van de lamp bijna ondraaglijk. De heldere lichtbol maakt hem bang. Die doet hem denken aan de zon, en hij is zich maar al te zeer bewust van de schade die de zon hem kan toebrengen – voor een deel instinctief, voor een deel dankzij de waarschuwingen die Sidorio erin heeft gehamerd.

Lumar ziet hoe bang hij is en lacht hem uit. 'Maak je geen zorgen, Stukeley,' zegt hij. 'We maken nog wel een echte vampier van je! Let maar op!'

Stukeley zegt niets. Dat ben ik al, zou hij willen zeggen. We konden ons prima redden voordat jullie ineens uit de duisternis tevoorschijn kwamen. En ik ben nog steeds luitenant. Maar hij zegt niets en tobt over het feit dat Sidorio hem al in geen dagen luitenant heeft genoemd. Iedereen zegt gewoon Stukeley tegen hem, onnozele, brave Stukeley. Alsof ze hem hebben gedegradeerd zonder zelfs maar de moeite te nemen het hem te vertellen. Hij moet iets doen om de kapitein eraan te herinneren wat hij waard is. Maar wat?

Hij hoeft niet lang op antwoord te wachten. De storm drijft een schip hun kant uit. Er zijn in vorige nachten wel meer schepen langsgekomen, maar die hadden onder de milde weersomstandigheden geen behoefte aan beschutting in de baai. Dus ze zijn voorbij gevaren, zonder zelfs maar een hand op te steken naar het lichthuis.

Met dit schip ligt het anders, zoals ook de nacht anders is dan alle voorgaande nachten. Het stormt niet alleen, het onweert. Stukeley geniet op zijn hoge uitkijkplaats. Het is alsof hij boven het weer troont. Alsof hij het is die de vernietigende donderslagen en bliksemschichten naar het onfortuinlijke schip in de diepte slingert.

'Kapitein, we hebben beet!'

Lumar laat de lichtbundel over het water gaan. Sidorio en de anderen haasten zich naar de ramen. Ze hebben het schip meteen in de gaten. Het vecht dapper tegen de elementen die het van alle kanten bestoken.

'Kom mee! We gaan!' zegt Lumar.

Sidorio kucht. Alleen hij mag orders uitvaardigen.

'Tenminste, ik denk dat we moeten gaan. Vind je ook niet, kapitein? Dit is toch de kans waarop we hebben gewacht?'

'Reken maar!' buldert Sidorio. 'Kom mee! Allemaal! Nog even, en het schip is van ons!'

Hij stapt naar buiten, de omloop op. Stukeley volgt hem de storm in en kijkt omhoog wanneer er een ware stortvloed van water op hem neerdaalt. Haastig springt hij achteruit, naar binnen, maar Sidorio lacht. Hij is op de lage muur geklommen en laat zijn blik over het land en de zee gaan, als een keizer die zijn rijk overziet. Dan springt hij met een kreet de duistere diepte in. Zijn lichaam beschrijft de ene na de andere salto door de lucht.

'De kapitein is goedgemutst,' zegt Lumar tegen de anderen; zijn ogen stralen. 'Kom Mistral, Olin, we gaan met hem mee. Stukeley, jij blijft hier om de lamp te bedienen, tot we je het teken geven.'

Wanneer is dat besloten? Dat moet Lumar bekokstoofd hebben.

Het drietal daalt de trap af, en Stukeley blijft alleen achter, opgesloten met de bal van licht die hij is gaan verafschuwen. Hij laat de straal ervan over de zeilen van het schip gaan, maakt er een spelletje van, terwijl het schip aan de torenhoge vloedgolven probeert te ontsnappen, op zoek naar een kalmer hoekje van de baai. En dus koerst het recht op de rotsen aan de voet van de vuurtoren af.

Stukeley laat het licht over de zeilen naar het kraaiennest glijden, over de vlag van het schip – een doodshoofd met gekruiste knekelbotten. Het is een piratenschip, beseft hij. Is hij niet zelf ooit piraat geweest? Of heeft hij zich dat verbeeld? Hij raakt ervan in de war, niet in staat dromen van herinneringen te scheiden. Er heerst zo'n chaos in zijn hoofd. Soms is het maar het beste om niet te veel na te denken, om gewoon te doen wat je wordt opgedragen en slechts in het hier en nu te leven.

Hij laat het licht weer over het schip gaan. Iets beroert zijn geheugen – als een steen die in het water wordt gegooid en steeds groter wordende kringen veroorzaakt. Het is genoeg om hem aan het denken te zetten, hoeveel moeite hem dat ook kost. Het schip heeft iets vertrouwds, dat valt niet te ontkennen.

Aan de voet van de vuurtoren ziet hij de kapitein en zijn drie handlangers in hun kleine veerboot van wal steken, op weg naar het schip. Zodra de boot het water raakt, zetten ze af, en ze worden in volle vaart meegevoerd in de richting van hun doelwit. Stukeley richt de lichtbundel rechtstreeks op het viertal tot Lumar driftig met zijn armen begint te zwaaien, kruislings voor zijn gezicht. Stukeley moet erom lachen. Hij begrijpt drommels goed wat Lumar bedoelt, hij is niet gek, maar hij houdt nog even vol, voordat hij de lichtbundel verder laat zwaaien en op het dek van het schip richt.

Het dek. Hij kijkt naar beneden. Piraten, nietig als mieren, haasten zich – glijdend, rennend – over de natte planken. Opnieuw steekt een vage herinnering de kop op. Het is meer een gevoel dan een gedachte: het gevoel van zijn versleten laarzen op een glibberig dek; van de inspanning die het kost om zijn evenwicht te bewaren. En dan weet hij het ineens zeker. Hij heeft op dat dek gelopen!

De kleine veerboot heeft het schip bereikt en ligt langszij. De vier kameraden klimmen omhoog. Dit is het moeilijkste deel van de operatie. Sidorio is leniger dan de anderen. Hij gaat als eerste, gevolgd door Olin en Mistral, die een afgedekte mand bij zich heeft. Lumar sluit de rij. Stukeley kijkt toe terwijl ze aan dek klimmen. Een van de piraten blijft met een ruk staan wanneer hij hen in de gaten krijgt. Weer valt Stukeleys oog op de vlag, en nu herkent hij deze. Gefascineerd en tegelijkertijd vervuld van afschuw kijkt hij naar beneden. Een ijzige kilte neemt bezit van hem, alsof de kou door een opening in zijn huid zijn lichaam binnenstroomt. Dan doet hij zijn mond open en hij schreeuwt het uit.

'Nééééééééééééé!'

'Waar is de kapitein? We moeten hem spreken!' buldert Sidorio tegen de piraat.

'We komen van de vuurtoren,' voegt Lumar eraan toe. 'Met informatie over dit gedeelte van de kust. En...' Hij wijst naar Mistral. 'We hebben proviand bij ons.'

De piraat neemt hen taxerend op en roept een van zijn makkers erbij. Maar er is geen tijd om te overleggen. De storm is even iets afgezwakt, maar dat zal waarschijnlijk niet lang duren. Dus de piraat steekt zijn hand op en wenkt. 'Kom maar mee.'

Dat doen ze – Sidorio voorop, Lumar meteen achter hem, dan Mistral en ten slotte Olin. Ze haasten zich naar de smalle gang die toegang geeft tot het inwendige van het schip.

'De kapitein is in zijn hut, met de onderkapitein,' aldus de piraat. Hij bonst op de deur.

'Wie is daar? Binnen!' klinkt een stem.

De deur zwaait open.

'Kapitein Wrathe, we hebben bezoek van de vuurtoren. Ze hebben informatie over de kustlijn, en ze komen niet met lege handen.'

Het blijft even stil. 'Kom binnen,' klinkt ten slotte een bulderende stem. 'Kom binnen. Dit is niet het moment om bij de deur te blijven hangen.'

'Nee, dat is het zeker niet.' Lumar doet een stap naar voren. 'Ik heb het toch goed verstaan? Kapitein Wráthe? Aangenaam kennis te maken. Ik ben Lumar.'

Het viertal loopt de kapiteinshut binnen, en Olin trekt de deur achter hen dicht.

Vanaf zijn hoge uitkijkpost in de vuurtoren laat Stukeley zijn blik koortsachtig over het dek gaan. Waar zijn ze gebleven? Waar zijn ze naartoe gegaan? Maar zijn lamp weet het antwoord al. Het is ze gelukt om binnen te komen. Hun simpele plan begint vruchten af te werpen. Ze zijn niet meer te stuiten.

Maar Stukeley besluit dat het tenminste een poging waard is. dus hij laat de lamp los en stormt de wenteltrap af, met twee, drie, vier treden tegelijk. Het lijkt of er geen eind aan de trap komt. Wie zal zeggen hoeveel kwaad er al is aangericht in de tijd die hij nodig heeft beneden te komen?

Ten slotte rent hij de vuurtoren uit, de regenachtige nacht in. Het aanrollen van de golven heeft een kwaadaardige klank. Hij ziet de lege veerboot langs het schip afgemeerd liggen. De andere boot, de roeiboot, ligt aan een rotsblok gebonden. Hij zou ermee naar het schip kunnen varen, maar diep vanbinnen weet hij dat het al te laat is. Hij voelt het.

Alsof hij nog bevestiging nodig heeft, hoort hij de eerste gil, en daarna blijft het niet lang stil. Zelfs boven het gebulder van de storm uit zijn de kreten van mannen en vrouwen gemakkelijk te herkennen en van elkaar te onderscheiden.

Hij ziet de piraten heen en weer rennen over het dek. Hij ziet de gesneuvelden – degenen die er niet in zijn geslaagd aan de vier vreemdelingen te ontsnappen. Hij ziet de anderen – degenen die meer geluk hebben gehad, maar die nu overboord springen om te ontkomen. Ze worden verzwolgen door het wrede water, diep en onvoorspelbaar, ook al ligt het schip vlak voor de kust. Ze zouden niet moeten gillen. Dat kunnen ze zich niet veroorloven. Hun adem is te kostbaar.

De bemanning moet minstens honderdvijftig koppen hebben geteld, maar ten slotte zwijgen de kreten. Hoe verontrustend het geluid van hun beproeving ook was, de doodse stilte die daarop volgt, verkilt hem tot op het bot. De vier vreemdelingen hebben het schip het zwijgen opgelegd. En Stukeley is er getuige van. Hij ziet de gevallen lichamen over het dek heen en weer glijden, dat behalve van het zeeschuim nu ook glibberig is van het bloed. Hij ziet de andere lichamen in hun strijd om te overleven in het woeste water. Ze houden dapper, maar niet lang vol. Misschien dat een enkeling – een handvol op z'n gunstigst – de wal zal weten te bereiken. En dan staat het nog te bezien of ze de ochtend zullen halen, na de gruwelen waarvan ze getuige zijn geweest.

Ten slotte ziet Stukeley een vertrouwde figuur aan dek verschijnen. Sidorio. Hij loopt met trots geheven hoofd, zijn borst vooruit. Om zijn mond speelt een glimlach.

De piraten leken in hun beproeving nietig als mieren, maar Sidorio lijkt wel een reus. Hij loopt met grote stappen over het dek en weet zich moeiteloos in evenwicht te houden, alsof hij zijn surfplank heeft verruild voor een reusachtig exemplaar.

Zonder ook maar één moment te blijven staan, kijkt hij omhoog, en hij ontmoet Stukeleys blik, ondanks de duisternis, ondanks de afstand.

'Luitenant Stukeley!' buldert hij. 'Waar wacht je nog op? Kom hierheen! Ik heb bloed voor je! Emmers vol!' Hij schatert het uit. 'Het is gelukt! We hebben een schip!'

Zijn woorden schallen door de nacht en toveren een glimlach op Stukeleys gezicht. Op slag is zijn medelijden met de piratenbemanning verdwenen. Hij zei luitenant tegen me! Ik ben nog steeds zijn luitenant!

'Ik kom eraan, kapitein!' Hij heeft het al op een rennen gezet.

'We hebben een schip!' roept Sidorio weer.

Stukeley maakt de kleine boot los. Hij weet niet hoe snel hij bij zijn kapitein moet zien te komen.

Boven hen draait de lamp in de vuurtoren uitzinnig in het rond en werpt zijn licht op de chaos in de diepte. Het simpele plan is met succes bekroond.

Na het noodweer

Connor sliep die nacht onrustig, en toen Jacoby de volgende morgen op zijn deur klopte, liep hij nog in pyjama. Hij had gevoel alsof zijn hoofd was gevuld met lood.

'Allemachtig, wat zie jij eruit!' Jacoby stormde in trainingspak de kamer binnen, luidruchtig, één bonk energie. 'In de benen, maat. Het is al kwart voor zeven.'

'Ik denk dat ik vandaag niet naar KUM ga,' zei Connor.

'Waarom niet?' vroeg Jacoby. 'Ben je ziek?'

Connor schudde zijn hoofd. 'Nee, ik maak me zorgen om Grace,' zei hij. 'Ze heeft gisteravond geprobeerd zelfmoord te plegen.'

Jacoby's mond viel open. 'Dat méén je niet! Waarom? En hoe heeft ze dat gedaan?'

'Dat is een lang verhaal,' vertelde Connor. 'Maar het komt erop neer dat ze zich van de pier in zee heeft gegooid.'

Jacoby schudde zijn hoofd. Hij kon zijn oren niet geloven.

'Ik zag het gebeuren. Op dat moment was ik net toevallig op haar kamer. Ik... ik zag haar springen. En toen heb ik het op een rennen gezet...'

Hij beefde nog bij de herinnering. Jacoby legde een hand op zijn schouder. 'Goed gedaan, maatje. Dat meen ik. Goed gedaan.'

Het duurde even voordat Connor zijn ademhaling weer onder controle had. Hij was vastbesloten om niet te huilen waar Jacoby bij was. 'Hier.' Hij gaf zijn vriend het briefje van Grace. 'Dit vond ik op haar kamer.'

Jacoby liet zijn blik haastig over de tekst gaan. 'Allemachtig!' verzuchtte hij opnieuw. 'Dat hakt erin. En moet je kijken! Al die vlekken! Het lijkt wel of ze huilde toen ze het schreef.'

Connor knikte. Dat had hij natuurlijk ook allang gezien.

'Ik begrijp het niet,' zei Jacoby. 'Ik weet dat Grace het hier niet echt naar haar zin had. En dat ze zich niet zo lekker voelde. Maar... maar zelfmoord... Waarom zou ze zoiets doen?'

'Zoals ik al zei, het is een lang verhaal. En je moet weg, anders kom je te laat voor KUM.'

Jacoby schudde zijn hoofd. 'Ik ga helemaal nergens heen, maat. Je snapt toch wel dat ik je nu niet alleen laat. Dus je hebt alle tijd om me precíes te vertellen wat er aan de hand is.'

Connor keek zijn vriend aan. Het zou zo'n opluchting zijn om hem te vertellen over de obsessie van zijn zus, over haar verlangen terug te keren naar het vampiratenschip. Hij besefte dat hij daarmee haar vertrouwen zou schenden, maar dat moest dan maar. Wat zij had gedaan, was nog veel erger. Dus hij voelde zich niet meer gebonden aan zijn belofte.

Jacoby en Connor duwden de zware deuren van de ziekenboeg open en liepen de lange zaal binnen, met links en rechts een rij eenvoudige, ijzeren bedden. Slechts één daarvan, halverwege de zaal, was bezet. Toen ze erheen liepen, trad er iemand uit de schaduwen naar voren. Iemand die voortvarend naar hen toe kwam.

'O, goeiemorgen,' zei Connor.

'Goedemorgen,' zei zuster Carmichael niet overdreven hartelijk. 'Hoe heb je geslapen?'

'Slecht,' zei Connor.

'Dat verbaast me niets.' Zuster Carmichael schudde haar hoofd. 'Wat een nacht!'

'Hoe gaat het nu met haar?' vroeg Connor.

'Ze slaapt nog.' De verpleegster streek haar gesteven uniform glad. 'En dat is ook maar het beste.'

'We willen even bij haar gaan kijken,' zei Jacoby.

'Er valt niet veel te zien,' zei zuster Carmichael.

'We willen toch even naar haar toe.' Jacoby duwde Connor voor zich uit. Ze liepen langs de verpleegster naar het bed, waar Grace onder het strak ingestopte, witte beddengoed lag.

'Wat ziet ze bleek!' zei Jacoby.

Daar had hij gelijk in. Connor keek naar zijn zus. Ze had eindelijk rust, haar haar waaierde uit op het kussen, haar handen lagen gekruist op haar borst, als bij een oud grafbeeld op een kerkhof. Connor luisterde onwillekeurig of ze nog wel ademde. Haar ademhaling was zwak, als een verre bries.

'Zoals ik al zei, er valt weinig te zien.' Zuster Carmichael kwam ook naast het bed staan.

'Wanneer wordt ze wakker?' vroeg Jacoby. 'Weet u zéker dat alles goed met haar is?'

De verpleegster schonk hem een vernietigende blik. 'Twijfel je soms aan mijn deskundigheid, Jacoby Blunt?'

Hij schudde zijn hoofd. 'Ik dacht alleen...'

'Want het is nog niet zo lang geleden dat ik toverhazelaar op je kapotte knieën en je geschaafde ellebogen heb gesmeerd, jongeman. Dus volgens mij kan ik de situatie beter beoordelen dan jij, denk je ook niet?'

Jacoby hief zijn handen in een gebaar van overgave en deed een stap naar achteren.

'Laat u het me weten wanneer ze wakker wordt?' vroeg Connor.

'Natuurlijk,' zei de verpleegster iets vriendelijker. 'Zodra ze wakker wordt, laat ik je waarschuwen. Maar dat kan nog wel even duren. Je kunt maar het beste gewoon naar les gaan. Als je bezig bent, heb je geen tijd om te piekeren.'

Connor knikte. Hij wierp nog een laatste blik op het bedrieglijk vredige gezicht van zijn zus, toen wendde hij zich af. 'We kunnen inderdaad beter naar les gaan,' zei hij tegen Jacoby.

Ze liepen samen naar de deur.

'Nou ja, één ding is nu tenminste duidelijk,' zei Jacoby.

Connor keek hem vragend aan.

'Je kunt hier niet weg tot ze beter is, of wel soms? Ongeacht hoe kapitein Wrathe erover denkt.'

Daar had Connor nog niet aan gedacht. 'Nee, dat zal wel.'

Jacoby glimlachte. 'Ik zal niet zeggen dat elk nadeel z'n voordeel heeft, maar met Grace is het gelukkig goed afgelopen, en jij krijgt hierdoor wat meer bedenktijd.'

Connor knikte. Toen ze buiten kwamen, waar het zonnetje vrolijk scheen, voelde hij zich op slag iets minder terneergeslagen.

Achter hem viel de zware deur van de ziekenboeg dicht.

Op datzelfde moment klonken de voetstappen van twee andere bezoekers op de marmeren vloer; bezoekers die door de deur aan de andere kant van de zaal waren binnengekomen. Ze liepen naar het bed van Grace.

'Rector Kuo! Meesteres Li!' Zuster Carmichael knikte hen toe.

'Hoe gaat het met de patiënt?' vroeg de commodore.

'Naar omstandigheden redelijk. Haar lichaam verkeert nog in shock. Ik heb haar iets gegeven tegen de pijn.'

'Mooi zo,' zei de rector. Cheng Li en hij gingen bij het bed staan en keken op Grace neer. Zuster Carmichael kwam iets dichterbij. Even zwegen ze alle drie en luisterden ze slechts naar haar ademhaling.

Toen wierp zuster Carmichael een tersluikse blik op Cheng Li. 'Ze zei iets heel merkwaardigs voordat ze ging slapen.'

'O, wat dan?' Cheng Li keek zuster Carmichael recht aan. Ze

was niet iemand die zich door de strenge verpleegster zou laten intimideren.

'Ze zei dat u van alles op de hoogte was – van haar plán.'

'Heeft ze dat tegen u gezegd?' vroeg Cheng Li.

Zuster Carmichael wachtte even, om zeker te weten dat ze de volle aandacht van haar twee bezoekers had. 'Nee, niet tegen mij. Ze zei het tegen haar broer.'

'Aha.' Cheng Li knikte. Zuster Carmichael meende te zien dat meesteres Li en de rector een ongemakkelijke blik uitwisselden. Ze hield haar gezicht echter zorgvuldig in de plooi.

'Ik heb natuurlijk gezegd dat het onzin was. Dat u lag te slapen...'

De rector en Cheng Li keken elkaar nog altijd strak aan.

'Dat was toch ook zo? U lág toch te slapen?'

Cheng Li deed haar mond open om iets te zeggen, maar het was de fluwelen stem van de commodore die door de ziekenboeg klonk.

'Ik geloof niet dat meesteres Li zich tegenover u, of tegenover wie dan ook, hoeft te verantwoorden. Wat er is gebeurd, is buitengewoon verontrustend, maar gelukkig is het allemaal goed afgelopen.' Hij keek zuster Carmichael recht aan. 'Dus het lijkt me het beste om zo min mogelijk ophef over de hele kwestie te maken. U kunt beter zorgen dat Grace een zo goed mogelijke behandeling krijgt.'

'Natuurlijk.' De verpleegster wendde haastig haar blik af. 'Dat ben ik helemaal met u eens. Vooral geen ophef.'

'Dan begrijpen we elkaar,' zei de commodore. 'Als u me nu wilt verontschuldigen, er zit een groep leerlingen op me te wachten. Dus we zullen u niet langer lastigvallen, zodat u alle tijd hebt om uw patiënt... met alle liefdevolle zorg te omringen die ze nodig heeft.'

Hij maakte een formele buiging en loodste Cheng Li vervolgens haastig naar de deur.

Zuster Carmichael keek hen na, terwijl er allerlei gedachten door haar hoofd schoten, als een explosie van vuurwerk. Ze keerde zich naar het slapende meisje. Welke geheimen zou ze kunnen vertellen, vroeg de zuster zich af. Wat ging er schuil achter dat gladde, roerloze masker?

Als je bezig bent, heb je geen tijd om te piekeren. De wijze woorden van de verpleegster bleken maar al te waar. Toen de lessen eenmaal waren begonnen, merkte Connor dat hij geleidelijk aan weer tot zichzelf kwam. De storm was voorbijgetrokken, buiten scheen de zon, en voor de les Praktische piraterij en oceaanvaart van kapitein Grammont gingen de leerlingen naar haven om met de bootjes die daar lagen, diverse manoeuvres te oefenen. Connor voelde een steek in zijn hart bij het zien van de golfbreker aan het eind van de haven. Jacoby merkte het en kneep hem bemoedigend in zijn schouder. De golfbreker was kurkdroog, zag Connor. Het water aan weerskanten was weer gezakt en lag erbij als een spiegel, die de stralende zon weerkaatste. De gebeurtenissen van de afgelopen nacht leken een nachtmerrie – het was net alsof het allemaal nooit had plaatsgevonden.

'Kom mee,' zei Jacoby. 'Grammont wil groepjes van drie... Jasmine! Jasmine, wacht even!'

De ochtend vloog om, en omdat het mooie weer was teruggekeerd, konden ze opnieuw buiten lunchen, op het terras.

'Is er nog nieuws over Grace?' vroeg Jacoby aan Connor.

Die schudde zijn hoofd. 'Nee, maar ik ga tussen de middag even bij haar langs.'

'Goed idee,' zei Jacoby. 'Ik ga met je mee.'

'Ik ook,' zei Jasmine.

Connor knikte glimlachend. Het was heerlijk om in een tijd als deze omringd te zijn door vrienden.

Terwijl hij de laatste happen van zijn toetje nam, zag Connor de commodore aankomen. Hij keek op, in de veronderstelling dat de rector hem zou aanspreken. Ze hadden elkaar nog niet gezien sinds de vorige avond. Het kon niet anders of Kuo was op de hoogte van wat er met Grace was gebeurd, en Connor was ervan overtuigd dat hij daarover zou willen praten.

Maar de rector leek hem niet eens op te merken. Hij liep haastig langs hun tafel en ging zijn kamer binnen via het terras. Achter hem viel de deur dreunend in het slot.

Connor keek op en zag dat Jacoby en Jasmine de rector ook na-keken.

'Wat is er met hem aan de hand?' vroeg Jacoby.

Connor haalde zijn schouders op.

'Ik weet het ook niet.' Jasmine nam haar laatste hap chocolade-pudding. 'Hm, dat was heerlijk! Al die suiker! Daar word ik hart-stikke hyper van.'

'Ik ook,' zei Jacoby. 'Dus dat wordt een leuke les Vechttechnie-ken!' Hij keerde zich naar Connor. 'Oké, zullen we even bij je zus gaan kijken?'

Connor was diep in gedachten verzonken.

'Hallo, contact! Mr. Tempest! Kunt u mij horen?'

'Hè, wat?'

'Ik zei, zullen we even naar de ziekenboeg lopen, om te zien hoe het met Grace gaat? Misschien kunnen we wel wat cake voor haar meenemen. Ik weet zeker dat die heks van een Carmichael haar alleen maar akelige vloeibare dingen voert.'

'Goed idee,' zei Connor. 'Maar ik denk dat ik eerst even een praatje ga maken met de commodore.'

'Is dat wel zo verstandig?' vroeg Jasmine. 'Hij leek me niet echt in de stemming voor een kletspraatje.'

'Dat is 't nou juist,' zei Connor. 'En volgens mij zou dat wel eens met Grace en mij te maken kunnen hebben. Misschien kan ik wat plooien gladstrijken.'

305

Hij zag aan hun gezicht dat ze het geen goed idee vonden. Maar hij wist van zichzelf dat hij anders geen rust zou hebben. Bovendien waren Jacoby en Jasmine niet bij de gesprekken geweest die de commodore en hij eerder hadden gevoerd. De rector zou ongetwijfeld zijn eigen gedachten hebben over wat er met Grace was gebeurd, en daar was hij benieuwd naar. Dus hij stond op en schoof zijn stoel onder de tafel. 'Ik ben zo terug,' zei hij.

'Oké,' zei Jacoby. 'Tot zolang zal ik het alleen met de Peacock moeten doen.' Hij keek quasi-verveeld, en toen hij zelfs zo ver ging om te geeuwen, bekogelde Jasmine hem met een framboos. De vrucht kwam op zijn neus terecht en veroorzaakte een bloedrode vlek.

Connor stak grijnzend het terras over. Hij was van plan via de koepelzaal naar de kamer van de rector te lopen, maar toen zag hij dat de glazen deur naar het terras op een kier stond. Blijkbaar was hij weer opengegaan nadat Kuo hem met zo veel kracht had dichtgegooid. Al van ver hoorde hij de stem van de rector.

'De zaak begint uit de hand te lopen.'

Er klonk een kilte, een hardheid in de stem van de rector die ertoe leidde dat Connor met een ruk bleef staan.

'Dit was toch wat je wilde?'

Dat was de stem van Cheng Li. Connor stond als verlamd.

'Het ligt allemaal buitengewoon gevoelig,' hoorde hij Kuo zeggen. 'We hadden hem net waar we hem hebben wilden... maar het luistert allemaal heel nauw.'

Hadden ze het over hém? Dat moest wel. Of was het arrogant om zo te denken?

'Ik zie echt niet in wat er veranderd is,' zei Cheng Li. 'Sterker nog, volgens mij zijn we alleen maar dichter bij ons doel.'

Connors hoofd begon te bonzen. Als ze het over hem hadden, wat had dit dan te betekenen? Hadden zij iets te maken met wat er met Grace was gebeurd? Ineens herinnerde hij zich dat Grace had gezegd dat Cheng Li van haar plan had afgeweten. Zuster Carmichael had het afgedaan als onzin, maar Grace en Cheng Li hadden de laatste tijd erg veel tijd samen doorgebracht. Hij had het gevoel alsof hij bezig was een puzzel in elkaar te leggen, maar nog niet alle stukjes had.

'Connor...'

Dat was de stem van Kuo. Dus ze hadden het inderdaad over hem!

'Connor!'

Nee, ze hadden het niet óver hem. Ze hadden het tégen hem. De deur naar de kamer van Kuo zwaaide verder open, de rector boog zich naar buiten en keek hem aan met een merkwaardige uitdrukking op zijn gezicht.

Connor kon geen kant uit en voelde zich op een afschuwelijke manier betrapt.

'Kom even binnen.' De commodore wenkte hem van het zonnige terras de duisternis in.

Loslaten

CONNORS HART BONSDE IN zijn keel toen de commodore de deur achter hem in het slot duwde. Zijn vrienden op het terras waren amper een paar meter bij hem vandaan – hij kon hen zien door het raam, ze stonden met hun rug naar hem toe – maar plotseling had hij het gevoel alsof er gevaar dreigde; alsof hij vrijwillig een kooi in een dierentuin was binnengelopen.

'Ga zitten,' zei Kuo.

Connor nam plaats tegenover het bureau. Kuo ging in zijn eigen stoel zitten, Cheng Li bleef staan, met haar hand op de globe.

'Je begrijpt dat we erg verdrietig zijn en diep geschokt door wat er gisteravond is gebeurd,' zei de commodore. 'Hoe jij je moet voelen, daar kan ik me nauwelijks een voorstelling van maken.'

Connor wachtte gespannen af, in de veronderstelling dat de rector hem ter verantwoording zou roepen over het feit dat hij hun gesprek had staan afluisteren. En dat Kuo zou proberen een verklaring te geven voor wat Connor had opgevangen. Want het kon niet anders, of de rector wist dat hij een deel van het gesprek had kunnen verstaan.

'Het spijt me verschrikkelijk dat ik niet eerder bij je ben gekomen,' vervolgde Kuo. 'Maar ik was afgeleid door dringende Federatiezaken. Dat is geen excuus, maar ik heb het gevoel dat ik je een verklaring schuldig ben.'

'Dank u wel,' zei Connor.

Cheng Li nam haar hand van de globe en ging naast de rector staan. 'We komen net van de ziekenboeg, Connor. Het lijkt erop dat de toestand van Grace inmiddels stabiel is.'

Connor knikte.

De rector schonk hem een glimlach. 'En hoe is het met jou?'

Connor haalde zijn schouders op. 'Dat gaat wel. Maar ik ben natuurlijk wel ontzettend geschrokken.'

De commodore knikte.

'Om te beginnen al van dat briefje.'

'Welk briefje?'

Dat was blijkbaar nieuws voor de commodore. Connor reikte in zijn zak en haalde het opgevouwen stukje papier tevoorschijn. De commodore zette zijn bril op en las de vlekkerige regels in het handschrift van Grace. 'Mag ik?' vroeg hij aan Connor, voordat hij het briefje aan Cheng Li gaf. Connor knikte. Wat maakte het uit? Van hem mochten ze het allemaal lezen. Van hem mochten ze allemaal weten hoe kwetsbaar en labiel zijn zus was.

'Dus je vond dit briefje en toen...' De commodore trok zijn wenkbrauwen op, om Connor aan te moedigen verder verslag te doen.

'Ik ging naar haar kamer om met haar te praten. De luiken waren de hele dag dicht gebleven. Dus ik hoopte haar tot rede te kunnen brengen, en haar zo ver te krijgen dat ze deelnam aan het leven op de Academie. Maar toen ik op de deur van haar kamer klopte, kreeg ik geen antwoord. Terwijl ik wist dat ze er moest zijn – waar had ze anders kunnen zitten? Toen ze geen antwoord gaf, raakte ik in paniek. De deur zat niet op slot, dus ik ging naar binnen, en toen zag ik het briefje. Door de vliegende storm was de klink van de balkondeuren gebroken, dus ze stonden te klapperen in de wind. De maan stond recht boven de haven, en toen de deuren weer openzwaaiden, ontdekte ik een gedaante op de pier. Ik wist meteen dat zij het was. En ik wist wat ze ging doen...'

Hij begon weer te beven. De commodore kwam overeind en liep haastig naar de andere kant van het bureau, waar hij in een bemoedigend gebaar zijn handen op Connors schouders legde. 'Rustig maar,' zei hij. 'Meer hoef je niet te vertellen.'

Het bleef stil in de kamer terwijl Connor wanhopig probeerde zichzelf weer in de hand te krijgen.

'Alleen, waarom denk je dat ze het deed?' vroeg Cheng Li.

Connor voelde dat de rector en zij elkaar over zijn hoofd heen aankeken.

'Dat weet jij waarschijnlijk beter dan ik.' Het was eruit voordat hij zich had kunnen inhouden. 'Sinds we hier zijn, heb ik haar nauwelijks gesproken, maar jij des te meer.'

Cheng Li knikte. 'Dat is zo. En ik moet bekennen dat ik me gedeeltelijk verantwoordelijk voel voor wat er is gebeurd.'

Connor was verrast. Het was niets voor Cheng Li om zo deemoedig schuld te bekennen. Hij keek op, in de hoop dat ze nog meer zou zeggen.

'Zoals je weet, was Grace diep geraakt door wat haar op het vampiratenschip is overkomen,' zei Cheng Li. 'Ze voelt een sterke band met de bemanning.'

Dat was niet echt wat je noemde een onthulling. 'Ja, helaas wel,' zei Connor. 'Kijk maar wat ervan is gekomen.'

Cheng Li knikte. 'Dat ben ik met je eens. Het is misschien niet goed, maar het is wel heel verklaarbaar.'

De commodore liep weer naar zijn stoel. Toen hij eenmaal zat, keerde hij zich naar Connor. 'Heb je wel eens gehoord van het stockholmsyndroom?'

Connor schudde zijn hoofd. De rector schoof de bril van zijn neus en nam de poten tussen zijn vingers. 'In simpele bewoordingen verwijst het stockholmsyndroom naar de sterke emotionele gehechtheid die we kunnen ontwikkelen aan mensen die ons nota bene naar het leven staan. Het is een overlevingsmechanisme, een manier om zelfs het gruwelijkste geweld te kunnen verdragen. Er is maar een dag of drie, vier voor nodig. Dan kan het al optreden. En het wordt versterkt wanneer we, zoals Grace, in een situatie komen te verkeren waarin de doodsdreiging wegvalt. Dan wordt het slachtoffer zo overweldigd door opluchting, dat het zijn gevangennemers als zijn "beschermengelen" gaat zien; als redders in plaats van degenen van wie de bedreiging uitging.' Hij zweeg even. 'We denken dat Grace daar ook last van heeft.'

'Sinds ze hier is, heb ik haar laten vertellen over haar ervaringen op het vampiratenschip,' zei Cheng Li. 'Daar heb ik haar toe aangemoedigd. Ik weet dat jij moeite had met dergelijke verhalen – en dat is heel begrijpelijk – maar ik voelde dat het voor Grace belangrijk was om erover te kunnen praten.'

'Dat was de eerste stap op weg naar haar genezing,' zei de commodore.

'Maar gisteravond namen de dingen ineens een andere loop,' vervolgde Cheng Li. 'Grace was duidelijk labieler, kwetsbaarder dan ik besefte. En zoals ik al zei, door haar aan te moedigen om over de vampiraten te praten, heb ik haar misschien ongewild aangezet tot het nemen van extreme actie.'

Connor knikte. 'Je bedoelt, tot het plegen van zelfmoord?'

De rector en Cheng Li waren duidelijk verrast door de grimmigheid van zijn woorden. Maar ten slotte knikten ze.

Connor schudde zijn hoofd. 'Ik denk niet dat ze probeerde zelfmoord te plegen!' zei hij met grote stelligheid. De commodore boog zich naar voren, plotseling geïntrigeerd.

'Ik dacht eerst van wel,' vervolgde Connor. 'Dat was de voor de hand liggende verklaring. Maar ik heb nog eens goed nagedacht. Zoiets zou Grace nooit doen; het zou niet eens in haar opkomen!

Ik weet hoe graag mijn zus terug wilde naar het vampiratenschip. Ik heb geprobeerd er níét aan te denken, maar het is wel zo. Misschien hebt u gelijk en lijdt ze aan dat syndroom van weet-ik-veel. Hoe dan ook, ze heeft het gevoel dat ze daar nog niet klaar is. Dus volgens mij probeerde ze gisteravond gewoon terug te komen op het schip.'

Cheng Li en de commodore keken hem aan met een merkwaardige uitdrukking op hun gezicht.

'Door bij een vliegende storm in de haven te springen?' vroeg de rector na een korte stilte.

Connor knikte. 'Ja. Zo is ze tenslotte destijds ook op het schip terechtgekomen. Ons schip verging in een verschrikkelijk noodweer en toen heeft een van de vampiraten, een zekere Lorcan, haar uit het water gevist. Dus ik denk dat Grace hoopte dat de geschiedenis zich zou herhalen.'

'Dat klinkt wel erg vergezocht,' zei de commodore.

Het viel Connor op dat Cheng Li niets zei. Ze had veel met Grace gepraat en wist dat het níét vergezocht was. Dat voelde hij.

'Toen ze bijkwam nadat ik haar uit het water had gevist, riep ze om Lorcan,' vervolgde Connor. 'Sterker nog, het duurde even voordat ze besefte dat ik níét Lorcan was.' Hij glimlachte. 'Grace probeerde geen eind aan haar leven te maken. Ze probeerde gewoon verder te gaan met haar reis, precies zoals ze in dat briefje had gezet.'

De commodore schudde langzaam zijn hoofd. 'Je bent taaier dan ik dacht, Connor. Heb je er geen moeite mee? Echt niet?'

Connor schudde glimlachend zijn hoofd. Terwijl hij zijn gedachten onder woorden bracht, was het alsof er in zijn hoofd ineens iets op zijn plaats viel. Hij had er wel degelijk moeite mee gehad, erg veel moeite. Sinds hun hereniging op het dek van het vampiratenschip had hij geprobeerd alle gedachten aan wat haar daar was overkomen te verdringen. Hij had er niet over willen praten, haar de kans ontzegd haar hart te luchten. En terwijl zij vertrouwelijke gesprekken voerde met Cheng Li had hij zijn hoofd afgewend en zich alleen maar druk gemaakt over het leven op de Academie. Maar nu zag hij de situatie ineens zoals die was. Sinds hun schipbreuk waren ze allebei aan een reis begonnen. En net zoals hij de klok niet kon terugdraaien en de piraterij niet de rug kon toekeren, zo was het net zo onvermijdelijk dat zij haar reis vervolgde. Dat begreep hij inmiddels. Hij had Grace niet willen loslaten. Maar hij merkte dat hij dat nu eindelijk kon.

'Waartoe leidt dat ons?' vroeg de commodore. 'Wil je nog steeds dat ik probeer met kapitein Wrathe tot overeenstemming te komen, om je te ontslaan van je verplichtingen, zodat je hier kunt blijven? En kies je dan naast je opleiding aan de Academie ook voor de leerschool om je voor te bereiden op de Federatie?'

Connor knikte. 'Er is wat mij betreft niets veranderd.'

'Natuurlijk blijft hij hier,' zei Cheng Li. 'Hij kan Grace niet alleen laten. Nu helemaal niet.'

'Dit heeft niets met Grace te maken.' Connor was zelf verrast door de harde, vastberaden klank in zijn stem. 'Het spreekt vanzelf dat ik zal doen wat ik kan om haar te helpen beter te worden. Maar het wordt tijd dat we onze eigen beslissingen nemen. Grace en ik hebben verschillende verwachtingen van het leven. We zijn allebei een andere in geslagen. Ze kan hier blijven, bij mij, of ze kan teruggaan naar de *Diablo*. Ze kan zelfs teruggaan naar het vampiratenschip – als ze dat tenminste kan vinden. Dat is haar beslissing.'

Buiten begon een bel te luiden. Door de ramen zag Connor dat Jacoby en Jasmine aanstalten maakten om naar de volgende les te gaan.

'De bel gaat alweer voor de middaglessen,' zei Cheng Li.

Connor stond op, zich bewust van een vreemd gevoel van kracht. 'Ik moet gaan, als ik de anderen nog wil inhalen.'

De rector knikte, kauwend op een poot van zijn bril.

Connor verontschuldigde zich en liep naar buiten door de terrasdeur, die hij stevig achter zich dichttrok. Toen hij weg was, keken de rector en Cheng Li elkaar aan.

'Ik moet bekennen dat hij me heeft verrast,' zei Cheng Li.

De commodore glimlachte. 'Je moet leren vertrouwen op het tij, meesteres Li. Soms hoef je niets te doen, alleen maar af te wachten.'

De laatste les van die dag was Vechttechnieken. Om vier uur arriveerden Connor en Jacoby in trainingspak bij de sportzaal, samen met de rest van hun klas. Kapitein Platonov stond al op hen te wachten, maar hij was niet alleen. Cheng Li stond naast hem.

Terwijl de leerlingen zich verzamelden, klapte Platonov in zijn handen. 'Mag ik even de aandacht? We gaan zo verder met onze gebruikelijke oefeningen. Maar we zullen het vandaag zonder Mr. Blunt en Mr. Tempest moeten doen.'

Connor en Jacoby keken elkaar verward aan. Hun medeleerlingen waren net zo verrast.

'Mr. Blunt, Mr. Tempest, zouden jullie zo vriendelijk willen zijn met meesteres Li mee te gaan?'

Schouderophalend deden Jacoby en Connor een stap naar voren. Cheng Li loodste hen glimlachend de sportzaal uit. Achter hen hoorde Connor de bulderende stem van Platonov, die commando's blafte tegen Jasmine en de anderen.

'Wat gaat er gebeuren?' vroeg Jacoby aan Cheng Li. 'Waar gaan we naartoe? Zijn er geheime kerkers op de Academie waar we tot nu toe niets van wisten?'

Er lag een brede grijns op zijn gezicht. Het lijkt wel of niets hem uit zijn doen kan brengen, dacht Connor.

Cheng Li keek al net zo geamuseerd. 'Wat heb je toch een buitengewoon levendige verbeelding, Jacoby! Misschien zou je een boek moeten gaan schrijven. Nee, er zijn hier geen kerkers. Althans, niet voor zover ik weet.'

Waar ze ook heen gingen, de weg liep in elk geval omhóóg in plaats van omláág. Ze kwamen uit in weer een gang, en toen Cheng Li een deur opendeed, stonden ze in een tweede, beduidend kleinere sportzaal.

Connor keek in het donker verward om zich heen. Toen Cheng Li het licht aandeed, zag hij een kleine tafel in het midden van de ruimte, met daarop twee glazen kisten.

Gedrieën liepen ze ernaartoe, over de met matten bedekte vloer. Terwijl ze dat deden, hield Jacoby zijn adem in, en Connor voelde dat zijn hart begon te bonzen.

'De Toledokling!' zei hij. 'Het zwaard van de commodore.'

Cheng Li glimlachte.

'En de Saffierdegen van Molucco Wrathe,' zei Jacoby. 'Hij is van dichtbij nog mooier dan ik al dacht!'

Connor was nog steeds in de war. 'Maar de rector zei dat ze alleen op Zwaardendag uit hun kist worden gehaald.'

Cheng Li knikte en maakte met de sleutels aan de ketting om haar hals de kisten open. 'Dat is ook zo. Als alles normaal is. Maar de afgelopen paar dagen zijn niet echt normaal geweest, of wel soms? Dus de rector wilde jullie een geschenk aanbieden.'

'De kling?' Connor had zijn stem nauwelijks in bedwang toen Cheng Li de kist openmaakte en het zwaard in al zijn pracht tevoorschijn haalde.

'Nee, niet de kling zelf. De kans om die te gebruiken. Eén keertje maar.'

Zowel Jacoby als Connor sloeg ademloos elke beweging van Cheng Li gade terwijl ze de zwaarden uit hun kist haalde en op een met fluweel bedekte steun op de tafel legde.

'Morgenavond is er ter ere van jullie opnieuw een diner. Het was bedoeld om het eind van je verblijf te vieren, maar nu vieren we het begin van je tijd als volwaardig leerling.'

Dat was nieuws voor Jacoby. Hij slaakte een juichkreet en sloeg Connor op de rug.

Cheng Li praatte meteen door. 'Alle kapiteins zijn erbij. Voorafgaand aan het diner verzamelen alle leerlingen zich voor een demonstratie zwaardvechten, te geven door jou en Mr. Blunt, met deze klingen. De demonstratie vindt plaats op het oefendek... In het Bloedbad.'

'Gaaf plan!' riep Jacoby. 'Ik wil de Toledokling!'

Zowel Connor als Cheng Li keek hem strak aan.

'Rustig maar. Het was maar een grapje. Ik neem de degen van Molucco.'

'Je hebt voorlopig genoeg grappen gemaakt,' zei Cheng Li. 'We hebben amper vierentwintig uur de tijd vóór jullie optreden. Ik heb de opdracht gekregen een choreografie te maken voor jullie gevecht, en er is nog een reeks van complexe manoeuvres die ik jullie moet leren.' Ze trok haar handschoenen aan. 'Ja, Connor, je hebt besloten als volwaardig leerling op de Academie te gaan meedraaien. Maak je borst maar nat. Want van nu af aan is het menens.'

'Ik zou wel een week kunnen slapen,' zei Connor, toen hij na twee uur oefenen met Jacoby uit de douche kwam.

'Rust roest.' Jacoby wreef krachtig zijn haar droog. 'Heb je meesteres Li niet gehoord? Ze wil dat we ons morgenochtend om zeven uur stipt weer in de sportzaal melden. Weet je wat dat betekent?'

'Dat we niet kunnen uitslapen zoals anders op zaterdag?'

'Nog erger, maat. Dat we niet naar zwemles kunnen – *ergo*, dat we een kans mislopen om naar Jasmine in bikini te lonken.'

Connor begon te lachen. Jacoby Blunt was onverbeterlijk. Op de een of andere manier deed hij hem aan Jez denken.

Na hun uitgebreide oefenpartij was Connor die avond doodop. Tegen de tijd dat hij had gegeten, wilde hij alleen nog maar naar bed. Tot zijn verbijstering kwam Jacoby na het eten weer tot leven, en hij stelde een biljarttoernooi voor. Connor kon het niet meer opbrengen en hij was blij toen Aamir en enkele andere klasgenoten de uitdaging aannamen. Ze wensten hem welterusten en verdwenen richting biljartkamer, hem achterlatend op het terras.

Hij keek naar de haven in de diepte. Wat lag die er vanavond rustig bij – het verschil met vierentwintig uur eerder was verbijsterend. Geeuwend strekte hij zijn benen. Ze waren zo zwaar als lood. Hij zou hier ter plekke in slaap kunnen vallen. Alleen, hij moest nog iets doen voordat hij naar bed ging. Dus hij werkte zich moeizaam overeind, stak het terras over en daalde de treden af door de tuinen.

Het licht boven de deur naar de ziekenboeg brandde. Connor klopte, maar toen hij geen antwoord kreeg, ging hij naar binnen.

Het was er donker. De slaapzaal was zo groot dat de lampen die aan het plafond hingen, niet toereikend waren om hem voldoende te verlichten, zelfs niet als de peertjes een hoger wattage zouden hebben gehad. Naast een van de bedden, halverwege de zaal, brandde een eenzaam lampje op een nachtkastje. Connor liep naar het licht toe, zich bewust van het geluid van zijn voetstappen op de koele, marmeren vloer.

Het duurde niet lang of hij stond naast het bed van Grace. Ze sliep nog steeds, maar ze lag er aanzienlijk comfortabeler bij dan de laatste keer dat hij bij haar was geweest. Toen hadden haar handen stijfjes gekruist op haar borst gelegen, als bij een beeld. Nu lag haar ene hand naast haar hoofd, op het kussen, de andere rustte op het laken.

Connor ging op het bed zitten en keek naar het gezicht van zijn zus. Ze leek zo tevreden. Hij was blij dat hij zo ver was gekomen dat hij zich in haar gezelschap weer op zijn gemak kon voelen. Roerloos naast haar zittend, keek hij naar het rijzen en dalen van haar borstkas. Haar ademhaling was diep en regelmatig. De kans leek klein dat ze al snel wakker zou worden, maar ze had weer kleur op haar wangen, en het leek erop dat haar duik in de oceaan, inmiddels vierentwintig uur geleden, geen blijvende schade had aangericht. Daar was hij blij om. Heel erg blij.

'Je hebt gelijk,' zei hij ten slotte zacht. 'We moeten ieder onze eigen reis maken. Het spijt me dat ik dat niet eerder heb willen inzien. Het spijt me dat ik heb geprobeerd je tegen te houden. Ik zal het nooit meer doen.'

Hij reikte naar haar hand. Maar toen hij die wilde pakken, ging zijn hand er dwars doorheen en belandde op het beddengoed. Verward probeerde hij het nog eens, maar opnieuw greep hij in het niets, alsof haar hand van lucht was. Ik ben blijkbaar erg moe, dacht hij, en hij dwong zichzelf het een derde keer te proberen. Maar ook al concentreerde hij zich uit alle macht, het mocht niet baten. Het lukte hem niet haar hand in de zijne te nemen.

IJskoude paniek nam bezit van hem. Hij schoot overeind en keek op haar neer, controleerde haar ademhaling, de uitdrukking op haar gezicht. Ze maakte niet alleen een tevreden indruk, het was zelfs alsof ze uit de diepten van haar slaap naar hem glimlachte. Ineens kwam er een gedachte bij hem op. Hij besloot nog één poging te wagen toen hij zag dat haar lange haar voor haar ogen hing. Maar toen hij zijn hand uitstrekte om het weg te strijken, gingen zijn vingers dwars door haar hoofd. Dus hij gaf het op, stak zijn hand gewoon recht door haar heen en begroef hem in het kussen. Grace hield haar ogen nog altijd gesloten, maar ze glimlachte, alsof het kietelde. Hij deed een stap naar achteren, en ook om zijn mond speelde nu een glimlach.

'Ze zijn je komen halen,' fluisterde hij. 'Heb ik gelijk of niet,

Grace? Ze zijn je komen halen. Ik weet niet hóé ze het hebben gedaan, maar het is ze gelukt.'

En op dat moment wist hij ook dat het zo moest zijn. Dat dit
was wat ze wilde; wat ze nodig had. De rector en Cheng Li konden
orakelen over het een of andere syndroom waar Grace al dan niet
aan zou lijden. Voorlopig hoorde zijn zus op het vampiratenschip.
Dat was haar thuis.

'Wat hoor ik? Wat moet al die commotie voorstellen?' Zuster
Carmichael kwam de zaal door marcheren.

Connor grijnsde. Zijn gefluister kon nauwelijks als commotie
worden betiteld. De zuster reageerde wel erg overdreven.

'O, ben jij het?' zei ze toen ze hem herkende. 'Kom je weer eens
bij je slapende zus kijken?'

Connor knikte. 'Ik kwam alleen maar even welterusten zeggen.'

'Oké, dat heb je dan nu gedaan. Dus ingerukt, mars,' zei de verpleegster. 'We zouden niet willen dat we haar midden in de nacht
wakker maakten, is het wel?'

Connor schudde zijn hoofd. 'Nee, dat zouden we niet willen.
Maar daar zou ik me ook maar geen zorgen over maken, zuster
Carmichael. Ik denk niet dat Grace op korte termijn wakker
wordt.'

De zuster nam hem knorrig op. Connor wierp nog een laatste
blik op het zielloze lichaam van zijn zus, toen schonk hij zuster
Carmichael een glimlach, hij gaf haar een klopje op haar schouder en liep langs haar heen naar de deur van de ziekenboeg. Zuster Carmichael deinsde achteruit. Ze streek over haar uniform
alsof er een vogel op haar schouder had gepoept, en liep terug
naar haar hokje.

In het strijdperk

DE VOLGENDE DAG OP de Academie zou een buitengewoon lange worden, besefte Connor. Om zeven uur waren Jacoby en hij alweer in de sportzaal, waar ze werden opgewacht door Cheng Li. Hij was nog steeds moe, maar toen Cheng Li hen wat voorbereidende oefeningen liet doen en vervolgens de manoeuvres van hun demonstratiegevecht gedetailleerd met hen doornam, kreeg hij weer nieuwe energie.

De rest van de ochtend werd besteed aan het vervolmaken van de choreografie. Connor moest alle zeilen bijzetten en zich tot het uiterste concentreren. De Toledokling was zwaarder dan het rapier waarmee hij anders vocht, maar het zwaard lag goed in de hand. Het gevest was omwikkeld met een merkwaardige, ruwe leersoort. Althans, hij dacht dat het leer was. Toen hij Cheng Li ernaar vroeg, herinnerde ze hem aan de laarzen van de commodore, gemaakt van de huid van een pijlstaartrog. Dat materiaal was veel taaier en beter bestand tegen water dan gewoon leer. Connor keek naar het gevest en zag dat de kleine bobbeltjes in werkelijkheid schubben waren. Zelfs na jarenlang gebruik glinsterden ze nog steeds, alsof het gevest met talloze edelsteentjes was bezet, die schitterden als kleine sterren.

Er was echter niets wat de schittering van de enorme saffier kon evenaren in het gevest van Molucco's oude degen, die Jacoby hanteerde alsof hij voor hem was gemáákt. Terwijl het zwaard voor zijn ogen heen en weer zwaaide en Jacoby deskundig de ene manoeuvre na de andere uitvoerde, merkte Connor dat de saffier niet alleen een decoratief maar ook een praktisch doel diende. De talloze facetten waren zo glimmend gepoetst dat het licht je verblindde wanneer het er in een bepaalde hoek op viel, alsof de zon recht in je ogen scheen. Dan moest je je ogen tot spleetjes knijpen, waardoor je gezichtsvermogen en je concentratie minder scherp werden.

Het moeilijkste van het gevecht – daar waren Connor en Jacoby het over eens terwijl ze tien minuten pauzeerden op de zonovergoten treden van de sportzaal – zou zijn om elkaar niet te verwonden. Ook al waren de zwaarden dan met pensioen en werd er niet langer dagelijks mee gevochten, ze werden wel regelmatig geslepen en geolied, zodat ze altijd klaar waren voor gebruik. Ze waren dan ook zo scherp als scheermessen. Jacoby was meer gewend aan demonstratiegevechten dan Connor, die meteen in het diepe van de echte strijd was gegooid, maar beide jongens waren het erover eens dat het voelde alsof de zwaarden snakten naar het serieuze werk. Alsof ze een eigen wil hadden en wrokkig waren omdat ze al zo lang buiten de strijd waren gehouden. Kortom, het was alsof de klingen waren bezield door vechtlust en bloeddorstigheid.

Tegen lunchtijd hadden ze het gevecht tot in de puntjes onder de knie. Cheng Li nam de zwaarden weer in en borg ze weg in hun kisten. De twee strijders zouden ze niet meer zien tot die avond, wanneer ze in het Bloedbad zouden optreden voor het voltallige lerarencorps en alle leerlingen van de Piratenacademie.

'Ben je zenuwachtig?' vroeg Connor aan Jacoby terwijl ze aan tafel gingen voor de lunch.

'Zenuwachtig? Laat me niet lachen! Ik schijt in mijn broek. Stel je voor dat ik je per ongeluk overhoop steek!'

'Erg grappig,' zei Connor. 'Echt erg grappig.'

'Ik ben blij dat de angst je eetlust niet heeft bedorven,' merkte Jasmine glimlachend op, wijzend naar Jacoby's volgeladen bord.

Jacoby keek verongelijkt op. 'Volgens de trainer is het goed om veel koolhydraten te eten. Dus dat doe ik dan ook.'

'O, is dát het?' Connor lachte en wijdde zich aan zijn aanzienlijk bescheidener portie. De adrenaline die door zijn lichaam joeg, bezorgde hem een gevoel van misselijkheid, waardoor hij onmogelijk veel kon eten. Hij zou de schade moeten inhalen tijdens het feestmaal na het gevecht.

Het gevecht zou beginnen wanneer de klok van de Academie zes uur sloeg, maar tegen halfzes was de spanning in het amfitheater bij de haven al te snijden. De leerlingen begonnen hun plaatsen in te nemen – ze zaten per jaar bij elkaar – en de leraren voegden zich bij hen aan het eind van de rijen. Fakkels brandden langs de loopwegen op de steile, stenen trappen, langs de lagune en langs de kleine pier die door het turkooisblauwe water naar het oefenschip leidde.

In de lagune zelf was het schip gedeeltelijk tot zinken gebracht en naar voren gehaald, waardoor het dek fungeerde als een toneel, zichtbaar voor het voltallige publiek.

Op dit moment werd het toneel ingenomen door enkele ouderejaars die een rockband hadden gevormd en waren uitgenodigd om het publiek vast op te warmen.

'Bij dit soort muziek voel ik me stokoud,' zei de commodore tegen Cheng Li. Ze zaten op de voorste rij.

'Je bént stokoud, John,' zei ze glimlachend. 'Alleen geef je er meestal de voorkeur aan dat te negeren.'

Hij keek haar gekwetst aan, toen verscheen er een glimlach op zijn gezicht. 'Hoe gaat het met onze jongens?'

'Heel goed,' zei ze. 'De Toledokling is eindelijk in de hand van een ware krijger terechtgekomen.'

'Au!' zei de commodore. 'Je weet ook altijd precies waar je een man moet raken.'

Connor en Jacoby wachtten op hun zitplaatsen vlak bij de pier. Terwijl Connor achteromkeek naar de menigte, voelde hij zich alsof hij op het punt stond voor de leeuwen te worden geworpen.

'Maak je niet te sappel,' zei Jacoby. 'Het stelt niks voor. Gewoon een leuke voorstelling, om de Academie een fijne zaterdagavond te bezorgen en de tent op z'n kop te zetten. Dat is een van de redenen dat ze hier een toneel hebben gemaakt. Ze organiseren voortdurend dit soort dingen.'

Connor knikte. Dat wist hij natuurlijk ook wel, en hij had te vaak aan sportevenementen deelgenomen om zich te laten meeslepen door zijn zenuwen. Maar dit lag anders. Hier ging het om de voorstelling, niet om te winnen. Hij moest in balans zien te blijven en precies de juiste manoeuvres uitvoeren, zonder Jacoby te verwonden. Het laatste wat hij wilde, was zijn nieuwe beste vriend bezeren.

Uiteindelijk stierven de klanken van het laatste rocknummer weg, en het publiek barstte los in een oorverdovend gejuich. De muzikanten pakten hun instrumenten op en liepen over de pier naar de commodore, die was gaan staan om hen te bedanken. Nadat hij hen weer op de wal had verwelkomd, keerde hij zich naar het uitzinnige publiek.

'Dat waren de... eh... de Rauwe Rabauwen,' zei hij. 'Jongens, bedankt. Ik ben doorgaans meer een liefhebber van traditionele jazz, maar dit was werkelijk buitengewoon... indrukwekkend. En verfrissend.' Hij keek naar Cheng Li die met haar lippen het woord 'stokoud' vormde.

Toen het applaus begon weg te ebben, richtte de commodore zich tot het publiek.

'We hebben vanavond iets heel bijzonders op het programma staan. Iets waar jullie allemaal van zullen genieten – waar wíj allemaal van zullen genieten. Zoals jullie weten is het op de Piratenacademie gebruik om jaarlijks de Zwaardendag te vieren. Op die dag, de allerlaatste van het schooljaar, worden alle zwaarden die in de Koepelzaal hangen, naar beneden gehaald en krijgen de besten onder onze leerlingen de kans ze te gebruiken bij een demonstratiegevecht, daarmee hun illustere voorgangers erend – de kapiteins die de zwaarden ooit in het echt hebben gebruikt.'

Hij keek van de leraren naar de leerlingen. 'In gedachten noem ik deze zwaarden wel eens de schat van de Academie. Niet omdat ze van de sterkste metalen zijn gemaakt, en vaak versierd met edelstenen, door de beste ambachtslieden ter wereld. Néé, ik beschouw deze zwaarden als onze schat, omdat ze stuk voor stuk zo'n rijkdom aan verhalen te vertellen hebben. Elk van deze klingen is gebruikt in tientallen, misschien wel honderden gevechten. Ach, konden ze maar praten, konden ze hun ervaringen maar met ons delen! En in zekere zin kunnen ze dat ook. Wanneer een jonge piraat een eeuwenoud zwaard ter hand neemt, ontstaat er een wisselwerking tussen de energie van de jonge strijder en die van de kling. Daar ben ik van overtuigd.'

Hij zweeg even, om het publiek de tijd te geven zijn woorden tot zich te laten doordringen. 'Maar de wérkelijke schat van de Academie, dat zijn niet de eeuwenoude klingen die boven ons hoofd hangen. De werkelijk schat zijn júllie, en dat geldt voor jullie allemaal, niemand uitgezonderd. De zwaarden vertegenwoordigen ons verleden, maar jullie... jullie zijn onze toekomst. Ieder van jullie is voorbestemd om grootse daden te verrichten. Ieder van jullie zal de schitterende en nobele tradities van de piraterij voortzetten. Sommigen van jullie zullen zich onderscheiden als navigators. Anderen als geweldige leiders en strategen. En dan zijn er ook nog degenen die zullen uitblinken in het gevecht.'

Er klonken wat juichkreten op uit het publiek. De leerlingen waren zich ervan bewust dat het gevecht op het punt stond te beginnen.

'Vanavond houd ik me voor één keer niet aan de regel dat onze eeuwenoude zwaarden alleen naar beneden worden gehaald op Zwaardendag. Vanavond heb ik besloten het vechterstalent op de Academie te huldigen en te vieren. Vanavond zullen twee van onze allerbeste strijders ons een reeks oogverblindende manoeuvres demonstreren, die hun door diverse leraren zijn bijgebracht, en in het bijzonder door meesteres Li.'

Zijn woorden werden met applaus begroet, waarop de commodore instemmend knikte en met een weids gebaar naar Cheng Li wees. Die stond uiteindelijk blozend op en nam de toejuichingen in ontvangst.

'Ja...' vervolgde de rector, 'meesteres Li doceert hier pas drie maanden, maar ze heeft nu al heel duidelijk haar stempel op onze opleiding gedrukt, en op het leven hier op de Academie. Trouwens, we hebben hier ook iemand die pas een week in ons midden is, maar die, tot mijn grote vreugde, heeft besloten zich als volwaardig leerling op de Academie in te schrijven. Het doet me buitengewoon veel genoegen dat hij vanavond zal vechten met mijn eigen Toledokling... Dus ik vraag om een daverend applaus, een tumultueus welkom in de stijl van de Academie, voor Connor Tempest!'

Connor en Jacoby wisselden de handdruk die ze zich de afgelopen week hadden aangewend. Daarna stond Connor op om zich bij de commodore te voegen en hem op meer conventionele wijze de hand te schudden.

'Connor heeft bewezen over uitzonderlijke talenten te beschikken in het gevecht,' vervolgde Kuo. 'Vandaar dat we op zoek zijn gegaan naar de allerbeste onder onze leerlingen om de strijd met hem aan te gaan. Jullie weten natuurlijk allemaal over wie ik het heb.' Het publiek juichte en hier en daar werd Jacoby's naam al gescandeerd. 'Ja, jullie weten allemaal wie ik bedoel,' vervolgde de rector. 'Wat jullie níet allemaal weten, is hoe hij zich weerde tijdens zijn eerste les Vechttechnieken. Maar ik was erbij, net als kapitein Avery en kapitein Singh. We herinneren ons maar al te goed de vaardigheid die de leerling in kwestie – hij was toen pas zes – met de kleine bamboestokken aan de dag legde. Sindsdien zijn er heel wat jaren verstreken, en vanavond zal hij de strijd in gaan met de Saffierdegen van Molucco Wrathe. Zijn naam mag het tegendeel doen vermoeden, maar hij vecht op het scherpst van de snede... Ik vraag opnieuw om een daverend applaus, deze keer voor Jacoby Blunt!'

Nu was het de beurt aan Jacoby om diep in te ademen, toen draafde hij naar voren om bij Connor en de rector te gaan staan. Ook hij schudde de hand van de commodore.

'Genoeg gepraat,' zei deze. 'Rest me alleen nog te zeggen dat ik verwacht dat jullie dit gevecht aandachtig zullen volgen, met oog voor de vaardigheden waarover dit tweetal beschikt – ongeacht of je zelf een getalenteerd vechter bent of niet. En wat je talent ook mag zijn, streef ernaar altijd optimaal te presteren. Dat is alles wat we hier op de Piratenacademie van jullie vragen. Dan zal ik jullie nu de zwaarden overhandigen, heren.'

De wapens rustten op steunen die op het puntje van de pier stonden opgesteld. Connor en Jacoby lieten zich op een knie zakken voor de steun met hun zwaard erop. Als eerste pakte de rector de Saffierdegen, hij nam hem in zijn linkerhand en hield Jacoby het wapen voor.

'Gebruik dit zwaard met wijsheid en precisie,' zei hij plechtig. 'Eer je voorgangers en druk je stempel op de geschiedenis.'

'Dat zal ik doen.' Jacoby nam het zwaard in ontvangst, ook met de linkerhand, en bleef gekniel zitten terwijl de rector bij de tweede steun ging staan.

Hij pakte de zijden lap die daar lag, en veegde in een ceremonieel gebaar zijn handen af. Het was een symbolische reiniging, zodat dezelfde handen niet beide zwaarden hadden aangeraakt. Toen hij de lap had neergelegd, pakte hij de Toledokling met zijn linkerhand. Het contact met zijn vroegere strijdmakker zorgde ervoor dat hij even roerloos bleef staan.

Er barstte een spontaan applaus los als eerbetoon aan de lange, illustere carrière van de commodore. Met een zweem van een glimlach om zijn mond wachtte hij tot het wegebde.

'Gebruik dit zwaard met wijsheid en precisie,' zei hij tegen Connor. 'Eer je voorvaderen en druk je stempel op de geschiedenis.'

'Dat zal ik doen,' zei Connor. Hij pakte het zwaard aan met zijn linkerhand, zijn vingers sloten zich om het gevest, omwikkeld met de huid van een pijlstaartrog. Ondertussen dacht hij aan de lange geschiedenis van de kling.

Op een teken van de rector traden vier leerlingen naar voren om de zwaardsteunen van het strijdperk te verwijderden.

'Heren, neem uw positie in,' zei commodore Kuo alvorens terug te lopen naar zijn plaats.

Connor en Jacoby begaven zich over de pier naar het oefendek. Ook dit hadden ze zorgvuldig voorbereid. Midden op het dek namen ze hun positie in – rug aan rug.

Het was bijna zes uur. De klok van de Academie begon te luiden. De zesde slag was het startsein voor het gevecht. Terwijl Connor gespannen afwachtte, stemde hij zijn ademhaling af op het slaan van de klok. Een... twee... drie... vier... vijf... zes.

Het Bloedbad

CONNOR DRAAIDE ZICH MET een ruk om en deed zijn eerste uitval met de Toledokling, die Jacoby pareerde met de Saffierdegen. Het eerste contact van de zwaarden was een feit, en beide strijders voelden de geladen spanning tussen de klingen. Inmiddels glimlachten de twee vrienden niet langer naar elkaar. Ze moesten alle zeilen bijzetten en zich tot het uiterste concentreren, terwijl ze begonnen aan de eerste reeks van de enerverende manoeuvres die Cheng Li hun had geleerd.

Connor slaagde er al snel in zijn zenuwen de baas te worden. Ook al was dit dan maar een demonstratiegevecht, hij was zich toch sterk bewust van dat verhoogde gevoel van bewustzijn dat door de rector *zanshin* was genoemd. Toen zijn zwaard contact maakte met dat van Jacoby, was het gegalm in zijn hoofd luider dan dat van de schoolbel. Op het moment dat Jacoby zijn degen hief, zag Connor de saffier, blauwer dan het water van de lagune. Elk geluid, elke kleur, elke zintuiglijke waarneming was intenser geworden. Zijn concentratie was compleet, en hij putte uit een energie die onder andere omstandigheden onbereikbaar zou zijn geweest. Daardoor was hij in staat hoger te springen dan anders en wist hij manoeuvres uit te halen met zijn zwaard in slechts een fractie van de tijd die hij er onder normale omstandigheden voor nodig zou hebben gehad. Hij was volledig in de ban van het hier en nu. Terwijl hij putte uit de kalme energiebron diep vanbinnen, besefte hij dat het goed ging. Hij registreerde het gebrul van de menigte toen hij aan het eind van zijn eerste reeks manoeuvres kwam die hem ogenschijnlijk een voorsprong gaven ten opzichte van Jacoby. Maar het was allemaal choreografie – in de loop van het gevecht zouden ze allebei hun gloriemomenten kennen.

'Verbijsterend,' fluisterde de commodore Cheng Li in haar oor. 'Connor is een natuurtalent.'

Ze knikte. 'Ik hoop alleen dat Jacoby zich al zijn instructies herinnert.'

Kuo knikte en keerde zich weer geconcentreerd naar het toneel, waar de twee jonge vechters met hun tweede reeks manoeuvres bezig waren. Deze was complexer dan de eerste. Cheng Li wist hoe ze een publiek moest boeien. De reeks begon met een serie snelle pareerstoten waarbij de twee strijders elkaar beurtelings over het dek in de verdediging drongen. Daarna kreeg Jacoby de overhand en wist hij Connor bijna op de knieën te dwingen. Het was een moment waarop Connor al zijn krachten moest aanspreken, al zijn atletische vaardigheden, om Jacoby niet alleen terug te drijven maar bovendien de controle op het gevecht te heroveren.

Opnieuw was hij zich sterk bewust van het gevoel van *zanshin* - de totale waakzaamheid, driehonderdzestig graden in de rondte. Hij zag dat Jacoby zijn rapier geheven hield. Hij zag de beperkte ruimte die hij had om te manoeuvreren. Hij zag het publiek dat met ingehouden adem toekeek, en hij zag – recht voor zich, als de twee ogen van een reusachtig beest – Cheng Li en Kuo; hun gezichten waren starre, gespannen maskers. Hij zag het allemaal, zonder Jacoby ook maar één moment uit het oog te verliezen. De ervaring riep herinneringen op aan zijn allereerste oefengevechten, niet hier op de Academie, maar aan boord van de *Diablo*. Herinneringen aan wat Bart hem destijds op het hart had gedrukt: 'Kijk je tegenstander altijd in de ogen. Het zwaard kan liegen, maar ogen liegen nooit.' Terwijl Connor in Jacoby's ogen keek, zag hij daar iets wat niet in de haak was – in de vertrouwde blik van zijn nieuwe vriend las hij een leugen. Hij registreerde het, maar probeerde wanhopig niets te laten merken. Verontrust als hij was, bleef hij tot het uiterste geconcentreerd, en hij slaagde erin het tij van het gevecht te keren, Jacoby in de verdediging te dringen en de controle te heroveren.

Opnieuw steeg er een goedkeurend gebrul op uit de menigte. Cheng Li en de commodore begonnen te klappen.

'Adembenemend,' zei Kuo.

Cheng Li boog zich naar hem toe. 'Wacht maar eens af. Dit is nog niks!'

Terwijl ze aan hun derde reeks manoeuvres begonnen, bleef Connor volledig gefocust op Jacoby's ogen. Hij wist zeker dat hij zich niet vergiste. Jacoby speelde vals. Connor werkte zorgvuldig de ingestudeerde bewegingen af, hanteerde de Toledokling bekwamer en behendiger dan hem dat ooit was gelukt met zijn eigen rapier. Hij besloot zich tot in de kleinste details aan de manoeuvres van de choreografie te houden, er in toenemende mate van overtuigd dat Jacoby daar uiteindelijk van zou afwijken. Hij had geen tijd om geschokt te zijn door het verraad of om te proberen de beweegredenen te doorgronden van degenen die hem moesten hebben verraden. Daarmee zou hij zijn leven niet kunnen redden. Met *zanshin* wel.

Het gebeurde halverwege de derde reeks. Connor bleef volledig in zijn rol, maar toen Jacoby de volgende aanval lanceerde, kwam de kling van zijn rapier veel dichterbij dan ze hadden geoefend. Connor voelde het hete staal tegen zijn oor, en het volgende moment besefte hij dat de hitte niet afkomstig was van de kling zelf, maar dat het staal zijn oor had doorkliefd. Het bloedde!

Jacoby leek in paniek. Over Connors schouder ging zijn blik

naar het publiek. Misschien was het wel zijn bedoeling geweest Connor te verwonden, maar niet zo snel in het gevecht. Connor liet zich geen moment afleiden. Hij bleef alert, toonde geen zweem van paniek of angst. Als het gevecht nu werd stopgezet, zou hij weten dat hij zich had vergist – dat er niets aan de hand was en dat er eenvoudig sprake was van een vergissing. Maar als er niemand tussenbeide kwam, gaf dat een heel ander signaal af.

Er kwam niemand tussenbeide.

Onverschrokken bleef Connor zich op Jacoby concentreren en hem recht aankijken. Geen van beiden zei iets. Er was geen behoefte aan verbale communicatie. Alles werd met de ogen gezegd. Connor maakte Jacoby duidelijk dat hij het wist, en Jacoby op zijn beurt erkende dat. Hij leek echter aanzienlijk geschokter dan Connor. Het was duidelijk dat er achter zijn ogen nog een geheim schuilging; een geheim dat Connor niet kon ontsluieren. Nog niet.

Op dit moment moest hij razendsnel een beslissing nemen. Hield hij zich aan de bewegingen van het scenario, verdedigde hij zichzelf alleen wanneer Jacoby aanviel, of moest hij het scenario verlaten en het gevecht benaderen als een willekeurige krachtmeting? Hij koos voor het eerste. Jacoby was duidelijk voorbereid op een andere procedure dan hij, maar óf hij had moeite zich de voorgeschreven manoeuvres te herinneren, óf hij was simpelweg niet in staat ze uit te voeren. Wat hij ook van plan was, het leek erop dat hij in zijn rol als aanvaller in het nadeel was. Connor besloot hem te laten komen, in het vertrouwen dat hij vanzelf fouten zou gaan maken. Tenslotte had hij meer ervaring met het echte werk dan Jacoby. Een beetje bloed kon hem niet verzwakken.

Ze begonnen aan de vierde reeks die ze hadden gerepeteerd. Hierin werd Jacoby geacht aanvankelijk de overhand te hebben. Maar op het moment dat zijn tegenstander een nieuwe aanval lanceerde, wist Connor dat er iets niet goed zat. Jacoby's gebruike-

lijke zelfverzekerdheid ebde geleidelijk aan weg. Hoewel zijn bewegingen in fysiek opzicht nog even krachtig waren als altijd,
mankeerde het duidelijk aan het moreel van zijn tegenstander, besefte Connor. Het was alsof zijn vechtlust was aangetast.

Opnieuw moest Connor de situatie razendsnel taxeren en een
besluit nemen over zijn tactiek. Dat was echter niet eenvoudig. Bij
iedere willekeurige andere tegenstander had hij er moeiteloos een
beslissende overwinning uit kunnen slepen. Maar ondanks Jacoby's verraad was hij nog niet zo ver dat hij hem serieus wilde beschadigen. Het was gemakkelijker geweest om zich simpelweg te
verdedigen tegen Jacoby's aanvallen. Inmiddels zag hij zich geconfronteerd met de oneindig complexere situatie van een tegenstander die zijn moed leek te hebben verloren. Natuurlijk was het
mogelijk dat het allemaal bluf was, een ingewikkeld scenario om
hem op het verkeerde been te zetten. Maar wanneer hij in Jacoby's
ogen keek, wist Connor dat er geen sprake was van bluf.

Hij moest alert blijven, en dus was dat het waarop hij zich de
eerste paar manoeuvres volledig concentreerde, terugkerend naar
het volmaakte *zanshin*. Ondertussen bleef zijn blik op de ogen
van Jacoby en de kling van zijn degen gericht. Hij was zich bewust
van het publiek dat ademloos toekeek, aan de andere kant van de
smalle strook water. Hij registreerde de maskerachtige uitdruk-
kingen op de gezichten van Cheng Li en commodore Kuo. Ook zij
moesten beseffen dat hij hun verraad doorhad. Maar ze waren
wijs en ervaren genoeg om niets te laten merken.

Connor sloeg al wat hij zag en dacht zorgvuldig op, maar toen
klonk er ineens een geluid uit de richting van de haven. Zijn aandacht werd weer naar het gevecht met Jacoby getrokken – naar
een buitengewoon veeleisende, atletische reeks manoeuvres waarbij ze elkaar van de ene kant van het strijdperk naar de andere
dreven. Opnieuw klonk er geluid vanuit de haven, maar Connor
kon het zich niet veroorloven zijn aandacht ook maar een fractie

van een seconde te laten afleiden. Maakte dit ook onderdeel uit van het geheime plan? Hij moest iets doen, en snel ook. Dus hij nam vliegensvlug een beslissing.

Toen ze al parerend op de uiterste rechterkant van het toneel terechtkwamen, lanceerde Connor een stoot die niet in de choreografie stond, maar waardoor Jacoby's degen ver werd afgebogen. Jacoby wankelde door de inspanning om greep op zijn wapen te houden, en Connor maakte van zijn verwarring gebruik om met de Toledokling uit te halen naar de hals van zijn tegenstander. In paniek liet Jacoby zijn degen vallen. Er ging een zucht van ontzetting door het publiek, terwijl Connor zijn kling geheven hield, net boven Jacoby's hals.

'Vertel op!' beet hij Jacoby toe. 'Zachtjes, en snel!'

Jacoby reageerde onmiddellijk. 'Ik wilde het niet, Connor. Ze hebben me gedwongen. Het was de bedoeling een schokeffect te creëren, zodat je gedwongen zou zijn je van je allerbeste kant te laten zien.'

'Ze hadden me laten vermoorden!'

'Nee,' zei Jacoby. 'Nee, echt niet. Dat is nooit de bedoeling geweest. Alleen een schokeffect. Ik wilde het niet. Je hebt gezien hoe ik de mist in ging.'

Connor aarzelde. Een verkeerde impuls op een moment als dit kon beslissend zijn. Hij zocht Jacoby's blik. In zijn ogen las hij oprechte spijt en verwarring, maar niets dat wees op een moordenaar.

Hij trok de punt van de Toledokling weg, alert op een verrassingsaanval. Terwijl hij een stap naar achteren deed, raapte hij met zijn linkerhand de Saffierdegen op. Toen hief hij beide wapens in de richting van het publiek – doodop, bebloed, maar als overwinnaar.

Het publiek barstte los in gejuich, hun kreten klonken luider dan ooit.

Commodore Kuo sprong op en riep hen naar voren te komen om zich bij hem te voegen.

Geen van beide strijders verroerde zich; ze waren met stomheid geslagen door wat er was gebeurd.

'Kom op, piraten van me!' riep de commodore, nu met nog meer kracht.

Connor nam hem minachtend op. Ze konden de rector gewoon negeren en op het oefendek blijven staan. Maar hij kwam er niet omheen hem ter verantwoording te roepen. Dus hij liep met grote stappen de pier over, zijn tegenstander achterlatend.

'Goed gestreden,' zei Kuo toen Connor voor hem stond.

Hij keek de commodore woedend en ongelovig aan. 'Hou op met dat neerbuigende gedoe.'

'Pardon?' De commodore keek verward.

'Het was allemaal doorgestoken kaart! Een smerig plan van u en Cheng Li. U hebt mijn beste vriend tegen me opgezet.'

Kuo schudde zijn hoofd en schonk het publiek een stralende glimlach. 'Ik wilde alleen maar weten wat je kon, Connor. Wat je écht kon. Demonstratiegevechten zijn leuk en aardig, maar ik moest weten wat je uit de kast kon halen bij een werkelijk conflict. En je bent geslaagd. Wat heet! Je bent geslaagd met vlag en wimpel. Je plaats in de Piratenfederatie is verzekerd.'

'Weet u wat u kunt doen met die Federatie?' Connor hield de rector woedend beide zwaarden voor. Zijn woorden werden overstemd door een nieuwe uitbarsting van gejuich. De rector sprong op de pier en keek Connor aan langs de twee klingen die deze op hem gericht hield.

'Kijk eens achter je, Connor.'

Hij was verbluft. Kon Kuo niets beters bedenken? Dit was zo ongeveer de oudste truc die er bestond.

'Connor, achter je.'

Hij schudde zijn hoofd. De tijd dat hij deed wat de commodore hem opdroeg, was voorbij.

'Connor, kijk achter je!'

Dit keer was het niet de rector die dat zei. Het was een andere stem – een stem die Connor oneindig veel welkomer was.

'Molucco!'

Connor draaide zich om. Hij was nog nooit zo gelukkig geweest om zijn oude bondgenoot te zien, die in zijn mooiste kleren voor hem stond.

'Voor jou nog altijd kapitéin Wrathe!'

'Kapitein Wrathe!' Connor deed een stap naar voren. Hij was zo blij Molucco te zien dat hij hem had kunnen omhelzen – ware het niet dat hij nog altijd twee zwaarden in zijn handen hield.

'Is dat... Maar dat kan toch niet waar zijn! Is dat mijn oude rapier?' vroeg Molucco.

'Ja.' Connor hield hem het gevest van het wapen voor. De kapitein pakte het aan en woog het op zijn hand. Even gleed er een verdrietige trek over zijn gezicht.

'Wat komt u doen?' vroeg Connor. 'We hadden u pas morgen verwacht.' Hij glimlachte. 'Niet dat ik niet blij ben u te zien,' haastte hij zich eraan toe te voegen.

'Er is iets verschrikkelijks gebeurd,' zei Molucco. Hij nam zijn hoed af en Scherpent kwam tevoorschijn. De slang stak zijn kop naar voren alsof hij Connor wilde begroeten.

'Wat dan?' vroeg Connor. 'Wat is er aan de hand?'

'Het gaat om mijn broer,' zei Molucco. 'Mijn dierbare broer... Kapitein Porfirio Wrathe.' Zijn stem brak, en er biggelde een grote, glinsterende traan over zijn wang.

'Wat is er met Porfirio?' Commodore Kuo deed een stap in Connors richting en kwam dicht naast hem staan.

'Hij is wreed vermoord. Uiterst wreed zelfs,' vertelde Molucco. 'Net als zijn bemanning... Misschien een handvol heeft het overleefd.'

Connor huiverde. 'Wat is er gebeurd?'

Kapitein Wrathe schudde zijn hoofd. 'Er is een tijd van verhalen vertellen en een tijd om in actie te komen, beste jongen. Ga je spullen pakken. Ik heb je nodig op de *Diablo*. We zullen tot de laatste man moeten laten zien wat we waard zijn. De moord is nu nog vers, en ik wil met wraak nemen geen minuut langer wachten dan nodig is.'

Connor knikte. 'Ik ben zo terug!'

'Vergeet je niet iets?' vroeg de commodore. 'Ik stel voor dat we naar mijn kamer gaan om deze kwestie in klein comité te bespreken.'

Connor schudde zijn hoofd. 'Dat is niet nodig. We hebben elkaar niets meer te zeggen.'

'Maar Connor...' begon de commodore.

Die schudde zijn hoofd en keerde de man voor wie hij eens zoveel respect had gehad, de rug toe.

Cheng Li stond op en belemmerde hem de weg. 'Connor, beheers je. Laat je niet meeslepen door je gevoelens.'

'Naar jou luister ik al helemaal niet meer!' Haar verraad deed hem zo mogelijk nog meer pijn.

'Maar je moet naar me luisteren! Je bent nu misschien boos op me, maar er zijn dingen die je niet begrijpt.'

'Dat zeg je altijd,' zei hij. 'Maar het tegendeel is het geval. Er is me ineens een heleboel duidelijk geworden.'

Hij liep langs haar heen, het met fakkels verlichte looppad op, vastberaden om naar zijn kamer te gaan en zijn spullen te pakken. De leerlingen van de Academie hadden niet in de gaten wat er aan de hand was, dus ze klopten hem op de rug en waren vol lof over zijn schermkunst.

'Je kunt niet zomaar weggaan,' riep Cheng Li hem na. Hij bleef met een ruk staan en draaide zich naar haar om.

'Waarom niet?'

'Omdat je Grace hier niet alleen kan laten.' Cheng Li keek hem glimlachend aan, ervan overtuigd dat ze hem daarmee alsnog de pas afsneed.

Hij pakte haastig zijn spullen en daalde toen voor de allerlaatste keer de heuvel van de Academie af. Zijn hoofd gloeide en bonsde pijnlijk na alles wat er was gebeurd, en zijn verwonde oor kon wel wat verzorging gebruiken – maar niet van iemand zoals zuster Carmichael. Hij wilde niets meer te maken hebben met de Academie en iedereen die daar deel van uitmaakte.

Op het terras was een barbecue neergezet, en de leerlingen waren bezig hun borden vol te laden en toe te tasten. Het viel niet mee om ongemerkt langs hen te glippen, maar gelukkig hadden de meesten het te druk met eten om hem aan te klampen. Hij hoopte oprecht dat hij commodore Kuo en Cheng Li niet zou tegenkomen. Nog een confrontatie was wel het laatste waaraan hij behoefte had. Ze hadden hem geraakt, en hij hoefde hun excuses en uitleg niet meer te horen. Daar kon toch niets goeds van komen. Hij liet zijn blik over het terras gaan. Aan het eind stond een tafel voor de leraren. Natuurlijk! Hij werd geacht zich bij hen te voegen voor het diner. Niet dus – er zou die avond een plek aan tafel leeg blijven.

Toen hij het pad insloeg naar de haven, stapte iemand naar voren vanuit de schaduw tussen de bomen langs het pad. Connor deinsde achteruit. Het was kapitein Lisabeth Quivers. Wat wilde ze van hem?

'Connor, ik wil alleen maar zeggen dat het me spijt wat er is gebeurd.'

Hij zweeg even en nam haar onderzoekend op. Ze klonk oprecht, moest hij toegeven.

'Het spijt me dat je verblijf op de Academie op deze manier moet eindigen. De rector heeft soms de neiging net iets te ver te gaan.'

Dat was wel érg voorzichtig uitgedrukt. 'Hij had me bijna laten vermoorden!' zei Connor dan ook.

'Ik kan niet goed maken wat hij heeft gedaan, en dat wil ik ook niet,' zei kapitein Quivers. 'Net zomin als ik je wil ophouden. Ik besef dat Molucco haast heeft en dat je zo snel mogelijk naar hem toe wilt. Maar ik wil alleen maar zeggen dat we niet allemaal hetzelfde zijn – op de Academie en bij de Federatie. Mocht je ooit van gedachten veranderen, dan zou ik het als een eer beschouwen wanneer je contact met me zoekt.'

Het was een eerlijk verzoek van een fatsoenlijke vrouw. Hij waardeerde het gebaar.

'Dank u wel.' Hij schudde haar de hand. 'Maar nu moet ik ervandoor.'

Ze knikte en schonk hem een glimlach. Toen gingen ze ieder hun eigen weg.

De *Diablo* lag te wachten in de haven. De aanblik was als balsem op Connors gekwetste ziel. Hij kon niet wachten tot hij aan boord was en wegvoer van de Academie. Maar voordat hij de haven bereikte, kruiste opnieuw iemand zijn pad. Het was Jacoby.

'Sorry, maar ik praat niet meer met je.' Connor liep door.

'Ik verdien niet beter.' Jacoby liep achter hem aan. 'En je hoeft ook niets te zeggen. Maar ik wil dat je weet dat het me spijt, Connor. Het spijt me echt. Ik ben je vriend...'

Connor bleef alsnog staan en draaide zich om. 'Als je dat een "vriend" noemt.'

'Ze hebben me gedwongen,' zei Jacoby. 'Maar ik had nee moeten zeggen.'

'Ja,' zei Connor. 'Ja, je had nee moeten zeggen.'

Hij liep door. Inmiddels had hij de haven bereikt.

'Ik ga niet om vergiffenis smeken,' zei Jacoby. 'Dat zou wel erg makkelijk zijn, en je zou toch nee zeggen. En dat begrijp ik ook heel goed. Het is allemaal nog te vers. Maar ik ben je vriend, Connor! Echt waar! Tenminste, ik zou graag je vriend willen zijn. Het is verkeerd wat ik heb gedaan, maar ik zal een manier zien te vinden om het goed te maken. Het kan even duren, maar uiteindelijk zal het me lukken.'

'Je doet maar. Dag!' Connor reikte naar de ladder die langs de romp van het schip hing.

Zonder ook nog maar één blik achterom te werpen, keek hij langs de touwladder omhoog. Aan de reling stond Bart. Hij wuifde en keek glimlachend op hem neer. 'Hé, maatje! Welkom terug!'

Connor beantwoordde zijn glimlach en begon langs de ladder omhoog te klimmen, zijn echte vriend tegemoet.

De terugkeer

GRACE STOND ONDER DE zeilen van het vampiratenschip. Haar hart bonsde. Was ze echt terug? Ze voelde de planken onder haar voetzolen. Er was niet langer een onzichtbare barrière die haar op afstand hield. Ze stak haar hand uit en raakte de mast aan. Op hetzelfde moment schoot er een soort bliksemschicht door de zeilen omhoog, waardoor ze stralend werden verlicht en even aan gespreide, bronzen vleugels deden denken.

Ze hoorde het knarsen van een deur die openging. Haar blik gleed over het dek, en ze zag dat het de deur was van de kapiteinshut. Plotseling stond ze als aan de grond genageld. Ze dacht aan de eerste keer dat ze de kapitein van de vampiraten had opgezocht; aan haar totale gebrek aan angst. Nu was ze niet alleen bang, maar bovendien ten prooi aan allerlei andere emoties. Tenslotte wist ze nu zo veel meer, vóélde ze zo veel meer.

'Kom, Grace.' Zijn fluisterstem, zoals gebruikelijk zonder een zweem van emotie, vulde haar hoofd.

Was hij nog steeds boos op haar? Ze fronste haar wenkbrauwen. Hoe hij ook over haar dacht, zij was in elk geval nog wel boos op hém. Ze stak met grote stappen het dek over, naar zijn hut.

Terwijl ze over de drempel stapte, zochten haar ogen de vertrouwde gedaante, met zijn cape en zijn masker. Er was echter geen spoor van hem te bekennen. Ze liep verder de hut in, waarbij de deur achter haar dichtviel. Terwijl ze door de duisternis liep, ontdekte ze licht in de verte. Ten slotte zag ze zijn silhouet door de openslaande deuren aan het eind van de hut. Hij stond op de brug, aan het roer van het schip.

'Ben ik deze keer echt terug?' vroeg ze. 'Ik bedoel, écht, heel echt?'

De kapitein draaide zich naar haar om. Een plotselinge woede nam bezit van haar bij het zien van zijn masker. Waarom was hij zo bang emoties te tonen? Hij stond daar maar, als een standbeeld, en zei niets. Ze merkte dat ze begon te beven van woede.

'Ja, je bent terug.' Eindelijk was ze zich weer bewust van zijn fluistering in haar hoofd. 'En daar ben ik blij om.'

Er trok een lichte rimpeling over zijn masker, waardoor ze besefte dat hij glimlachte. Dat deed haar plezier, maar daarmee was hij nog niet van haar af.

'Hoezo, u bent blij?' vroeg ze. 'De vorige keer zei u dat ik niet meer terug mocht komen!'

De kapitein wendde zich af van het roer. Niet voor het eerst zag Grace dat het stuurwiel gewoon bleef draaien – een beetje naar links, een beetje naar rechts – ook zonder de hand van de meester. De kapitein kwam naar haar toe en strekte zijn handen naar haar uit. Ze waren zoals altijd in handschoenen gestoken.

'Ik weet dat ik je pijn heb gedaan, Grace. En dat spijt me. Ik had zo veel aan mijn hoofd, zo veel problemen waarvoor ik een oplossing moest zien te vinden.'

Grace voelde tranen in haar ogen branden. 'Dat is geen excuus,' zei ze. 'Zoiets doe je niet met je vrienden. Die stuur je niet weg. Integendeel, je vraagt ze te blijven, om je te helpen!'

Opnieuw bleef het stil, en ze vroeg zich af of ze te ver was gegaan met haar uitbarsting. Maar hij legde zijn handen op haar schouders en boog zijn hoofd.

'Nogmaals, kindje, het spijt me. Je hebt gelijk. Ik was mezelf niet. Er waren allerlei nieuwe bedreigingen, nieuwe gevaren waar ik mee af te rekenen had. Maar dat is geen excuus voor... voor het feit dat ik zo wreed tegen je ben geweest.'

Grace was geschokt. Ze kon haar oren niet geloven. De kapitein van de vampiraten verontschuldigde zich tegenover haar! Maar hoe bevredigend dat ook mocht zijn, wat hij zei verontrustte haar enorm. Plotseling had ze het gevoel alsof hij bij háár aanklopte om steun. Ze wilde helpen – ze wilde al heel lang dat ze haar de kans zouden geven hen te helpen – maar nu drukte de verantwoordelijkheid plotseling als een loden last op haar schouders.

De kapitein ging Grace voor naar zijn heiligdom, zijn binnenhut, en gebaarde haar bij hem aan tafel te komen zitten. Zoals gebruikelijk lag die bezaaid met kaarten, maar deze keer ook met talloze oude boeken. Het deed Grace aan vroeger denken, als ze huiswerk zat te maken, boeken doorspittend, wanhopig op zoek naar antwoorden.

'Zoals je weet, hebben we hier problemen gehad sinds je vertrek,' vervolgde de kapitein. 'Ik wilde je niet in dat soort gevaarlijke situaties betrekken. Je zou op het schip niet veilig zijn geweest.'

'Dat was ik op de Piratenacademie ook niet echt.'

'Dat heb ik gemerkt. Daarom ben ik je uiteindelijk ook komen halen.'

'Ja, maar toen was ik wel bijna verdronken!'

Hij schudde zijn hoofd. 'Dat had je niet moeten doen, Grace. Het was niet nodig. En dom.'

'Ja, dat besef ik inmiddels ook,' antwoordde ze beschaamd. 'Maar ik wist niet wat ik anders moest doen. Ik wilde zo verschrikkelijk graag terug naar het schip. Dus als ik zorgde voor dezelfde omstandigheden...'

'Ik weet waaróm je het hebt gedaan,' fluisterde hij. 'En ik bewonder je om je dapperheid. Maar soms moet je leren te wachten.

"Vertrouw op het getij", zei je vader altijd.' Hij zweeg even. Grace wilde vragen hoe hij dat wist, maar toen praatte hij al verder.

'De nacht dat je in de haven sprong, was ik zelf ook bezig onder te gaan in duistere wateren. Ik kon je toen niet te hulp komen. Maar ik wist dat Connor je niet in de steek zou laten. Je hebt een dappere broer. Dapper en trouw.'

'Ja.' Grace knikte. Plotseling voelde ze zich heel dom en onwetend.

'Het spijt míj ook.' Ze liet haar hoofd hangen. 'Echt waar.'

'Kijk maar niet zo somber,' zei de kapitein. 'Je bent een dapper, verstandig meisje, Grace. En je beschikt over enorme vermogens, ook al besef je volgens mij nog niet helemaal de volle omvang daarvan. En ook al weet je nog niet hoe je ze moet gebruiken.'

'Wat voor vermogens?'

Ze werd vervuld door nieuwe moed en wilde er dolgraag meer over horen. Maar de kapitein liet zich niet opjagen.

'Denk maar eens aan hoe je kon communiceren met je vrienden hier aan boord. En hoe je diverse keren hierheen hebt weten te komen...'

Grace voelde zich in verwarring gebracht. 'Maar ik dacht dat zíj míj riepen,' zei ze. 'Eerst kwam Darcy bij me langs, toen had ik die visioenen van Lorcan. En pas daarna ben ik in mijn dromen hierheen gereisd. Ik dacht dat júllie me terugriepen.'

'Darcy is op eigen houtje naar je toe gegaan,' zei de kapitein. 'Ik was boos op haar – omdat ik vanwege het gevaar niet wilde dat je terugkwam – maar ik kon niet boos blijven. Je hebt een gevoelige snaar bij Darcy getroffen, haar ontroerd, daarom is jullie contact zo sterk. Trouwens, hetzelfde geldt voor Lorcan... en voor anderen.' Opnieuw boog hij zijn hoofd. 'Maar het was niet door ons toedoen dat je terugkwam, Grace. Dat heb je zelf gedaan. Je hebt er zelf voor gekozen die reizen te maken.'

Ze had het zelf gedaan? Kon dat echt waar zijn?

Die keer onder de jacaranda...

En toen in bed, in haar kamer op de Academie...

En de laatste keer, op haar balkon...

Had ze zelf het initiatief voor die reizen genomen? Het was moeilijk te zeggen. En het waren zeker geen bewuste beslissingen geweest, hoe graag ze ook had willen helpen.

'Ja, Grace. Je hebt zelf gekozen om naar ons toe te komen. Net als die eerste keer.'

Net als die eerste keer? Wat bedoelde hij?

'De eerste keer, de allereerste keer, was ik gewoon overvallen door noodweer,' zei Grace. 'Het scheelde niet veel of ik was verdronken, en toen heeft Lorcan me gered.'

De kapitein zweeg even. Ze wist echter dat zijn zwijgen slechts een sluier was over gedachten die hij nog niet onder woorden kon brengen. Eenvoudigweg omdat hij daar nog niet klaar voor was.

'Hoe ís het met Lorcan?' vroeg ze, verlangend het laatste nieuws te horen.

'Eén ding tegelijk,' zei de kapitein. 'Je moet leren geduld te hebben, kindje.'

Grace slaakte een zucht. Hoe graag ze de kapitein ook mocht, soms kon hij haar razend maken. Dat was ze tijdens haar afwezigheid vergeten.

Plotseling stond hij weer op, en hij liep naar de haard. Zijn lange mantel sleepte achter hem aan. Vonken speelden over het netwerk van aderen.

'Er is iemand van wie ik graag wil dat je hem ontmoet,' zei hij ten slotte.

'Wie? Waarom?' Ze hoopte dat hij niet weer boos op haar zou worden vanwege al haar vragen.

'Hij heet Mosh Zu Kamal en hij is een oude vriend van me. Mijn goeroe, zou je kunnen zeggen.'

Goeroe? Grace wist dat het woord zoiets als leider of leraar betekende. Het verraste haar te ontdekken dat er iemand was die hoger stond dan de kapitein; iemand tegen wie hij opkeek. Maar toen herinnerde ze zich hoe kwetsbaar de kapitein haar even eerder nog had geleken. Het was een geruststellende gedachte dat hij tenminste iemand had die hij in tijden van nood om raad en steun kon vragen.

'Hij is degene die met het idee van het schip kwam,' vervolgde de kapitein. 'Hij is degene die me, helemaal in het begin, toen ik me totaal verloren voelde, de weg wees.'

Grace was buitengewoon geïntrigeerd door de gedachte aan een dergelijke figuur – ze had geen idee hoe ze zich de goeroe van een vampiratenkapitein moest voorstellen. 'Waar is hij? Is hij aan boord van het schip? En waarom heb ik hem nog niet ontmoet?'

De kapitein glimlachte. Deze keer leek hij geamuseerd door haar stortvloed aan vragen. 'Nee, hij is niet aan boord, ook al komt hij van tijd tot tijd wel langs. Maar deze keer gaan wij bij hém langs. Sterker nog, we zijn al naar hem op weg.'

'Waar woont hij dan?' vroeg Grace.

'Hij woont op een plek die de Wijkplaats wordt genoemd,' antwoordde de kapitein. 'Helemaal boven op een reusachtige berg.'

Grace keek naar de kaart die op de tafel van de kapitein lag uitgespreid.

De kapitein schudde, niet voor het eerst, zijn hoofd. 'Ik ben bang dat je de Wijkplaats op geen enkele kaart zult vinden, kindje.'

Grace voelde zich in verwarring gebracht, maar ook opgewonden. Als het niet op een kaart stond, hoe kon de kapitein er dan heen varen? Hoe zouden ze de Wijkplaats dan ooit kunnen vinden? Nu besefte ze pas goed dat ze terug was op het vampiratenschip! Net zoals ze besefte waaróm ze had moeten terugkeren. Dit schip herbergde zo veel mysteries. Ze had de magie ervan nog lang niet doorgrond. Integendeel, ze begon pas!

'Gaan we er nu naartoe?' vroeg ze, nadat ze had besloten zich op concretere dingen te concentreren. Was het ver, vroeg ze zich af. En waarom gingen ze erheen? Was dat alleen vanwege háár?

De kapitein glimlachte weer. 'Om je de waarheid te zeggen zijn er verschillende dingen waarover ik Mosh Zu moet raadplegen. Om te beginnen geloof ik dat hij Lorcan kan helpen...'

'U bedoelt dat hij zijn blindheid kan genezen?'

'Ik bedoel niet meer dan ik zeg, Grace. Mosh Zu zal Lorcan kunnen helpen.'

Grace fronste haar wenkbrauwen. Wilde de kapitein daarmee zeggen dat Lorcan voorgoed blind zou blijven? Dat deze goeroe hem alleen zou kunnen helpen om met zijn blindheid te leren leven? Dat was niet genoeg! Lorcan móést weer kunnen zien! Ze voelde zich nog altijd vreselijk verantwoordelijk voor wat er was gebeurd.

'Het is niet jouw schuld.' Alweer leek het of de kapitein haar gedachten kon raden. 'Het was verkeerd van me om dat te zeggen...'

'Maar het is wél mijn schuld,' zei ze spijtig. 'Natuurlijk is het mijn schuld. Hij zou nooit bij daglicht naar buiten zijn gegaan, als hij mij niet had willen beschermen.'

'Dat mag dan waar zijn, maar Lorcan werkt zelf bepaald niet mee aan zijn genezing.'

Grace knikte. Ze herinnerde zich maar al te levendig haar laatste 'droomreis' naar het schip, op de avond van het Feestmaal, toen Darcy haar had verteld dat Lorcan geen bloed meer wilde nemen van zijn donor.

'Kan ík iets doen om Lorcan te helpen?' vroeg ze wanhopig.

'Ja,' zei de kapitein tot haar verrassing. 'Natuurlijk kun je iets doen. En dat weet je maar al te goed.'

'Ik wéét waarmee ik hem kan helpen?' vroeg ze verbluft.

'Zoek naar het antwoord,' zei de kapitein. 'Je hebt het in je.'

Plotseling keek hij weer bezorgd. In zijn ogen kwam een uitdrukking die ze daar al eerder had gezien – een uitdrukking die wilde zeggen dat hij alleen moest zijn.

'U wilt dat ik wegga, hè?' vroeg ze dan ook.

'Het is geen kwestie van willen,' antwoordde hij. 'Maar ik moet aan het werk. En ik moet nadenken over een aantal vragen.'

'Vragen die met Lorcan te maken hebben?'

Hij schudde zijn hoofd. 'Er zijn andere dringende zaken die mijn aandacht vereisen.'

'Kan ik helpen? Ik wil doen wat ik kan. Dat weet u.'

De kapitein legde een hand met de handschoen op haar schouder.

'Je hélpt me al, Grace,' fluisterde hij. 'Meer dan je beseft.'

Een nieuw soort vijand

HET WAS EEN HEEL andere Ma Kettle's dan de taveerne die Connor zich herinnerde, toen hij er die avond met de bemanning van de *Diablo* naar binnen stapte. Er waren niet minder mensen dan gebruikelijk, maar de stemming was gedrukt. Meestal kon je jezelf amper horen denken boven de herrie van gepraat en muziek, grappen en onbeduidende vechtpartijtjes uit, maar vanavond klonken de stemmen gedempt, waren de gesprekken ingehouden. Iedereen had gehoord wat er met Porfirio Wrathe en zijn bemanning was gebeurd, maar bijna niemand kon het echt geloven.

'Lucky! Wat fijn om je te zien!' Ma Kettle pakte Molucco's hand. Ze was simpeler, conservatiever gekleed dan anders, viel Connor op. Sugar Pie stond naast haar, met een blad vol drankjes. Ook zij was eenvoudiger gekleed en gekapt. Zonder make-up vond Connor haar nóg mooier. Ze schonk hem een lieve glimlach, en hij wendde verlegen zijn hoofd af.

'Iedereen wacht al op je,' zei Ma Kettle tegen Molucco. 'Ze zijn er allemaal. Ik wist dat ze zouden komen. Wil je hen nu meteen toespreken, of liever eerst een hartversterkertje?'

Molucco keek haar verdrietig aan en haalde zijn schouders op. Hij was zo uit zijn doen dat zelfs de eenvoudigste beslissingen hem zwaar vielen.

'Alsjeblieft!' Ma Kettle deelde glazen rond van het blad van Sugar Pie. Ze waren gevuld met een doorzichtige rode vloeistof. 'Koraalbrandewijn,' zei Ma. 'De smaak is twijfelachtig, maar het geeft je een enorme opdonder! In positieve zin! Ze zeggen dat je er net zo sterk van wordt als de koraalriffen. Ook een voor jou, Mr. Tempest. En voor jou, Bartholomeus.'

Ma en Sugar Pie namen de laatste twee glazen.

'Op Porfirio!' Ma hief haar glas. Ze sloten zich aan bij haar toost en sloegen de brandewijn achterover. Connor griezelde. Het was het smerigste wat hij ooit had geproefd. Maar toen de weerzinwekkende smaak eenmaal begon weg te ebben, voelde hij dat een vreemde warmte zich door zijn lichaam verspreidde.

'Kom mee.' Opnieuw pakte Ma Molucco's hand.

Ze loodste kapitein Wrathe naar het podium in het midden van de gelagkamer. Connor en Bart gingen aan de zijkant staan en lieten hun blik over de enorme massa piraten gaan.

'Ze zijn van heinde en verre gekomen,' zei Bart. 'Om kapitein Wrathe hun steun te betuigen.'

Connor keek om naar Molucco, terwijl de kapitein naar de voorkant van het toneel liep. 'Hij is echt uit zijn doen, hè?'

'Man, je zou hem privé moeten zien,' antwoordde Bart. 'Hij is er helemaal kapot van. Echt, hij weet zich geen raad.'

'Ik kan het hem niet kwalijk nemen,' zei Cate, die op dat moment bij hen kwam staan. 'Het is gruwelijk wat ze Porfirio hebben aangedaan.'

Connor knikte. Het wilde nog steeds niet helemaal tot hem doordringen.

'Goede vrienden!' Molucco liet zijn blik over de dicht opeengepakte piraten gaan. 'Bedankt voor jullie komst. Jullie steun betekent heel veel voor me op een moment als dit.' Hij zweeg even. 'Het verlies van een dierbare broer slaat diepe wonden. Dieper is nauwelijks denkbaar. Maar wanneer de omstandigheden zo gruwelijk zijn, dan raakt dat je tot in de kern, tot in het wezen van je bestaan.' Hij zweeg opnieuw even. 'Mijn oude hart is gebroken door wat er is gebeurd.' En weer biggelde er een traan over zijn gezicht. Ma Kettle kwam naar voren en stopte hem een zakdoek in de hand. Hij pakte hem aan, maar maakte geen aanstalten de traan weg te vegen. Zijn gehoor wachtte geduldig tot hij verder sprak.

'Neem me niet kwalijk,' zei hij ten slotte. 'Ik ben hier niet gekomen om jullie medeleven af te smeken.'

'Dat hoeft ook niet! Dat heb je al!' riep een van de piraten in de massa.

'Bedankt. Dat is heel vriendelijk van u, maar ik meen het, ik ben hier niet gekomen om te vragen om betuigingen van deelneming.' Hij haalde diep adem. 'Ik ben hier om jullie te vragen in actie te komen!'

'Zeg maar hoe je het hebben wilt!' riep een van de piraten vóór Connor.

'Ja!' schreeuwde een ander. 'We staan vierkant achter je!'

'Aye!' bulderden enkele honderden piraten in koor. De haren in Connors nek gingen overeind staan. Hij had nog nooit zo veel mensen verenigd gezien voor een goede zaak.

Toen klonk er een eenzame stem, ergens uit het donker. 'Laat het aan de Federatie over. De Piratenfederatie is er om dit soort zaken af te handelen.' De stem klonk Connor vertrouwd in de oren, maar hij kon de spreker niet zien.

Molucco schudde zijn hoofd. 'Waar heb ik de Federatie voor nodig, als ik vrienden heb? We zullen de handen ineenslaan en de vijand verslaan.'

Na die woorden barstte een gejuich los.

'Volgens mij zijn de meesten van jullie op de hoogte van de gruweldaad, nu twee nachten geleden,' vervolgde Molucco. 'Het schip van mijn broer raakte verzeild in een verschrikkelijke storm en zocht beschutting in een baai niet ver van hier, dicht bij een vuurtoren. Porfirio en zijn dappere bemanning vochten tegen de elementen en hoopten dat de mensen uit de vuurtoren hun te hulp zouden komen.' Zijn stem werd krachtiger. 'Maar de mannen van de vuurtoren brachten geen hulp! Ze brachten de dóód!'

Toen Molucco opnieuw even zweeg, had je een speld kunnen horen vallen op de smoezelige houten planken van de gelagkamervloer.

'We weten niet precies wat er is gebeurd,' zei Molucco. 'Hoe dan ook, van een honderdvijftigkoppige bemanning wisten slechts zeventien mannen en vrouwen de gebeurtenissen van die nacht te overleven. Ik heb met sommigen gesproken, maar alleen met degenen die nog bij hun verstand zijn. Ze vertelden me dat de gruweldaden van de mannen van de vuurtoren alles overtroffen wat ze ooit hadden meegemaakt, in al hun jaren op zee.' Molucco liep nog verder naar de voorkant van het toneel en strekte zijn arm. 'Vrienden, laat er geen misverstand over bestaan. Dit is een geheel nieuw soort vijand. Een gesluierde vijand. Een vijand die niet uit is op goud, op buit. Het gaat deze vijand alleen om bloed.'

Connor kreeg het ijskoud bij Molucco's woorden. En hij niet alleen. Alle piraten – mannen en vrouwen, jong en oud – die op die avond in de gelagkamer van Ma Kettle's verzameld waren, voelden de rillingen over hun rug lopen. Connor had het echter nog moeilijker toen hij dacht aan Grace die was teruggekeerd naar het vampiratenschip. En hij, Connor, had het goedgevonden! Niet dat ik veel kans zou hebben gemaakt om mijn zus tegen te houden, dacht hij spijtig. Bovendien hield Grace hardnekkig vol dat de meeste vampiraten vredelievende wezens waren. Hij hoopte vurig dat ze gelijk had. Dat de gruwelijke beschrijving die Molucco zojuist had gegeven, slechts van toepassing was op een paar afvalligen.

'Porfirio's schip is hier niet ver vandaan,' vervolgde Molucco.

'De monsters hebben het gekaapt en varen ermee langs de kust. Maar dat zal niet lang meer duren.' Hij verhief zijn stem en riep bulderend: 'Ik zal het niet laten gebeuren dat ze wegvaren met het schip van mijn broer.'

'We zullen het schip terugveroveren!' riep een andere kapitein.

'Reken maar!' riep Molucco terug. 'Het zal niet moeilijk zijn het schip te bereiken. Maar wat doen we wanneer we eenmaal aan boord zijn?'

'Molucco!' riep een stem aan de zijkant van het toneel.

'Ja, kapitein.'

'Molucco, voor zover we hebben begrepen zijn er maar vijf van deze... demonen.'

'Dat klopt,' zei Molucco. 'Er zijn er maar vijf aan boord. Het klinkt ongelooflijk, maar het is echt waar. De overlevenden hebben me verteld dat het maar vijf monsters waren die al dat verderf en die verwoestingen hebben aangericht.'

'Maar we mogen ze niet onderschatten,' riep de andere kapitein.

'Nee,' viel Molucco hem bij, en hij schudde zijn hoofd. 'Vijf klinkt onbeduidend tegenover een overmacht als de onze, maar vergis je niet. Dit zijn geen gewone tegenstanders. Ze hebben geen zwaarden – en laten zich er ook niet door afschrikken.'

'Dus we hebben een ander wapen nodig,' riep de kapitein in het publiek.

Molucco knikte. 'Een nieuw soort wapen voor een nieuw soort vijand. Maar wat?'

Even was het stil in de taveerne, toen zwol het geluid aan als een aanrollende golf, terwijl de bijeengekomen piraten overlegden welk wapen ze moesten kiezen. Connor liet zijn blik over de menigte gaan. Midden tussen de piraten ontdekte hij een lange vreemdeling, gekleed in een donkere, leerachtige mantel. Zijn gezicht ging schuil achter een masker. Ondanks dat masker kon Connor zien dat de vreemdeling strak naar hem keek – alleen naar hem. Toen hoorde hij een fluisterende stem in zijn hoofd:

'Vuur.'

Hij dacht dat zijn ogen en zijn oren hem bedrogen – misschien een gevolg van de koraalbrandewijn. Maar de gemaskerde vreemdeling bleef naar hem staren, en opnieuw werd zijn hoofd gevuld door die merkwaardige fluisterstem.

'Vuur, Connor. Vertel het ze maar.'

Instinctief deed hij zijn mond open en riep: 'Vuur!'

Op slag vielen de gesprekken stil en waren alle ogen op hem gericht.

'Ik bedoel niet dat de boel in brand staat,' zei Connor haastig. 'Ik bedoel dat vuur ons wapen zou moeten zijn. Dat we de vijand met vuur moeten bestrijden.'

'Natuurlijk, dat is het!' riep Molucco. 'Simpel, effectief – briljant! Inderdaad, Mr. Tempest. Vuur zal ons wapen zijn.' Plotseling was hij weer een en al zakelijkheid. 'Ik zou alle kapiteins en onderkapiteins die hier aanwezig zijn, willen vragen zich met mij terug te trekken, om een strategie te bepalen...'

Connor liet zijn blik weer over de menigte gaan, die zich begon te verspreiden. De gemaskerde vreemdeling beantwoordde zijn blik en knikte.

'Kom mee, Connor, laten we zien dat we een stoel krijgen, maatje,' zei Bart.

'Oké.' Connor keerde zich naar zijn vriend. 'Ga maar vast. Ik kom zo bij je, maar ik moet eerst nog even iemand spreken.'

'O? Wie dan?'

'Met die man daar – met dat masker.'

'Masker? Ik zie niemand met een masker.'

'Daar! Midden in de gelagkamer.'

'Heb je soms last van de brandewijn?'

Connor was al weggelopen en zette met grote stappen koers naar de gemaskerde onbekende. Hij wenkte Connor naar de trap aan de zijkant. Connor volgde hem omhoog, naar de galerij met de afgezonderde tafeltjes.

De onbekende ging de eerste nis binnen en trok het fluwelen gordijn achter Connor dicht. Die had het gevoel alsof zijn hart in zijn keel klopte.

'Connor.' De woorden sijpelden als smeltend ijs Connors hoofd binnen. De onbekende droeg handschoenen, zag Connor, toen die zijn hand naar hem uitstak. Connor schudde hem.

'U bent de kapitein, hè?' vroeg hij. 'De kapitein van het vampiratenschip?'

De onbekende knikte.

'Ik ben blij dat ik je eindelijk leer kennen, Connor Tempest.' Opnieuw vulde het gefluister Connors hoofd.

'Dat is geheel wederzijds.'

'Ik dacht dat je misschien boos op me zou zijn.'

'Boos? Hoezo?'

De kapitein ging zitten. 'Omdat Grace naar mijn schip is teruggekomen. Omdat ze niet weg kan blijven.'

'Aanvankelijk was ik inderdaad boos. Hoewel, misschien moet ik zeggen, gefrustreerd.' Connor ging tegenover hem zitten. 'Na alles wat er was gebeurd, vond ik dat we bij elkaar moesten blijven. Maar ik besef nu dat haar plaats op uw schip is. Het was egoïstisch van me om te denken dat ík mijn hart kon volgen en piraat kon worden, en van háár te verwachten dat ze me zou volgen. Uiteindelijk ben ik gaan inzien dat we ieder onze eigen weg moeten gaan. In elk geval voorlopig.'

De kapitein knikte. 'Je bent een wijs mens, Connor Tempest. Wijs en sterk.'

'Ze is bij u toch in goede handen?' vroeg Connor. 'Is alles veilig op het schip?'

De kapitein zweeg even. 'Ach, is het ook maar ergens veilig? Echt veilig?' vroeg hij ten slotte.

Het was niet het antwoord waarop Connor had gehoopt.

'Kijk maar niet zo bezorgd, Connor. Ik zal mijn uiterste best doen om haar te beschermen, en ze heeft nog meer vrienden aan boord die er net zo over denken. Bovendien, Grace is erg sterk.'

'Dat weet ik,' zei Connor. 'Ze is de sterkste van ons tweeën. Dat is ze altijd al geweest.'

De kapitein leek verrast door die uitspraak. Net zoals Connor zichzelf verraste door dat toe te geven.

'Ik moet er weer vandoor,' zei de kapitein.

'Nu al?' Ineens besefte Connor hoeveel hij de kapitein nog zou willen vragen.

'Je kunt altijd langskomen. Sterker nog, je bent meer dan welkom.'

'Maar hoe vind ik u? Zelfs Grace had moeite uw schip terug te vinden.'

De kapitein schudde zijn hoofd. 'Niet echt,' zei hij. 'Het is niet zo moeilijk te vinden.'

Hij stond op van zijn stoel en liep naar het gordijn.

'Wacht even!' riep Connor.

De kapitein draaide zich om.

'U zei dat we de vijand met vuur moesten bestrijden.'

'Ja.' De kapitein knikte.

'Maar de... degenen die Porfirio en zijn bemanning hebben vermoord... dat zijn toch ook vampiraten?'

Connor was verrast door de emoties die de kapitein ondanks het vreemde masker wist over te brengen. Plotseling maakte hij een verdrietige, vermoeide indruk.

'Het zijn ballingen. Ik heb hun een tijdje onderdak verleend, maar ik heb mijn handen van ze afgetrokken.'

'Dus u ziet ze net zo graag sterven als de piraten? Maar kúnnen ze dat? Kunnen ze opnieuw sterven?'

De kapitein dacht even na.

'Ik wens geen enkel levend wezen ook maar enig leed of de dood toe,' zei hij ten slotte. 'Maar in dit geval ben ik bang voor het alternatief.' Hij zweeg even. 'En er is nog iets wat ik je moet zeggen, Connor. Iets heel belangrijks.'

'Ja?'

'Het zou kunnen zijn dat je onder de ballingen iemand ziet die je meent te kennen. Maar laat je niets wijsmaken. Hij is niet wat hij lijkt – hij is een *echo*, meer niet. Je zult heel sterk moeten zijn, Connor. Jij moet de anderen voorgaan. Geef hem niet de kans om jou en je kameraden te beletten te doen wat jullie móéten doen.'

Waar had hij het over? Connor fronste zijn wenkbrauwen. Waarom sprak de kapitein in raadsels?

Alsof hij Connors gedachten had geraden, verscheen er een glimlach op het masker van de kapitein. 'Omdat het je vanzelf duidelijk wordt, Connor. Zodra het moment daar is, zul je het begrijpen en zul je doen wat er van je wordt verwacht. Je hebt niet zo veel hulp nodig als je denkt. Het is niet je bestemming om te volgen, maar om te leiden.' Hij stak opnieuw zijn hand uit. 'Tot ziens, Connor Tempest. Ooit zullen we elkaar opnieuw ontmoeten.'

Connor schudde hem de hand, en terwijl hij dat deed, voelde hij zich plotseling sterk en vastberaden. Het was een wonderlijke, vreemde gewaarwording – alsof die kracht en vastberadenheid rechtstreeks vanuit de aderen van de kapitein in de zijne stroomden. En hij was zich bewust van nóg een mysterie. Terwijl zijn hand zich stevig om die van de kapitein sloot, werd het hem heel vreemd te moede. Hij kon er geen verklaring voor geven, maar hij wist zeker dat hij die hand eerder had geschud.

De donor

GRACE WAS TE RUSTELOOS om te kunnen slapen. Ze schoof het gordijn weg voor haar patrijspoort. Het was licht buiten. Op het vampiratenschip werd overdag geslapen, maar Grace was er nog te kort om haar ritme al te hebben kunnen aanpassen.

Ze stapte uit bed, trok de jas van Darcy aan en liep de gang in. Aan het eind duwde ze de deur naar het dek open. Een vlaag koude lucht kwam haar tegemoet toen ze naar buiten stapte.

Het was fris aan dek, maar op de een of andere manier ervoer ze de bries als kalmerend. Hij maakte haar haar in de war en masseerde haar hoofdpijn weg. Het geluid van de wind en van de golven die tegen de romp van het schip klotsten, hielpen haar de voortdurende geluiden in haar hoofd te verdringen. Ze rolde de mouwen van de jas over haar handen om ze warm te houden en liep naar de reling.

Het schip werd aan alle kanten omringd door een loodgrijze, ruwe zee. Zo ver als ze kon kijken, was er geen spoor te bekennen van een ander schip. En er was ook niets wat erop wees dat ze land naderden – en daarmee de Wijkplaats, hoe die er ook uit mocht zien. Ze vroeg zich af of het nog ver was. Voeren ze nog altijd op de oceaan, of waren ze inmiddels in onbekende wateren?

Ze schrok op uit haar gedachten door een vluchtige streling in haar nek. Aanvankelijk dacht ze dat de bries de kraag van haar trui omhoogblies. Maar toen de streling zich herhaalde, besefte ze dat het de hand van een medeopvarende moest zijn. En dat terwijl de andere opvarenden van het schip zich in daglicht niet aan dek waagden! Behalve de kapitein, maar die droeg altijd handschoenen. En ze kon duidelijk voelen dat dit een blote hand was. Plotseling bang geworden draaide Grace zich langzaam om.

'Hallo!' De jonge vrouw die naast haar stond, een kleine, tengere verschijning, kwam Grace bekend voor.

'Hallo,' antwoordde ze, en ze probeerde te bedenken waar ze haar eerder had gezien. Het knappe gezichtje van de jonge vrouw zag erg bleek.

'Ik ben Shanti,' zei ze. 'Lorcans donor.'

Natuurlijk! Nu wist Grace het weer. Ze had haar samen met Lorcan gezien, op de avond van het eerste Feestmaal waarvan ze getuige was geweest. Sterker nog, ze had Shanti die avond benijd – niet alleen om haar schoonheid, maar ook om haar ontspannen, intieme verhouding met Lorcan. Het viel haar op dat Shanti er inmiddels een stuk ouder en brozer uitzag. Zorgelijke rimpels ontsierden haar voorhoofd.

'Jij bent Grace.' Shanti deed een stap naar voren en ging naast haar aan de reling staan. 'Lorcan heeft het vaak over je.'

Het deed Grace goed om dat te horen, maar tegelijkertijd voelde ze zich slecht op haar gemak. Ze had nooit eerder met een donor gesproken, en hoewel de kapitein de relatie tussen vampiers en donors enigszins had toegelicht, had ze nog altijd veel onbeantwoorde vragen.

'Wanneer ben je teruggekomen?' Shanti keek omhoog naar de grijze hemel.

'Gisteren.'

'En ben je deze keer van plan om te blijven?' Shanti's stem had een scherpe ondertoon. Was ze soms jaloers op Grace? Zo klonk ze, terwijl ze toch geen enkele reden had tot jaloezie. Grace besloot in elk geval voorzichtig te zijn met wat ze zei.

'Ik weet niet zeker hoe lang ik kan blijven,' antwoordde ze naar waarheid. 'Dat is niet echt aan mij.'

'Dat begrijp ik niet,' zei Shanti. De wind speelde met haar lange, donkere haar.

'Ik ook niet.' Grace keerde zich glimlachend naar haar toe. 'Om je de waarheid te zeggen is het één groot mysterie voor me.'

Shanti bleef in de verte staren. 'Wat is een mysterie?'

'Dit schip,' antwoordde Grace. 'De vampiraten. De donors. Ik weet er eigenlijk maar weinig van. En ik wist niet dat donors aan dek mochten komen.'

'Ja, zolang het licht is,' zei Shanti. 'Na de Avondklok moeten we binnen blijven.' Ze haalde haar schouders op. 'Het is voor onze eigen veiligheid. Bovendien hebben we behoefte aan een goede nachtrust. Slaap geeft ons kracht en houdt ons bloed zuiver.'

Grace knikte. Dat klonk allemaal logisch.

'Niet dat het nog veel uitmaakt.'

'Waarom niet?' vroeg Grace.

Shanti haalde haar schouders op, nog altijd weigerend Grace aan te kijken. 'Waarom zou je als donor je bloed zuiver houden, wanneer je vampier het niet meer met je wenst te delen?'

Ze klonk gekwetst. En Grace begreep waarom. Sinds zijn gezichtsvermogen beschadigd was geraakt, had Lorcan geweigerd nog langer bloed te nemen. Zijn donor zou opgelucht moeten zijn, dacht Grace. Maar als ze naar het meisje keek, besefte ze dat het tegendeel het geval was.

'Het spijt me,' zei ze dan ook.

'Wat schiet ik dáármee op?' vroeg Shanti. Er glinsterden tranen in haar ogen.

Grace wilde een hand op haar schouder leggen, maar Shanti ontweek haar.

'Laat me met rust!' zei ze. 'Ik hoef je medelijden niet!'

'Het spijt me,' zei Grace nogmaals. 'Ik voel me verantwoordelijk. Zonder mij zou het allemaal niet gebeurd zijn.'

Toen keerde Shanti zich eindelijk naar haar toe. De tranen biggelden over haar wangen. 'Ja, dat hoef je mij niet te vertellen!'

'Je geeft om Lorcan,' zei Grace. Natuurlijk gaf ze om Lorcan! Het was onmogelijk niet om hem te geven.

Maar Shanti schudde haar hoofd. 'Ik huil niet om hém. Het gaat om mij! Ik had het goed voor elkaar op het schip. Maar als hij mijn bloed niet meer wil, heb ik hier niets meer te zoeken. Dan moet ik weg.'

Grace voelde zich in verwarring gebracht. 'Waar zou je dan heen gaan?'

'Tja, dat is een probleem. Ik kan niet terug naar waar ik vandaan kom. Sinds de overstroming is daar niets meer van over. Ik heb geen thuis meer, geen familie... Helemaal niks. Dit schip was mijn laatste kans.'

'Lorcans eetlust keert vast wel terug,' zei Grace. 'Dat weet ik zeker. En zelfs al zou dat niet zo zijn, dan laat de kapitein je heus wel blijven.'

Shanti schudde haar hoofd. 'Je begrijpt het niet. Dat zeg je net zelf. Het is allemaal één groot mysterie voor je. Nou, voor mij is het glashelder. Ik heb een overeenkomst gesloten, zoals alle donors. Zolang je bloed levert, is er niets aan de hand. Maar als daar om welke reden dan ook een einde aan komt... dan hebben ze je niet meer nodig. Dan kun je vertrekken en verrekken.'

Grace was geschokt door haar woorden. Ze kon niet geloven dat de kapitein zo wreed zou zijn. Hij was voor haar altijd zo aardig en zorgzaam geweest.

'Zulke dingen kun jij niet begrijpen,' zei Shanti, met een stem die droop van gekwetstheid en verbittering. 'Jij weet niet hoe het is om straatarm te zijn, om niets te bezitten, om nergens heen te kunnen.'

Grace stond al op het punt haar tegen te spreken, maar besefte dat Shanti daar geen behoefte aan had.

'Nee, dat kun jij je onmogelijk voorstellen. Bij de overstroming heb ik alles verloren wat ik had. Ik heb amper het vege lijf weten te redden, zoals dat heet – mijn botten en mijn bloed. En die heb ik aan de duivel verkocht. Dat was mijn laatste kans. Mijn allerlaatste kans. En het had ook zijn positieve kanten.' Ze zweeg even, buiten adem door haar eigen spraakwaterval. 'Zij zijn natuurlijk allemaal onsterfelijk. Dat gebeurt vanzelf wanneer ze overgaan. Maar wij... Nou ja, voor ons ligt het anders. Wij zijn onsterfelijk zolang we met hen samen zijn en hen voeden. Zodra dat ophoudt, maken de jaren een inhaalslag.'

Dus dáárom zag ze er zo veel ouder uit dan de vorige keer dat Grace haar had gezien! Grace vroeg zich af hoe oud ze was. Hoe groot de inhaalslag was die haar nog te wachten stond? Geen wonder dat Shanti zo boos was op Lorcan – en op haar!

'Shanti, het spijt me zo wat er is gebeurd. Dat meen ik echt. Maar ik ben teruggekomen om Lorcan te helpen beter te worden. En ik weet zeker dat het gaat lukken.'

Shanti snoof en nam driftig haar handen van de reling. 'Misschien. Maar misschien ook niet. Hoe dan ook, voor mij doet het er niet meer toe. Want zelfs als hij besluit weer bloed te nemen, dan zal hij niet bij mij aankloppen. Dat snap je toch ook wel?'

Ze wierp Grace een woedende blik toe en begon toen met grote stappen weg te lopen, naar de deur aan de andere kant van het dek. Grace haastte zich achter haar aan.

'Wat bedoel je? Waarom zou hij jouw bloed niet meer willen? Bij wie zou hij dan aankloppen, volgens jou?'

'Kom nou toch!' zei Shanti. 'En ik had nog wel begrepen dat je zo snugger bent!'

Met die woorden draaide ze zich om, ze leunde met het volle gewicht van haar tengere, broze gestalte tegen de deur, en het volgende moment was ze verdwenen.

Maar het leek Grace of haar stem nog altijd door haar hoofd galmde. Wat bedoelde Shanti? Dat Lorcan háár bloed wilde? Was dat de enige manier om Lorcan te genezen? Moest ze zich aanbieden als zijn donor?

Grace dacht aan wat de kapitein had gezegd toen ze had gevraagd hoe ze kon helpen.

'Zoek naar het antwoord. Je hebt het in je.'

Grace begon te beven, zich plotseling bewust van het bloed dat door haar lichaam, door haar aderen werd gepompt. Was dat wat Lorcan nodig had? Was dat de prijs die ze moest betalen als ze hem wilde helpen? Als ze hem wilde redden?

Vuur

HET WAS EEN SIMPEL plan dat Molucco en de elf andere piratenkapiteins hadden bedacht. Ze zouden het schip omsingelen en het dan van alle kanten met vuur bestoken. Zo veel vuur dat er een oceaan voor nodig zou zijn om de hitte te doven. Zo veel vuur dat de moordzuchtige kapers geen schijn van kans hadden te ontsnappen. Molucco besefte dat het plan tot gevolg zou hebben dat het schip van zijn broer – samen met diens lichaam en de lichamen van de bemanningsleden – tot as zou vergaan. Maar dat zou een gepast einde zijn, nu Porfirio er niet meer was, had hij besloten. 'Net als bij de piraten in vroeger tijden, zal het schip zijn brandstapel zijn,' verklaarde hij plechtig.

En dus voeren er die nacht twaalf schepen langs de kust. Het sprak vanzelf dat de *Diablo* aan het hoofd van de vloot ging. Op het dek van alle schepen was een zorgvuldig ingedamd vuur aangelegd – klaar voor het signaal waarop alle bemanningen hun fakkels zouden aansteken en tegelijkertijd tot de aanval zouden overgaan. Terwijl hij de voorbereidingen gadesloeg, moest Connor voortdurend denken aan wat de vampiratenkapitein had gezegd.

Het zou kunnen zijn dat je onder de ballingen iemand ziet die je meent te kennen. Maar laat je niets wijsmaken. Hij is niet wat hij lijkt – hij is een echo, meer niet.

Wat bedoelde hij met een *echo?* En over wie had de kapitein het gehad?

Je zult heel sterk moeten zijn, Connor. Jij moet de anderen voorgaan. Geef hem niet de kans om jou en je kameraden te beletten te doen wat jullie móéten doen.

De kapitein leek er volledig op te vertrouwen dat Connor de anderen zijn wil op kon leggen, maar hij was nog maar zo kort lid van de bemanning. Zeker, Molucco was bereid naar hem te luisteren, maar hij was er verre van overtuigd dat zijn kameraden dat in het heetst van de strijd ook zouden doen.

Zodra het moment daar is, zul je het begrijpen en zul je doen wat er van je wordt verwacht... Het is niet je bestemming om te volgen, maar om te leiden.

Was het waar wat hij had gezegd? Connor dacht opnieuw aan het visioen waarin hij zichzelf als kapitein had gezien. Misschien zou hij vandaag voor het eerst op de proef worden gesteld; misschien zou vandaag blijken of het visioen werkelijkheid zou kunnen worden.

De scheepssirene klonk. Dat was het teken. Het schurkenschip was gesignaleerd. De *Diablo* paste zijn koers dienovereenkomstig aan. Connor keek achterom naar de ontzagwekkende aanblik van elf schepen die in formatie voeren en volmaakte ringen van vuur – als kleine planeten – door de nacht droegen.

De schepen zetten koers naar hun doelwit en verzamelden zich eromheen als bijen in een korf. Het gekaapte schip dreef roerloos op het water, met de zeilen opgedoekt. De piraten zagen nergens aan boord een teken van leven, maar het verlaten dek droeg de gruwelijke, bloedige sporen van de slachtpartij. Opnieuw klonk er een sirene. Op de twaalf schepen wapenden de piraten zich met brandende toortsen. Een tweede sirene. Dat was het teken waarop de piraten het dek van het gekaapte schip met de fakkels begonnen te bestoken. Het duurde niet lang of het doelwit stond in lichterlaaie.

'Deze is voor Porfirio,' brulde Molucco, terwijl hij een brandende toorts tegen de mast slingerde.

De piraten op de *Diablo* juichten toen de zeilen vlam vatten. Het gejuich werd overgenomen door de andere schepen tot zich om de cirkel van vuur een muur van geluid had gevormd.

Plotseling verschenen er figuren aan dek. Connor kneep zijn ogen tot spleetjes. Het waren er vier – drie mannen en een vrouw – en ze doken wanhopig in elkaar te midden van de vlammen. Connor nam hen aandachtig op, de monsters! Hij zag een lange, zwarte man met zilvergrijs haar dat de vlammen weerkaatste; een man die langer, dunner en jonger was dan de eerste; een meisje – beeldschoon, maar toch een monster. Toen zijn blik op de vierde vampier viel, deinsde hij geschokt achteruit. Dat was Jez!

Connor keek naar hem en dacht aan de laatste keer dat hij hem had gezien, in Molucco's kooi, nadat ze zijn lichaam over een van de drie wensen hadden teruggebracht naar de *Diablo*. En hij dacht aan dat moment op het dek van de *Albatros*, toen de levensgeest uit Jez was geweken. Dat moment zou hij nóóit vergeten, zolang hij leefde. Plotseling begreep hij de woorden van de vampiratenkapitein. *Het zou kunnen zijn dat je onder de ballingen iemand ziet die je meent te kennen. Maar laat je niets wijsmaken. Hij is niet wat hij lijkt – hij is een echo, meer niet.* De man die hij zag, was niet Jez, maar een echo!

Naast hem werd Bart bleek van afschuw. Connor keerde zich naar zijn vriend, die met stomheid geslagen wees naar Jez – of wat er van Jez was geworden.

'Hij is het niet,' zei Connor bezwerend. 'Hij ziet eruit als Jez, maar hij ís het niet!'

Barts gezicht drukte een en al kwelling en verwarring uit. 'Ik begrijp het niet. Kijk dan...'

'Het is ook bijna niet te begrijpen,' zei Connor. 'Maar nadat Jez was gestorven, nadat wij hem zijn zeemansgraf hadden gegeven, is hij weer tot leven gewekt. Hoewel, *leven* is misschien niet het goede woord. Hij is in elk geval teruggehaald...'

Bart schudde zijn hoofd. 'Dus mijn oude makker is veranderd in een *vampier?*'

'Ja, hij is een vampiraat geworden,' zei Connor.

'Net als de bemanning van het schip dat Grace heeft gered?'

Het kostte Bart de grootste moeite het te bevatten, en wie zou het hem kwalijk nemen? Connor zag dat andere leden 'Jez' ook in de gaten hadden gekregen en waren gestopt het demonenschip met vuur te bestoken. Hij moest iets doen. Want hij durfde er niet aan te denken welke gevaren er dreigden, als ze hun aanval staakten.

'Hij is het niet!' riep hij dan ook. 'Het is Jez niet!' Hij klom hoger op het dek. 'Jullie moeten me geloven. Het is Jez niet!'

De piraten keken hem aan, hun ogen wijd opengesperd in opperste verwarring. Ook zij hadden Jez zien sterven. En ze waren erbij geweest toen zijn kist in zee werd gegooid.

Op het andere schip keek Stukeley hen door de dansende vlammen onzeker aan – met in zijn ogen een mengeling van angst, verrassing en verwarring. Toen ontdekte hij Bart, en iets brak baan, dwars door de verwarring heen.

'Bart!' riep hij. 'Connor! *De drie boekaniers!*' Het was onmiskenbaar de stem van Jez.

'Hij klínkt wel als Jez.' Barts gezicht verried de beproeving die hij doormaakte.

'Je hebt hem zien sterven,' zei Connor nadrukkelijk. 'Dat moet je goed voor ogen houden. Je hebt hem zíén sterven. We hebben samen zijn kist overboord gegooid.' Connor keerde zich naar de rest van de bemanning. 'Het is bedrog! We hebben Jez zien sterven. We waren er allemaal bij toen we hem zijn zeemansgraf gaven. Het is bedrog. Jullie moeten me geloven. De allerwreedste vorm van bedrog. Dit zijn de monsters die Porfirio Wrathe en zijn bemanning hebben uitgemoord. We móéten onze aanval voortzetten!'

Even dacht Connor dat hij hen niet had kunnen overtuigen, maar toen begonnen de mannen hun fakkels weer te heffen. Ze aarzelden, keken naar Bart. De bedoeling was duidelijk. Hij was de beste vriend van Jez geweest. Dus het laatste woord was aan hem.

'Connor heeft gelijk!' brulde Bart. 'Het is bedrog. Mijn makker is in mijn armen gestorven. Dat is niet Jez! Vooruit met die fakkels!'

Connor besefte hoe verschrikkelijk dit moment voor Bart moest zijn. Het definitieve eind van de drie boekaniers. Terwijl de piraten om hen heen hun aanval met verhevigde kracht voortzetten, sloten Connor en Bart hun ogen. Toen ze enkele ogenblikken later weer durfden te kijken, was 'Jez' in het geweld van de vlammen niet meer te zien of te horen.

Geleidelijk aan stierven ook de kreten van zijn drie metgezellen weg.

Uiteindelijk was het alsof het hele schip bestond uit vlammen – van de boeg tot de achtersteven, van de mast tot de zeilen en het want. Toen duurde het niet lang meer, of de hele constructie begon uit elkaar te vallen, terwijl de verteerde brokstukken in het donkere water stortten.

Er klonk een sirene. Het werk van de piraten zat erop. Het schip was vernietigd, en daarmee ook de moordzuchtige bemanning.

Wraak was een pijnlijk iets, dacht Connor. Het leverde geen echte bevrediging op, maar in plaats daarvan een gevoel van weerzin, van schuld, van bezoedeling. Hij wilde dat de *Diablo* meteen zou wegvaren, nu de klus was geklaard.

Maar plotseling klonk er een luid gebrul, en vanuit het hart van de vlammen rees een reusachtige gedaante op. Connors ogen puilden bijna uit hun kassen. Het was Caesar – de vreemdeling die de manschappen van de *Diablo* bij Ma Kettle's had aangesproken en die hen naar het vampiratenschip had geleid om Grace te redden. Caesar, die vervolgens op raadselachtige wijze van het schip was verdwenen. Inmiddels meende Connor te begrijpen waarom. Maar hij wilde het zeker weten. Dus hij klom in het want, om de demon recht in de ogen te kunnen kijken.

'Caesar!' riep hij. 'Caesar!'

De andere piraten keken omhoog en vervolgens naar het brandende schip. Degenen die 'Caesar' hadden ontmoet, begonnen te knikken. Maar nu begon er ook begrip te dagen. Er was iets heel erg mis op dat schip: de bemanning was niet wat ze leek. Het waren tenslotte demonen.

Nu keerde de enige vampier die de brand had overleefd, zich naar Connor. Zijn gezicht was als het gezicht van de duivel – in zijn ogen brandde hetzelfde vuur als waardoor zijn schip werd verteerd. Connor probeerde zich af te wenden, maar de aanblik was te dwingend, ondanks al zijn gruwelijkheid.

'Ik heet geen Caesar, idioot! Ik ben... Sidorio!'

Natuurlijk! Nu begreep hij ineens alles. Dit was de vampier die Grace had bedreigd. De vampier die door de vampiratenkapitein van boord was gestuurd. Hij had de piraten niet naar het vampiratenschip geleid om Grace te redden, maar om de vampiraten te vernietigen...

'Geef me een fakkel!' riep Connor tegen een van de mannen op het dek. 'Vlug, geef me een fakkel!' Er werd hem een toorts aangereikt. En plotseling voelde hij zich al bijna kapitein.

'Deze is voor Grace!' Hij slingerde de fakkel recht naar Sidorio. Hij kwam neer op het dek vóór de vampier.

'Nog een!' riep Connor naar beneden. Haastig werd hem nog een fakkel aangegeven.

'En deze is voor Jez!' Connor slingerde de fakkel door de lucht. Hij raakte Sidorio in de zij. Gruwelijke vlammen laaiden op van zijn vlees, of waar hij ook uit bestond. Donkere rook begon op te stijgen.

'Vuur kan me niet deren!' riep Sidorio met bulderende stem. 'Daar word ik alleen maar sterker van!'

'Nog een!' riep Connor. 'Geef me er nog een en verzamel alle fakkels die we nog hebben. Dan gooien we ze allemaal tegelijk.'

De piraten gaven Connor nog een fakkel door en pakten er toen zelf ook een. Connor keek neer op de piraten van de *Diablo*. Even waren ze zíjn bemanning. Bart, Cate... zelfs Molucco... allemaal keken ze naar hem op.

'En deze...' Connor keek over het water en de vlammen naar de brandende reus. 'Deze is voor Porfirio!' Hij slingerde zijn fakkel door de nachtelijke duisternis. Hij vloog in een hoge boog langs de hemel, samen met de tientallen fakkels afkomstig van de bemanning. Ze daalden als een vurige regen neer op het dek van wat eens Porfirio's schip was geweest. In de vlammen was niets of niemand zichtbaar. Het enige geluid was hun hongerige geknetter. De enige geur de giftige rook terwijl het schip tot as werd verteerd.

Toen klonk er een bulderende stem, boven het geknetter van de vlammen uit. '*Vuur maakt me alleen maar sterker.*' Maar de stem was veranderd, klonk niet meer hetzelfde. Sidorio is ijdel, dacht Connor. Hij zou tot zijn laatste snik van zijn macht blijven getuigen, maar het was ondenkbaar dat hij deze massale aanval zou overleven.

Tot Connors verbijstering begonnen de vlammen echter de vorm van een monster aan te nemen. Een monster dat steeds groter werd, tot het vijf... tien... twintig... veertig meter hoog was. Woedend torende de reus boven hen uit.

'*De dood heeft geen greep op me,*' bulderde hij. '*De dood heeft geen greep op wie al dood is.*'

Na zijn laatste woord doofden de vlammen abrupt, en het beeld van Sidorio verdween. Connors hart ging als een razende tekeer, maar het enige wat hij zag, was het brandende schip. Als een brandstapel voor Porfirio Wrathe en zijn bemanning. En in zekere zin ook voor Jez, dacht Connor.

Hij bleef nog lang in het want hangen, toekijkend terwijl het smeulende schip een werd met de wateren die het hadden gedragen. Waren de oceanen nu weer veilig? Was er een eind gekomen aan Sidorio's tij van gruwelen?

Ten slotte keek hij weer naar beneden, en hij zag dat Cate, Bart en Molucco zich op het dek hadden verzameld.

'Kom naar beneden!' riep Molucco. 'Het is voorbij!'

Connor klauterde uit het want naar beneden, plotseling met stomheid geslagen door alles wat er was gebeurd. Hij had het ineens ijskoud en beefde, alsof de emoties nu pas echt loskwamen.

Toen hij op het dek sprong, kwamen Cate en Bart naar hem toe en sloegen hun armen om hem heen. Het was precies wat hij nodig had.

'Je was geweldig!' zei Bart.

'Een held!' voegde Cate eraan toe.

Kapitein Wrathe knikte en strekte zijn armen naar hem uit. 'Goed werk, Mr. Tempest. Zonder jou... Zonder jou...'

Connor schudde zijn hoofd. 'Iedere andere piraat zou hetzelfde hebben gedaan… voor zijn kapitein, en zijn vrienden.'

Terwijl hij zich door de kapitein liet omhelzen, dacht hij aan de vraag die de vampiratenkapitein hem had gesteld. *Is het ook maar ergens veilig? Echt veilig?*

Er ging een huivering door hem heen. Deze strijd was voorbij, maar de volgende zou niet lang op zich laten wachten. Ze waren piraat. Dit was wat het betekende om piraat te zijn.

Over de schouder van Molucco heen zag Connor de vloot van

schepen verdwijnen in de nacht. Hier hoor ik thuis, dacht hij. Hier heb ik voor gekozen, en die keuze zou ik opnieuw maken, ondanks de gevaren.

Onbekende mysteries

GRACE STOND AAN DEK terwijl het daglicht verbleekte en plaatsmaakte voor de avondschemering. Ze waren over een grijze oceaan, onder een grijze hemel, naar helderder wateren gevaren, maar ze had nog steeds geen idee of ze in de buurt van de Wijkplaats begonnen te komen. De kapitein had ze niet meer gesproken. Hij had het druk met zijn plannen – en inmiddels had zij de hare.

Terwijl de zon onderging in water zo donker als obsidiaan, keek Grace neer op het boegbeeld van het schip, in afwachting van het moment waarop Darcy Flotsam zou ontwaken. De zon was nauwelijks opgeslokt door de golven, of het was zover. Grace hoorde gekraak en zag beneden zich de eerste tekenen van beweging. Darcy boog haar hals, wat opnieuw leidde tot zacht gekraak. Toen begon haar keurige boblijn heen en weer te zwaaien. *Krrrraak–sjwoesj, krrrraak-sjwoesj.* Vervolgens kwamen haar armen enigszins schokkerig in beweging – *nnnggg–krák!* – en even later ook haar benen. Blijkbaar voelde ze dat er naar haar werd gekeken, want ze keerde haar gezicht omhoog en knipoogde naar Grace, voordat ze het water in dook.

Onder zacht gespetter ging ze kopje-onder, en een klein eindje verder kwam ze weer boven. Terwijl ze haar sluike, zwarte haar gladstreek, keek ze verwonderd om zich heen, alsof ze de wereld voor het eerst zag. Ze spartelde wat rond, toen zwom ze om het schip heen naar de ladder. Even later voegde ze zich bij Grace op het dek.

'Goedenavond, Grace,' zei ze. Het water droop aan alle kanten van haar af, op de rode planken van het dek. 'Ben je voorgoed teruggekomen?'

'Ja, Darcy,' zei Grace. 'Tenminste, dat hoop ik.'

'Wat mankeert er dan nog aan?' vroeg Darcy. 'Je bent een open boek voor me, Grace Tempest. Een boek met koeienletters! En ik kan zien dat je van streek bent.'

Grace glimlachte. Op de een of andere manier wist Darcy haar – met haar vreemde manier van doen, haar merkwaardige vergelijkingen – altijd op te beuren, wat er ook aan de hand was op het schip.

'Darcy, ik moet je om een gunst vragen.'

'Een gunst? Voor de draad ermee. Ik zal je verzoek uiterst zorgvuldig in overweging nemen en er meteen antwoord op geven. Om niet te zeggen, *tout de suite*.' Terwijl ze het zei, liep ze naar de scheepsbel.

'Wacht even!' riep Grace.

Darcy bleef met een ruk staan en draaide zich naar haar om. 'Even geduld, Grace. Ik moet de bel luiden. Dat weet je. Het is tenslotte mijn taak om de bemanning wakker te maken.'

'Ja, dat weet ik,' zei Grace. 'En dat is nou precies de gunst die ik je wil vragen.'

Darcy trok haar neus op en fronste haar voorhoofd. 'Sorry, maar ik begrijp het niet.'

'Zou je alsjeblieft even willen wachten met het luiden van de Avondklok? Ik wil Lorcan meenemen aan dek, en dat zou allemaal een stuk makkelijker gaan als we het rijk alleen hadden.'

'O, Grace.' Darcy's gezicht betrok. 'Ik dacht dat je dat wist! Lorcan wil niet meer aan dek komen. Hij durft niet meer na wat er is gebeurd. Hij is bang voor licht.'

Grace knikte. 'Dat weet ik, maar daar ga ik niet aan toegeven. Met jouw hulp krijg ik hem mee naar buiten. Ik blijf gewoon net zolang zeuren tot hij het doet.'

Darcy glimlachte. Er glinsterden tranen in haar ogen. Het was duidelijk dat ze begreep wat Grace van plan was. 'Je bent geweldig, Grace Tempest. Een geweldige vriendin.'

Een geweldige vriendin, dacht Grace. Wat ze van plan was Lorcan aan te bieden, ging nog veel verder dan vriendschap. Toen ze opkeek, zag ze dat Darcy glimlachte.

'Natuurlijk help ik je. Ik haal de lampen alleen vast naar beneden, zodat ik ze straks meteen kan aansteken. En daarna ga ik een mooie droge jurk aantrekken, mijn haar doen en me optutten. Heb je aan een halfuur genoeg?'

Grace knikte. 'Ruimschoots. Dank je wel, Darcy. Heel erg bedankt.'

'Graag gedaan,' zei Darcy. 'En ga dan nu luitenant Furey maar uit zijn donkere hut halen.'

Grace knikte glimlachend en haastte zich weer naar binnen. Doelbewust maar op haar tenen liep ze de gang door, de trap af, naar de hut van Lorcan. Ze klopte op de deur en duwde hem open, zonder op antwoord te wachten.

Hij lag in het donker, naast zijn bed gloeide het zwakke licht van een enkele kaars.

'Wie is daar?' Zijn stem klonk vermoeid, broos, gebroken.

'Ik ben het... Grace.'

'O,' zei hij vlak, zonder een zweem van emotie. 'Hoe lang blijf je deze keer?'

'Ik blijf voorgoed.' Ze liep naar het bed. 'Deze keer ben ik niet alleen maar op bezoek. Deze keer ben ik echt terug.'

Haar woorden deden hem ontwaken uit zijn lusteloosheid, en

hij keerde zijn hoofd naar haar toe. Er zat een schoon, wit verband om zijn verwondingen dat keurig om zijn hoofd was gewikkeld. Zijn gezicht zag bijna net zo wit als het verband.

'Meen je dat? Ben je echt terug?'

'Ja.' Ze legde een hand op zijn arm. Hij beefde onder haar aanraking, maar ze wist dat hij haar geloofde.

'Kom,' zei ze. 'Tijd om op te staan.'

Hij schudde zijn hoofd. 'Ik ben moe.'

'Natuurlijk ben je moe! Omdat je niet goed voor jezelf zorgt! Je wilt je hut niet uit. Je neemt geen bloed meer. Geen wonder dat je geen energie hebt. Kom op, uit bed! Ik neem je mee naar buiten.'

Hij verstijfde. 'Nee!'

'Maak je geen zorgen. Ik weet dat je bang bent, maar ik ben bij je. Ik laat je niet alleen. Bovendien, het is pikdonker buiten. Zelfs de maan is nog niet op.'

'Hoe kan dat nou?' vroeg Lorcan. 'Darcy heeft de Avondklok nog niet geluid. Tenzij ik erdoorheen heb geslapen.'

'Nee,' zei Grace. 'Ze heeft de bel nog niet geluid, omdat ik haar heb gevraagd nog even te wachten. Ik dacht dat het makkelijker voor je zou zijn als we het rijk alleen hadden aan dek.'

Hij werkte zich met enige inspanning overeind. 'Het is erg lief van je, Grace, maar ik ga niet mee naar buiten.'

'Zeker weten van wel!' Ze klonk aanzienlijk resoluter dan ze zich voelde en gaf een ruk aan het beddengoed. 'Kom mee!' zei ze zo vastberaden mogelijk. Ze kon aan zijn gezicht zien dat hij begon te twijfelen.

'Maar het is koud buiten,' protesteerde hij.

'Precies, dus je slaat je cape om. Vooruit, ga rechtop zitten. Dan help ik je met je schoenen.'

Niet overdreven optimistisch keerde ze hem vluchtig de rug toe om zijn laarzen te pakken die aan de andere kant van de hut stonden. Toen ze zich weer naar hem terugdraaide, zat hij rechtop in bed. Van blijdschap begon haar hart sneller te slaan. Ze kon wel juichen, maar ze moest sterk blijven en ze mocht haar aandacht niet laten verslappen. Er was nog een hoop te doen, en ze had niet veel tijd.

'Alsjeblieft.' Ze zette de laarzen op de grond en liet zich voor hem op haar knieën zakken. Ze werkte zijn rechtervoet in een laars, trok de veters aan en herhaalde de operatie vervolgens met de andere voet. Toen kwam ze weer overeind.

'Zo. Nu moet je gaan staan.'

Hij aarzelde even, haalde diep adem. Ze besefte dat hij meer was verzwakt dan ze had gedacht.

'Moet ik je helpen?' vroeg ze.

Hij knikte, langzaam. Ze wilde niets liever dan hem helpen, maar het feit dat hij haar hulp zo gemakkelijk aanvaardde, schokte haar. Of het nu kwam door het gebrek aan bloed of omdat hij zo lang in bed had gelegen, van zijn vroegere kracht en levenslust was niets meer over. Ze vroeg zich af of hij die ooit zou terugkrijgen.

'Ik tel tot drie.' Ze stak haar handen naar hem uit. Toen hij de zijne erin legde, voelde ze dat ze nog net zo koud waren als in haar herinnering.

'Een... twee... drie!'

Hij wiegde naar achteren, naar voren, en kwam overeind. Samen stonden ze even te wankelen, maar toen stond hij. Op eigen benen.

'Heel goed.' Ze trok zijn overhemd recht. 'En nu je cape.'

Ze pakte de zware cape van de stoel en hing die om zijn schouders. Toen ze de koordjes wilde vastknopen, schudde hij zijn hoofd. 'Dat wil ik zelf doen.'

'Oké.' Ze drukte hem de koordjes in de hand en deed een stap naar achteren.

Aanvankelijk kon hij er niet goed greep op krijgen, en zijn eer-

ste poging om een knoop te leggen mislukte volledig. De cape
gleed van zijn schouders en viel op de grond. Grace bukte zich,
raapte hem op en hing hem weer om zijn schouders.

'Bedankt,' zei hij, duidelijk gefrustreerd en in verlegenheid gebracht.

Grace deed een stap naar achteren. Het liefst zou ze hem helpen, maar ze wist hoe belangrijk het voor hem was op zijn minst
iets zelf te doen.

Het was een kwelling om hem te zien tobben – vier keer, vijf
keer, zes keer – maar Grace weigerde toe te geven. Telkens opnieuw sprak ze hem bemoedigend toe, trok ze de cape weer omhoog en legde ze zijn vingers om de koorden. Bij de zevende poging lukte het hem er een knoop in te leggen. In de knopenles van
kapitein Quivers zou hij geen best figuur hebben geslagen, maar
de knoop zat vast, de cape hing stevig om zijn schouders, en dat
was het enige wat ertoe deed.

'Zo, tijd om te gaan.' Grace deed de deur van zijn hut open.

'Niet te vlug,' zei Lorcan. 'Ik ben tegenwoordig niet meer zo vast
ter been.'

'Dat begrijp ik.' Grace schoof haar arm door de zijne. 'Leun
maar op mij.'

Zo gingen ze op weg, aanvankelijk heel langzaam, de gang door,
de trap op. In de bovengang ging het al iets sneller, maar Lorcan
leunde zwaar op haar. Het was duidelijk dat hij ernstig verzwakt
was en haar steun hard nodig had.

'We zijn bijna bij de deur naar het dek.' Ze had het nog niet gezegd of ze voelde dat hij verkrampte. 'Het komt allemaal goed.
Echt waar. Maak je geen zorgen.'

'Het is echt donker buiten, hè?'

'Ja.'

'Wil je voor de zekerheid nog even kijken?'

'Oké.' Ze duwde de deur een heel klein kiertje open. Het was pikdonker buiten, op het flonkeren van de sterren en de zachte gloed van een dun sikkeltje maan na.

'Het is donker,' zei ze. 'O, Lorcan, het is een prachtige avond! Kom alsjeblíéft mee naar buiten.' Ze hield de deur open. 'Als je niet wilt, doe het dan voor mij.'

Hij knikte, zocht opnieuw steun bij haar en liep de donkere avond in.

'Zo! Je bent buiten. Hoe voelt dat?'

'Goed.' Hij haalde diep adem. 'Het voelt goed.'

Ze loodste hem naar de reling. Instinctief strekte hij zijn handen ernaar uit. Terwijl hij zich eraan vastklampte, boog hij zich eroverheen, zoals hij dat zo vaak had gedaan, en hij hief zijn gezicht op, genietend van de oceaanbries die zijn huid streelde.

'O, wat heb ik dit gemist!' verzuchtte hij.

'Ik ben teruggekomen,' zei Grace. 'Nu moet jij dat ook doen.'

'Wat bedoel je?'

Ze zuchtte. Het was nu of nooit.

'Je moet weer bloed gaan nemen.' Haar hart bonsde, maar haar lot was bezegeld. Sterker nog, dat was het al heel lang, besefte ze nu. Ze kon niet meer terug. 'Ik heb Shanti gesproken,' zei ze.

'Shanti,' herhaalde hij, alsof de naam hem slechts vaag bekend voorkwam.

'Je donor. Ze vertelde dat je was gestopt met delen.'

Hij zei niets. Zijn gezicht verstrakte, maar hij bleef naar de hemel kijken. Zelfs de emoties van de gemaskerde kapitein zijn duidelijker te lezen, dacht Grace onwillekeurig.

'Je moet weer bloed gaan nemen,' zei ze. 'En als je dat van Shanti niet meer wilt, dan... dan geef ik je het mijne.'

Hij keerde zich naar haar toe. Hoewel zijn gezicht voor een deel schuilging onder verband, kon ze duidelijk zien hoezeer haar woorden hem hadden geschokt.

'Maar Grace, dat zou ik niet willen! Shanti is mijn donor...'

378

Grace knikte. Plotseling stroomden de tranen over haar gezicht – van verdriet of van blijdschap of van opluchting, dat wist ze niet. 'Ik zeg het omdat Shanti denkt dat je haar bloed niet meer wilt. Maar ze denkt dat je het mijne misschien wel zou willen. Dat ik je nieuwe donor zou kunnen worden.'

'Zou je dat voor me hebben gedaan? Meen je dat echt?' Zijn hand gleed over de reling naar de hare, zodat hun pinken elkaar raakten.

'Je hebt mijn leven gered, Lorcan! Je hebt mijn leven gered, en voor me gezorgd, en me in bescherming genomen. Natuurlijk zou ik dat voor je hebben gedaan. Ik zou alles doen om je te helpen. Om je te redden.'

Hij boog zijn hoofd. 'Ik ben zo stom geweest.'

'Hoezo? Wat bedoel je?'

'Ik dacht dat je niet meer terug zou komen. En ik miste je. Ik miste je zo verschrikkelijk.'

Haar hart jubelde bij zijn woorden. En dat was ook niet zo vreemd. Maar tegelijkertijd was ze zich bewust van een zware verantwoordelijkheid. Was het waar wat hij zei? Was hij gestopt met bloed nemen omdat hij haar zo miste? Niet uit wanhoop om zijn blindheid? Ze was nog nooit zo belangrijk voor iemand geweest – anders dan voor Connor. De gevoelens die bezit van haar namen waren een mengeling van verrukking en angst.

'Kijk naar de oceaan,' zei hij. 'Wat zie je?'

Ze keek in de verte. 'Heel weinig... Alleen het donkere water dat zich eindeloos en eeuwig lijkt uit te strekken.'

Hij knikte. 'Precies. Zo voel ik het ook. Niet alleen de oceaan die eeuwig voortgaat, maar ook de tijd. Stel je die oceaan eens voor als een lappendeken van dagen, en nachten, en uren, en minuten. Een lappendeken waar geen eind aan komt. En stel je dan eens voor dat je er helemaal alleen voor stond.'

'Maar je bent niet alleen,' zei Grace.

'Nu niet meer.' Zijn pink schoof iets dichter tegen de hare.

Geruime tijd stonden ze zwijgend aan de reling. De tranen stroomden nog altijd over haar gezicht, maar ze liet ze drogen door de wind.

'Ik heb het koud,' zei ze ten slotte huiverend.

'Hier.' Hij tilde zijn arm op. 'Kom onder mijn cape.'

Ze deed wat hij zei en kroop tegen hem aan, terwijl hij de warme cape om hen heen sloeg.

'Zo, nu mag jij op míj leunen.' Hij trok haar nog dichter tegen zich aan.

Ze glimlachte.

'Het komt allemaal goed,' zei ze. 'Ik weet zeker dat we een geneesmiddel vinden voor je blindheid. Sterker nog, daar zijn we naar op weg. Naar een plek die Wijkplaats heet. Daar woont blijkbaar een vriend van de kapitein, een zekere Mosh Zu Kamal.'

Lorcan hield zijn adem in. 'Echt waar?' vroeg hij toen. 'Gaan we naar de Wijkplaats?'

'Ja, dat heeft de kapitein me zelf verteld,' antwoordde Grace. 'Hij geeft het niet zomaar op. En ik ook niet.'

Lorcan glimlachte. 'Welkom terug op de *Nocturne*, Grace.'

Verward keek ze hem aan. 'De *Nocturne*? Wat is dat?'

'Wat denk je dat het is? Zo heet het schip. De *Nocturne*.'

'Echt waar? Ik wist niet eens dat het een naam hád.'

'Ach Grace, dit schip herbergt onbekende mysteries, en je bent nog maar net begonnen die te ontsluieren. Dus als je meer wilt weten, dan denk ik dat je nog maar een poosje moet blijven.'

Glimlachend kroop ze nog dieper weg in zijn warme cape. 'Ja,' zei ze. 'Ja, dat moest ik maar doen.'

Lees ook:
Vampiraten. Demonen van de oceaan

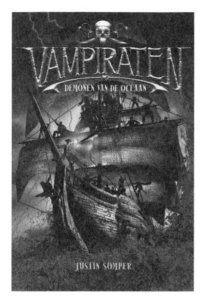

Grace en Connor wonen met hun vader in een vuurtoren. Voor het slapen gaan zingt hij altijd een oud vampiratenlied. Wanneer hun vader overlijdt, besluit de tweeling het ruime sop te kiezen. Een verschrikkelijke storm verwoest hun boot en Grace en Connor belanden in het ijskoude water. Ze vinden elkaar niet meer terug.

Connor wordt uit het water gevist door de bemanning van een berucht piratenschip. Al snel blijkt dat hij over het allerbeste piratenbloed beschikt. Grace belandt op een wel héél macaber schip: een vampiratenschip. Overdag is het doods, maar 's nachts, na het luiden van de bel, komt het schip tot leven.

Dan vertelt een mysterieuze boodschapper Connor dat er werkelijk een vampiratenschip bestaat. Vastbesloten stevenen de piraten op een zeeslag af. Zullen Grace en Connor elkaar ooit in levenden lijve terugzien?

Spookachtig! Voor koelbloedige lezers…

'Buitengewoon vermakelijk. Ik wil meer!'
Publishing News

ISBN-10: 90 261 3148 8
ISBN-13: 978 90 261 3148 6